Y DIAL

I griw y Suliau Uwch –
Geraint a Sian, Liz a Wil

JON GOWER

Y DIAL

Argraffiad cyntaf: 2020
© Hawlfraint Jon Gower a'r Lolfa Cyf., 2020

Cynllun y clawr: Sion Ilar

Rhif Llyfr Rhyngwladol: 978 1 78461 863 6

Dymuna'r cyhoeddwyr gydnabod cymorth ariannol
Cyngor Llyfrau Cymru

Cyhoeddwyd ac argraffwyd yng Nghymru
ar bapur o goedwigoedd cynaliadwy gan
Y Lolfa Cyf., Talybont, Ceredigion SY24 5HE
e-bost ylolfa@ylolfa.com
gwefan www.ylolfa.com
ffôn 01970 832 304
ffacs 01970 832 782

Rhwng cawod Ebrill a blagur Mai
Yn y cynhaf, daw dawns y dail
Ac yna'r haf sy'n llawenhau
A'r pridd yn crasu dan yr haul.

Gyda ro, ro, ridl, didl, ro, ro, rym,
Ro, ro, didl, ridl, ro, ro, rym.

Ond yna'r haf sy'n dweud ffarwél
A'r dail sy'n crensian dan ein traed,
Lleuad lawn sy'n belen ddel
A rhybudd sydd – cynhaeaf gwaed.

Ro, ro, rym.

Cân werin draddodiadol y Tosciaid o Albania

Prif gymeriadau

Emma Freeman, Ditectif Arolygydd

Tom Tom (Thomas Thomas), Ditectif Arolygydd

Tomkins, Ditectif Brif Arolygydd

John ('Stalin') Thomas, Goruchwylydd

Harry Enfield, Prif Gwnstabl

D.S. Daniels, heddwas

Marty, cyfaill Tom Tom

Alun Rawson, patholegydd

Mr Du, asasin

Christine Vaizey, chef

Coginio

MAE'R DYN SYDD yn mynd i farw yn dihuno mewn caets metal wedi ei leinio â phapur sgleiniog, fel ffwrn hen ffasiwn. Does ganddo ddim cof sut wnaeth e gyrraedd yma, dim ond cofio teimlo poen wrth i rywbeth slamio'i benglog wrth iddo, beth, agor y drws i'r ale? Cyn i bopeth fynd yn ddu, y trawiad yn troi cerrynt trydanol ei ymennydd i ffwrdd fel bwrw switsh. Düwch. Düwch hollol. Teimlad o ymladd effaith disgyrchiant a gadael ei gorff am ennyd. Ond mae'n dihuno i wynder o boen. A gwres heb faddeuant.

'Turn the oven to 280 degrees centigrade, Gas Mark 11. Make sure the meat is well basted and don't place the dish in the oven until the full temperature has been met. Sealing in all those lovely juices is what we're at.'

Poethi, mae pethau'n dechrau poethi lot, er gwaetha'r ffaith ei fod yn gyfan gwbl noethlymun. Daw i sylweddoli, gyda braw di-ben-draw, ei fod e mewn ffwrn, ei fod e'n cael ei goginio a does ganddo ddim clem ble na sut i droi i osgoi'r graddau canradd ymosodol. Un poen yn gyfnewid am un arall.

Fel neidr wallgof mae'n rhuglo a rhuglo a throi'n wyllt wrth i'r chwys raeadru o'i groen ac mae'r weithred syml o anadlu'n anodd, yr awyr o'i gwmpas megis ar dân ac yn brin iawn o ocsigen. 200 gradd. 220 gradd. Ffyc. Bob eiliad mae'r thermomedr digidol yn dringo deg gradd neu fwy. Ac yntau yng nghrombil poen, yn ei gwrcwd, y blewiach mân ar ei gorff yn dechrau llosgi, rhai ar dân.

'Turn the meat every thirty minutes or so.'

Drwy'r gwydr, er gwaetha'r poen dychrynllyd mae'n gweld rhywbeth yn symud, ac mae'n anodd ffocysu ar y peth mawr gwyn. Am eiliad wallgo mae'n meddwl taw angel sydd yno, ei angel gwarchodol, wedi dod i'w gael e mas, y boen, y diffyg aer, y gwres sy'n gwneud dim byd llai na rhostio erbyn hyn. A'r angel fydd yn esgyn gyda'i ysbryd. Oherwydd mae'n gwybod nawr ei fod e'n mynd i farw, i drigo yn y ffycin ffwrn 'ma, sydd mor boeth, mor grasboeth nes ei bod hi'n bygwth llosgi popeth bant – ei enw hyd yn oed. Llosgi pob llythyren o'i enw, pob atgof ac amgyffred yn ulw.

Yr ochr arall i'r gwydr mae'r herwgipwraig yn trefnu'r cytleri ar y ford. Gallai'r ffordd ofalus mae'n gwneud hyn rewi'r gwaed o ystyried bod yna fod byw yn gwichian ac yn llosgi yn y cefndir. Dyma'r cytleri gorau, y cyllyll a'r ffyrc wedi eu gwneud gan Arthur Price yn Sheffield. The Harley Range. Teclynnau bwyta gyda'r gorau, campweithiau bach *art deco* gyda handls cywrain ac iddynt gydbwysedd da. Llwyau lyfli hefyd. Nid bod angen llwyau ar gyfer y cwrs penodol yma.

Trefna'i het cogydd yn ddestlus ar ei phen, gan dynnu'r blaen i lawr dros y gwythiennau sy'n pwmpio'n garlamus ar arlais ei phen. Mae'n hoff o'r symboliaeth, ac mae'n rhan o'i ddefod wrth flasu... Gosod yr het wen. Glanhau ei dannedd yn drylwyr – mae'n cofio cwrdd â beirniad bwyd o'r *Irish Examiner* oedd yn smocio Rothmans rhwng bob cwrs gan wneud iddi ddiawlio'r dyn am fod mor ddi-hid ac esgeulus. Yna, gwneud yn siŵr bod yr iwnifform yn ddi-staen, y siaced wen yn disgleirio bron. Mae glendid yn hollbwysig – 'glân ar bob glân, glân ei gampau', fel mae'r hen ddihareb yn dweud. Ond nid oes rhaid poeni'n ormodol am wneud popeth yn dda. Wedi'r cwbl, heno bydd yn swpera gyda'r diafol. Ond mae'n bosib mai hi ei hun yw'r diafol.

Cinio mewn deng munud.

A'r dyn sy'n gweiddi, y gwaeddwr croch, yn cyrraedd Gas Mark 11. Ddim yn hir nawr, *poppet*.

Dewiswyd ef am ei fraster, dyn tewach na'r rhelyw o bobl, yn debyg i ddewis mochyn da gyda haen da o fraster er mwyn cael cig rhost godidog. Mae'r cogydd wastad ar y lwc-owt am ŵydd o ddyn, rhywbeth mawr plwmp gyda digonedd o fraster yn gorwedd yn dynn dan y croen.

Wrth iddi wrando ar yr udo, efallai yr udo olaf, mae'n meddwl am y *crackling*. Arllwyswch ddigonedd o halen dros rimyn o borc ac fe gewch graclin gyda'r gorau. A fyddai hynny'n gweithio gyda'r corff dynol? Byddai'n rhaid iddi ymchwilio i hynny. Ond nid y tro hwn. Roedd hi'n rhy hwyr. Gall glywed geiriau, y geiriau olaf. Ond nid yw'n deall y synau drwy'r gwydr a'r boen. Rhy hwyr, blodyn. Dyma ddiwedd dy daith. Gwawr fer marwolaeth. Canys hyn a ordeiniwyd gennyf. Mrs End.

Aiff draw at y dresar i gynnau canhwyllau a throi'r miwsig lan yn uchel. Stravinsky, y fiolinau'n gweithio'n galed fel ffatri yn yr hen ddyddiau yn Rwsia. Mae hi'n dwli ar y darn yma, *The Rite of Spring*, oherwydd mae'r offerynnau'n gweithio fel pistonau, a'r thema, sef aberth, yn briodol iawn heno. Y forwyn wanwynol yn dawnsio ei hunan i farwolaeth. Am ffordd i fynd. Am ffordd hynod, hynod o adael y bywyd damniedig hwn. Er gwaetha'r ffaith ei bod hi'n teimlo fel duwies oherwydd ei phŵer dros yr anffodusyn, mae hi'n teimlo bod ei hymgnawdoliad fel meidrolyn yn felltith arni, yn ddamnedigaeth na all hi ei osgoi am byth.

Sipia win da. Valpolicella trwchus, lliw marŵn. O edrych o gwmpas, rhyfedda at yr holl waith sydd wedi mynd i greu'r gegin yma, y ganolfan gyfrin yma. Ffwrn ddiwydiannol wedi ei gosod gan gwmni o Cheltenham. Bu dau ddyn yn gweithio yma'n ddiwyd am wythnos cyn colli eu bywydau a hithau wedi gwneud yn siŵr nad oedd neb yn gwybod yr union ble roeddent yn gweithio. Ffwrn dan y radar fel petai. Ffwrn yn llawn aroglau i ddod â dŵr i'r dannedd. Un diwrnod byddai'n bastio'r croen â menyn Cymreig. Mae'n troi'r ffan ymlaen er mwyn sugno'r mwg a'r darnau bychain o fraster.

Nawr 'te, Halen Môn. Y stwff da, wastad wrth law. Wedi'r cwbl dyw cogydd da ond cystal â'i gynhwysion, oherwydd ni all na sgìl na thechneg nac athrylith wella blas sydd ddim yn bodoli yn y lle cyntaf.

Mae'n codi'r gyllell fawr ynghyd â'r twlsyn i'w miniogi ac yn dechrau naddu'r blaen, gan greu rhythm da. Yn cael min ar ei blaen nes bod y metal yn disgleirio fel cyfres o sêr bychain.

Nid yw'n cofio'r tro cyntaf wnaeth hi fynd yn rhy bell. Efallai taw damwain oedd hi, y lladd cyntaf hwnnw, rhyw abrawf aeth o'i le. Ond bellach mae hi'n gwybod nad oes achubiaeth i fod, a'i bod hi wedi lladd Duw yn yr un anadl â lladd yr aberth cyntaf.

Aberth, ie, dyna'r gair. Neu offrwm. Offrwm. Aberth, doedd dim gwahaniaeth. Hi oedd yr offeiriad, a'r Duw, a'r pŵer oedd yn penderfynu a gâi'r meidrolyn bach pathetig oedd wedi cwympo i'w magl hi fyw neu farw. Ac ers y tro cyntaf, y lladd cyntaf, dim ond un ateb oedd i'r cwestiwn.

Gallai ddychmygu ei hunan yn bwydo ar yr egni hynny sy'n

gadael y corff yn yr eiliadau olaf, yn yr eiliad olaf, yr anadl oedd yn cyd-fynd gyda'r gwaed yn dechrau twchu a'r galon yn dod i stop.

Rhostio. Rhaid rhostio dyn yn dda. Oes, oes.

1

Cops

Saif yno fel delw pren, neu hambon mewn palas, wedi ei rewi wrth iddo syllu o'i gwmpas, yn stond ymhlith y gogoneddau drud a'r siandelïers. Nid yw ditectif fod i edrych fel hyn, yn sopi, yn sefyll yno gyda thusw o flodau yn ei law fel tase fe'n bymtheg oed ac am ofyn i'r ferch drws nesa fynd i'r ddawns nos Wener. D. I. Thomas Thomas, *a.k.a.* Tom Tom, yn sefyll tu allan i fflat ei bartner D. I. Emma Freeman ac yn teimlo fel wew. Gall ymdopi gyda phob math o anhawster, neu dreialon, ond mae'n gaeth i fympwyon ei emosiynau. Y rheini, yn anad dim, oedd wrth wraidd ei yfed ffyrnig. Cysgodion o'r gorffennol, y pethau wnaeth ei orfodi i greu croen caled fel crwban i amddiffyn y stwff meddal yn ei grombil. Y gwendid. Ond mae ei emosiynau'n noeth, yn boenus oherwydd roedd e gyda hi pan ffrwydrodd y bom, ond dim ond hi oedd wedi ei niweidio, ddim yn medru clywed. O, na bai hyn wedi digwydd iddo fe, meddyliodd, wrth sefyll yno'n lletchwith.

Nid yw Freeman yn gwybod beth i'w ddweud i ddechrau, i gydnabod y blodau, ac er ei bod hi'n sâl, dyw dewis blodau ddim yn iawn rywsut, yn ormod o sioe, yn ormod o ddatganiad.

'Haia, Emma,' medd Tom Tom. 'Shwt wyt ti'n teimlo?'

Nid yw'n ateb. Mae hi'n fud, sy'n siwtio'r foment, oherwydd mae hi'n cael pwl eto, yn methu canolbwyntio, ddim yn clywed ei eiriau, a'r panig yn ei brest yn gwneud iddi fihafio'n rhyfedd, yn sefyll yno yn methu'n lân â'i wahodd dros y trothwy, na chael hyd i unrhyw eiriau.

'Ti'n iawn? Ga i ddod mewn?'

Llwydda Freeman i glywed y geiriau olaf ac mae'n agor y drws led y pen a chamu i'r ochr er mwyn gadael iddo gerdded heibio. Nid yw'n gafael ynddo pan mae'n cael y cyfle oherwydd mae ei meddwl yn sownd yn y syniad nad yw hi'n medru clywed y byd. Byddarwch. Mae'r gair wedi ei naddu o ithfaen.

Dyma'r tro cyntaf iddo fod yn ei fflat. Yn arferol byddai'n mwynhau edrych o gwmpas ystafell ac yn dyfalu cymaint ag y gallai yn y munudau cyntaf i greu pictiwr yn ei ben o fywyd y trigolyn neu'r trigolion. Datgelai gymaint am berson.

Ond roedd gweld Freeman, Emma, yn fflowndran ac yn ffysan, wedi ei daflu oddi ar ei echel. Rhybuddiodd Tomkins ef ei bod hi mewn cyfnod anodd, mewn lle anodd, ac aeth rhai o'i gyd-weithwyr mor bell ag awgrymu na ddylai fynd draw o gwbl, rhoi lle iddi ddod i dermau â'i chyflwr, gan weddïo mai rhywbeth dros dro oedd y byddarwch yma a'i bod hi'n medru dal i weithio. Ni allai Tomkins na Tom Tom ddychmygu sut allai hi ymdopi petai hynny'n digwydd, oherwydd gwaith oedd ei bywyd hi, ac, ar ben hynny, roedd hi'n rhy dda i'w cholli, fel roedd ei phresenoldeb solet yn yr holl achosion diweddar yn profi. Rheoli gwarchae. Dal un o'r gangsters mwyaf pwerus o blith y Maffia Albaniaidd roedd pawb arall wedi methu ei ddal. Ac yn siarad Albaneg. Ac yn ddewr, yn *diffinio* dewrder. Menyw ddewr sydd wedi ei niweidio.

'Stedda.' Mae ei llais yn annaturiol o uchel oherwydd nid yw'n medru clywed ei hun.

Erbyn hyn mae Tom Tom wedi nodi llun o'i chyn-ŵr ar y

seidbord a'r rhesi o lyfrau ar silffoedd ym mhob man. Bron eu bod nhw wedi eu gosod yn nhrefn yr wyddor ond nid yw hi wedi mynd mor bell â hynny, noda Tom Tom, gan ddiolch i'r Iôr. Gwyddai ei bod hi'n ddarllenwraig frwd, a diddordebau ganddi mewn sawl maes ac eto'n canolbwyntio ar dor cyfraith, oedd yn esbonio pam bod ei stafell yn y gwaith fel llyfrgell fechan, a nifer o'r cyfrolau yn rhai clawr caled, gwerth arian – *Outline of Forensic Dentistry. The Analysis of Burned Human Remains. Craniofacial Identification. Blackstone's Police Operation Handbook* o 2015 hyd at 2020 a'r *Police Investigator's Manual.* Nododd enw ambell un arall i'w roi ar ei restr Siôn Corn, nid bod unrhyw un yn prynu anrhegion iddo, ar wahân i'w chwaer ac roedd hi'n rhoi sanau'n flynyddol gyda cherdyn a gwên. Wrth ddarllen teitlau ac awduron dau neu dri o'r llyfrau mwy cyffredinol ar y silff, ni lwyddai Tom Tom i adnabod yr un. Enwau estron, nofelau efallai. Ni ddeallai sut byddai pobl yn cael mwynhad o ddarllen celwyddau ac a bod yn onest doedd e ddim yn ffan o ddarllen o gwbl.

'Ma lot o lyfrau 'da ti.'

'Ma lot o bethau i ddysgu am y byd.'

'Wyt ti'n neud hynny drwy ddarllen nofelau?'

'Darllena Dostoievsky pan gei di gyfle. *Crime and Punishment.* Y ffordd orau i ddeall sut mae'r cydwybod yn effeithio ar feddwl llofrudd.'

Ceisiodd Tom Tom gofio sut i sillafu Dostoievsky ond o fewn eiliadau roedd y llythrennau yn jwmbwl yn ei ben. Gallai gofio enwau pobl, rhifau ffôn, manylion bychain mewn achos, ond nid oedd sillafu yn gryfder ganddo.

'Wyt ti eisiau rhywbeth i yfed?' Cyfarthodd y cwestiwn oherwydd ei byddarwch. Roedd pob gair yn dipyn o sioc i Tom Tom, pob un yn ffrwydriad.

Gwrthododd y cynnig, gan awgrymu y dylai hi eistedd. Dewisodd hi'r gadair bellaf oddi wrtho, mynegiant o'i hanesmwythder o weld y dyn yma tu allan i gar heddlu neu swyddfa neu'n gweithio ar gês. A hithau'n crynu yn ei hymysgaroedd oherwydd y ffordd roedd y byd yn ddiarth iddi, y diffyg sŵn yn taranu.

'Anodd clywed yn y ddwy glust?' holodd Tom Tom, gan bwyntio at ei glust gydag un bys.

'O, Tom, dwi'n lwcus i glywed un gair mewn tri.'

Gallai Tom weld ei bod hi ar fin torri i lawr, ei llais eto'n annaturiol o uchel, ac roedd pob greddf yn sgrechian y dylai godi a cherdded draw i'w chysuro. Ond roedd rhywbeth yn ei ddal yn ôl. Protocol efallai. Neu ofn beth y gallai hynny arwain ato, yn enwedig o gofio eu bod nhw wedi cusanu unwaith neu ddwy, ac felly'r hadau wedi eu plannu'n barod, a'r rheini'n medru blodeuo'n rhemp oni bai fod y ddau'n cadw at y drefn, yn cadw'r berthynas ar lefel gyfan gwbl broffesiynol. Roedd rheidrwydd mewn gwneud hynny, oherwydd roedd angen medru gwneud penderfyniadau oer, clir, gweld pethau heb unrhyw emosiwn. A hynny dan bwysau digon trwm i dorri rhywun cyffredin.

Cymysgodd dau fath o dawelwch, un yn mynegi embaras y sefyllfa a'r un arall yn atgof o'r ffrwydriad wnaeth bron â lladd y ddau. Gwyrth oedd hi eu bod yn eistedd yma'n syllu ar ei gilydd.

Nid yw Tom Tom yn gwybod sut mae'n teimlo. Gwarchodol ohoni, mae hynny'n sicr, ac yn llawn edmygedd hefyd. Llwyddodd hithau i chwalu gwerth deugain mlynedd o siofinistiaeth ynddo, rhyw fydolwg oedd wedi ei greu a'i ddyfnhau trwy weithio gyda'r *blokes*, ac yfed mewn clinigau yfed ar hyd a lled de Cymru. Efallai fod y ffaith ei bod hi wedi dod i'w fywyd mewn cyfnod pan oedd e'n medru gweld pethau'n gliriach am ei fod wedi diosg manaclau alcohol yn gyd-ddigwyddiad hollol, neu efallai fod y ddau i fod i gydblethu.

Arwres. Y fenyw yma oedd yn eistedd ac yn dweud dim. Yn aros iddo yntau ddweud rhywbeth, yn gweddïo y gallai ddeall yr hyn yr oedd yn ei fynegi petai'n agor ei geg.

'Beth wedodd y doctor?'

Gwyrth fach. Clywodd Freeman y frawddeg honno yn ei chyfanrwydd. Mynd a dod oedd ei chlyw, byth yn gwybod pryd byddai'r geiriau'n glir a phryd byddent yn niwlog.

'Mae'n bosib bydd pethau'n gwella, ond does dim sicrwydd. Hynna sy'n niweidio, a'n rhoi llond bola o ofn.'

'Emma Freeman yn teimlo ofn? Sgersli bilîf. Ond o ddifri, oes 'na rywbeth alla i neud i helpu?'

Teimlai'r geiriau'n ystrydebol hyd yn oed wrth iddynt ffurfio ar ei wefusau ac yntau'n gwybod ei bod hi'n meddu ar eiriau gwell ar gyfer pob sefyllfa. Cofiai sut yr oedd hi wedi adrodd brawddeg unwaith, dywediad oedd yn gweddu i'r dim i'r sefyllfa, pan oedd e'n disgwyl i lofrudd ddatgelu'r union fan roedd e wedi claddu dyn ifanc. Yn sefyll yn y gwynt ar ben mynydd.

'Benthyg dros amser byr yw popeth yn y byd hwn,' ddywedodd hi'r tro hwnnw, ac roedd 'na gysur yn y neges oedd yn llwyddo i fod yn gymhleth ac yn glir yn yr un anadl. Bu'n rhaid iddi hi ei helpu gyda'r esboniad, wrth i'r gwynt lifo drwy'r aer ar y tir uchel ger y bedd bas, unig.

Yn yr ystafell trodd y tawelwch yn solid, yr aer yn brathu, fel petai'r lle yn oer. Prin fod un o'r ddau yn medru ffurfio'r gair angenrheidiol, nid i agor llifddor oherwydd byddai hynny'n amhosib, ond i agor cil y drws fel bod un yn medru edrych i mewn i argyfwng y lladd.

Tom Tom roddodd gynnig arni gyntaf.

'Ti wedi clywed y newyddion? Sori, allen i fod wedi geirio hynny ychydig bach yn fwy...' chwiliodd am y gair, '... diplomyddol.'

Gwenodd Freeman am y tro cyntaf, â chyhyrau'i hwyneb yn lletchwith. Deallodd ddigon rhwng y llond llaw o eiriau ac ieithwedd gorfforol y dyn.

'Maen nhw'n symud y pencadlys i Gaerdydd, i hen siop James Howell. Bydd rhaid i ni i gyd symud, neu o leiaf pob un yn ein hadran ni. Neu wynebu teithio bob dydd a dwi ddim yn ffansïo hynny o feddwl am y traffig yng Nghroes Cwrlwys.'

Syfdran. Sioc. Newyddion annisgwyl ar y naw. Edrychodd Emma mewn dryswch o gwmpas yr ystafell, yn llenwi'n sydyn gyda siom o feddwl efallai byddai'n rhaid iddi adael y cartref hwn. Hynny yw os byddai hi'n medru gweithio eto. Ond ni allai adael i'w hofn, y siglad, ddangos, oherwydd hi oedd Emma Freeman ac roedd gan Emma Freeman enw da am ddelio gyda phethau, ymateb gyda chryfder mewnol i unrhyw argyfwng. Roedd hi wedi dod i sylweddoli dros y blynyddoedd bod y rhan fwyaf o bobl yn actio ar ôl camu drwy'r drws ffrynt. Ac yn yr heddlu roedd cwato gwendid yn ffordd o fyw. Ond... Caerdydd? Y pencadlys yng Nghaerdydd? Siom, a dweud y lleiaf. Byddai'n rhaid iddi ffrwyno ei theimladau hyd yn oed yng nghwmni'r unig ddyn roedd hi'n ymddiried ynddo, y byddai'n mynd drwy dŵr a thân drosto.

'Pam ar wyneb y ddaear?' Symudodd yn agosach ato, er mwyn clywed yn well, er mwyn deall.

'Mae'r ffôrs wedi cael cynnig y lle heb rhent am bum mlynedd. Doedd Cyngor y Ddinas ddim yn medru delio â'r syniad o adeilad mor grand, a siop mor hanesyddol yn aros yn wag. Gallai hynny gael effaith wael iawn ar y ganolfan siopa yn gyffredinol.'

'A paid dweud, ma nhw'n mynd i werthu'r pencadlys i adeiladu tai.'

Roedd Freeman yn llygad ei lle. Dyna oedd y bwriad. I ddechrau. Ond nawr roedd cwmni mawr am symud yno o Seattle, felly doedd dim sicrwydd beth fyddai'n sefyll ar safle'r pencadlys yn y dyfodol.

Cronnodd rhyw deimlad yng nghrombil Tom Tom oherwydd roedd argae bach wedi ei dorri. Gallai weld Emma yn synnu o sylweddoli ei bod hi wedi dechrau rhyw fath o sgwrs. Brawddeg gyfan. Bu hi'n rhy hir ers gweld y doctor, yn pendroni ac yn poeni am y sefyllfa, heb neb i droi ato. Ond roedd y newyddion yn ergyd ychwanegol. Carai'r tŷ yma, yn enwedig y silffoedd llyfrau ymhob man oedd yn dodrefnu'r lle. 'Books do furnish a room,' fel y dywedodd rhywun unwaith.

Disgynnodd tawelwch unwaith yn rhagor wrth i Emma brosesu arwyddocâd y newyddion. Diawch, dim ond wythnosau roedd hi wedi bod o'r gwaith ac yn ystod y cyfnod byr hwnnw roedd y llu wedi newid enw, ac ehangu dros Gymru gyfan. Gallai weld beth oedd y tu ôl i'r syniad – yn rhannol er mwyn arbed arian, drwy gonsolideiddio pob heddlu yn y wlad, gan greu un adran gyfrifon, un adran gyflogaeth ac yn y blaen, ond hefyd drwy godi statws a dylanwad yr un corff newydd, dyna oedd y bwriad. Maen nhw'n dweud taw delio â newid yw prif sialens bywyd ac roedd hi, Emma Freeman, yn wynebu ychydig bach gormod o newid ar y foment.

Gwnaeth Tom Tom arwydd rhyngwladol cynnig paned o de i rywun. Nodiodd Emma mewn diolch, gan adael iddo ddyfalu ble roedd popeth yn y gegin oherwydd bod ei meddwl hi yn rhywle arall. Colli ei chlyw. Colli ei phencadlys. Beth nesaf?

Twriodd Tom Tom drwy dreiriau ac edrych mewn i gypyrddau am bum munud dda cyn dod o hyd i bopeth angenrheidiol i wneud paned o goffi. Croesawai'r cyfle i'r asesu'r newidiadau yng nghyflwr iechyd ei bartner. Cafodd siglad gan yr hyn ddigwyddodd, roedd hynny'n amlwg o'i hwynepryd, a'i hysgwyddau wedi sigo dan bwysau atgof y diwrnod hwnnw pan fu bron iddynt ddal llofrudd eithafol a oedd yn rhy lwfr i wynebu'r llys, ac felly wedi lladd ei hunan ar ôl gosod trap a wnaeth bron â lladd Tom Tom ac Emma. Petaent wedi bod yn y lle anghywir funud yn gynharach byddai'r ddau wedi edrych fel cynnwys tun o Pedigree Chum, eu cyrff yn gyrbibion a'r cnawd yn rhubanau. Pwy ddywedodd bod gwaith ditectif yn hawdd?

'Wyt ti'n mynd i symud? I Gaerdydd?' gofynnodd Emma wrth iddo ddychwelyd gyda dau fyg yn llawn coffi llaethog, llawn siwgr – roedd wedi angohofio gofyn. Nid oedd ganddo sgiliau domestig da, os o gwbl. Dyna pam roedd y staff yn Lee Ho Wok yn gwenu gymaint ac mor aml arno. Diolchodd Emma iddo, gan benderfynu dweud dim am y ffaith ei fod yn felysach na thaffi a chroesawodd yr hit pur o siwgr wrth iddo fynd ar ras drwy rwydwaith ei gwythiennau.

'Ydw, ydw. Bydd sialens o fyw mewn lle newydd, neu yn hytrach ddychwelyd i lle ro'n i'n byw mwy nag ugain mlynedd yn ôl, yn beth da. Dwi wedi bod yn byw yn rhy hir gyda'm chwaer ac mae ei phlant hi'n tyfu lan, ac angen lle ar y tri ohonyn nhw. Bydd hi'n neis cael eu gweld nhw ar dir niwtral, yn Starbucks neu wrth fynd i weld y rygbi. Ie, sialens newydd, Emma.'

Wrth adael mae'n rhoi ffeil sylweddol iddi, un mae e wedi smyglo mas o'r gwaith. Un am gadwyn o lofruddiaethau yn ne Cymru. Rhywbeth bach iddi ddarllen.

2

'Serial killer still stalks South Wales' (*South Wales Echo*)

Gwyddai Freeman y byddai darllen y ffeil yn ei hansefydlogi, ond roedd e'n waeth na hynny oherwydd roedd hi yn y fflat wrthi hi ei hunan ac yn medru clywed cyn lleied o bethau o'i chwmpas. Oni bai bod ganddi groen o ditaniwm a chalon o ddur byddai darllen am yr erchyll-bethau yn gwneud iddi gau'r llenni, a gwirio fwy nag unwaith fod bollt y drws ar gau.

Tair llofruddiaeth hyd yn hyn, a'r rheini mewn cyfnod o lai na phedwar mis, oedd yn anarferol. Gan amlaf byddai rhywun yn disgwyl mwy o oedi ar ran y llofrudd, mwy o amser i baratoi'n ofalus, oherwydd heb gynllunio manwl cyn y weithred roedd y tebygrwydd o gael eich dal yn saethu i fyny.

Gallai tawelwch fod o help iddi am unwaith, ac os gallai

anghofio'i phryder ynglŷn â'i byddardod gallai ddefnyddio'r diffyg sŵn i astudio'r deunydd yn fwy trwyadl na fyddai'n ei wneud fel arfer, hyd yn oed.

Yr allwedd oedd unigrwydd yn aml iawn: nid oedd amllofrudd yn hoff o fod mewn crowd, nac o gymdeithasu. Ac os digwyddai iddo fod mewn perthynas, y tebygrwydd oedd bod y partner yn wan neu yn seico. Fred a Rose West, neu gymysgedd o'r ddau. Roedd Emma Freeman yn y lle iawn, y man unig iawn i ddeall yr agwedd yma o fywyd y bwystfil roedd yn ceisio ei ddal. Byw ar ei ben ei hun. Cyfle i astudio er mwyn dal. Ond cyn dal roedd angen deall, ac roedd yr help i wneud hynny yn y ffeil o'i blaen ac ar y co' bach roedd Tom Tom wedi'i adael iddi.

Byddai'n rhaid iddi ymdreiddio i feddwl y dyn, neu'r fenyw – fwyfwy, roedd hi'n amau taw menyw oedd ar waith – ac roedd y tebygrwydd rhwng yr hyn yr oedd e neu hi'n ei wneud a'r hyn roedd Freeman yn ei wneud yn glir. Astudio. Edrych ar bobl, llond tafarn ohonynt, neu lond eglwys, a dewis yn dda, oherwydd bod angen cymwysterau ar yr aberth. Mae angen ffitio'r proffil sydd ym mhen y llofrudd, yn dewis yn ôl gofynion penodol, neu fydd dim boddhad, na hyd yn oed deimlad o fethiant ar ran y llofrudd. Os yw'n llwyddo unwaith neu ddwy bydd yn tyfu mewn hyder, yn medru dewis prae yn fwy greddfol, cipio ar amrant.

Yn y portffolio o'i blaen mae manylion tair llofruddiaeth ac mae cysylltiadau amlwg rhwng y ddwy gyntaf. Dau ddyn ifanc, y ddau'n gweithio mewn llefydd bwyta ond dyw'r trydydd ddim yn perthyn mewn unrhyw ffordd, wel o leiaf ddim mewn ffordd sylfaenol. Menyw ddi-waith, yn byw deugain milltir o'r man y cafodd hi ei lladd – os cafodd ei lladd lle canfuwyd y corff. Lladdwyd a bwtsierwyd y tri, y prif organau wedi eu torri mas, gan adael cell o esgyrn gwag lle roedd y frest.

Astudiodd Freeman y delweddau fesul un, gyda sawl un yn ei hatgoffa o'r prifathro'n hongian yn y warws yn un o'i hachosion diwethaf. Ond roedd y bwtsiera'n wahanol, i ryw bwrpas na allai ddyfalu ar y foment. Tra bod y boi ar y bachyn yn rhyw fath o arwydd, yn enwedig y pethau troëdig gafodd eu gwneud i'r corff ar ôl ei farwolaeth, roedd beth ddigwyddodd i'r tri yma'n fwy preifat, ac roedd y poenydio ddigwyddodd yn dilyn patrwm oedd yn gwbl estron i Freeman, er gwaetha'r holl lyfrau ac adroddiadau roedd hi wedi'u darllen. Dechreuodd ddysgu'r manylion ar gof, oherwydd pwy a ŵyr beth oedd y pethau pwysig, ble roedd y patrwm neu'r cliw tyngedfennol.

Porthor cegin 32 mlwydd oed oedd Mark Anthony Clements. Yn wreiddiol o'r Drenewydd cafodd ei addysg yn yr Amwythig cyn dechrau gweithio mewn cadwyn hir o lefydd bwyta, a'u hansawdd nhw'n gwella gyda phob apwyntiad newydd. Rhyfeddai nad oedd wedi newid ei swydd, gan dybio nad oedd cyflog boi golchi sosbannau yn hael iawn. Ond roedd wedi symud o le i le ac roedd ei gyflogwr diwethaf wedi dweud ei fod yn weithiwr da a gonest, yn brydlon i'w waith bob dydd.

Y tro diwethaf i rywun ei weld oedd ar ddiwedd shifft ar y 1af o Awst 2019. Gadawodd fwyty'r Mughal Emperor ar gyrion Llantrisant am 00.46, gan yrru, fwy na thebyg, ei gar Ford Mondeo gwyn, GF60 UXC. Tybiai ei gyflogwr ei fod yn mynd sha thre.

Darganfuwyd ei gorff mewn cilfan ger Resolfen gan yrrwr lori o Wlad Pwyl oedd wedi tynnu i mewn yno i glwydo yng nghab y lori. Gorchuddiwyd y corff mewn wrap o blastig trwchus ond roedd y cilfan mor boblogaidd a phrysur fel nad oedd modd go iawn i chwilio am olion teiars. Casglwyd pob peth allai fforensics ddarganfod, a'u bagio'n ofalus, yn ogystal â chynnwys y bin sbwriel oedd yn orlawn gyda chartonau bwyd tecawe, sigarennau, condoms a chaniau o bob math. Roedd hefyd gasgliad o gylchgronau amrywiol fel petai bwrdd mewn syrjeri doctor wedi ei glirio i'r bin.

Darllenodd adroddiad y patholegydd nesaf.

Adnabu llawysgrifen Alun Rawson, y patholegydd, ar unwaith. Prin oedd y bobl oedd yn dal i ysgrifennu yn hytrach na theipio, ac ysgrifennu mewn llawysgrifen gain, gyda llythrennau'n cyrlio'n agored.

Disgrifiodd y patholegydd gorff oedd wedi colli sawl organ, a rhywbeth wedi sgramblo'r llygaid. Dyna oedd y gair a ddefnyddiodd, sgramblo. Torrwyd yr organau gan declynnau siarp dan law rhywun oedd yn gwybod beth oedd e'n ei wneud, rhywun megis llawfeddyg neu fwtsiwr efallai. O gyflwr y croen ac o'r hyn o waed oedd yn weddill, dyfalai Rawson ei fod e wedi marw ers tri neu bedwar diwrnod, ond ei fod wedi colli pwysau mawr yn gymharol ddiweddar. Hefyd roedd hi'n edrych fel petai'r corff wedi bod dan straen ofnadwy, gan fod lefelau adrenalin a noradrenalin yn uchel yn y gwaed a'r iwrin. Y tro diwethaf i Rawson weld y math yma o lefelau uchel roedd yn archwilio cyrff dau aelod o'r SAS a fu farw ym Mannau Brycheiniog. Yn anffodus nid oedd unrhyw wybodaeth ddefnyddiol arall o'r profion gwaed – dim alcohol, dim cyffuriau.

Darllenodd Freeman y ddamcaniaeth ynglŷn â sut bu farw yn ofalus, oherwydd ni allai gofio pryd o'r blaen roedd Rawson yn ansicr ynglŷn â'i bethau, ac yn methu â dod o hyd i gymaint ag un sgrapyn o dystiolaeth dan ewin bys, neu o samplo cynnwys corfforol yr ymennydd. Ond na, dim byd y tro yma.

Daeth i'r casgliad bod y corff wedi ei lanhau'n broffesiynol, i gael gwared ar hyd yn oed y cliw bach lleiaf.

Holwyd gyrwyr lorïau, gan gynnwys y boi o Wlad Pwyl, ond doedd dim byd o iws yn yr adroddiadau. Daeth y plastig o B&Q, ond roedd pymtheg mil o roliau tebyg yn cael eu gwerthu bob wythnos reit ar draws Prydain. Dim gwerth dilyn y trywydd hwnnw, meddyliodd Freeman.

Cyn dechrau ar y ffeiliau eraill gwnaeth Freeman baned iddi hi ei hun a phrintio map er mwyn cofnodi'r mannau lle daeth y cyrff i'r amlwg. Byddai patrwm yn siŵr o ymddangos gyda mwy na dau gorff, neu o leiaf dyna oedd ei dymuniad, ei gobaith. Un cliw, un patrwm bach.

Syllai ar yr ager yn arllwys allan o geg y tegell gan ddyfalu bod y peth yn chwibanu heb ei bod hi'n clywed. Gallai ddarogan gorfod gadael yr heddlu oherwydd pa werth cael ditectif oedd ddim yn medru clywed cyffes dyn drwg, nac unrhyw beth arall os oedd yn dod i hynny? Dim syniad o beryg y tu cefn iddi. Dim modd ateb y ffôn, na chlywed a chymryd ordors. Gallai lefain yr eiliad hon. Gallai. Roedd y diffyg sŵn fel anialwch. Neu gallai ddychmygu ei hun yn sefyll ar ddarn eang o iâ, ond hyd yn oed wrth iddi greu'r trosiad gweledol yma yn ei phen sylweddolodd y byddai'r gwynt yn chwibanu dros yr iâ. Gweddïai y byddai newyddion da pan ymwelai â'r arbenigwr. Ambell waith clywai hisian bach fel awyr yn gadael balŵn ond nid oedd yn gwybod os oedd hynny'n wir neu'n ffantasi'n tarddu o obaith gwag.

Gwna'r coffi yn gryf iawn, arllwys naw mesur o ffa i mewn i'r peiriant a'i chwyrlïo'n ddwst. Bydd angen iddi weithio'i ffordd drwy ddwy ffeil arall ac mae ei phen yn troi fel top yn barod. Efallai bod yr arbenigwr yn iawn a bod y byddardod yn ganlyniad i PTSD. Pan mae bom yn tanio a chithau gant o lathenni i ffwrdd mae'n debyg fod y corff yn cael ei siglo ar lefel foleciwlar.

Edrycha ar ei ffôn, gan feddwl anfon neges at Tom Tom, ond mae'n hwyr, hanner awr wedi hanner nos, ac mae'n siŵr o fod yn cysgu, nawr ei fod wedi rhoi'r gorau i'r ddiod, ac yntau wedi caniatáu i sawl nentig sylweddol o gwrw a gwirodydd lifo drwyddo dros y blynyddoedd. Ond roedd e'n edrych yn well, y cochni wedi mynd o'i wyneb, a'i lygaid yn fyw clir, bron na ddymunai syllu yn ddwfn iddynt, i chwilio am ei gyfrinachau personol. Ond gwell cadw draw o'r llygaid a'r personol am y tro, er ei bod yn ysu am ei weld. Ond mae'r *shrink* yn dweud na ddylai hi gael ei chynhyrfu ond mae hi yn cynhyrfu. Efallai dylai hi fod wedi cadw draw, osgoi edrych ar gês cyfredol ond beth fyddai'n ei wneud heb sialens, heb dasg? Edrych tuag at ddüwch y gorwel. Gwrando'n ofnus ar y tawelwch yn ei chlustiau. Poeni mwy.

Sipiodd y coffi acrid yn feddylgar wrth droi at yr ail achos. Gyda'i bawd gwasgodd bin i mewn i'r papur ar y wal, gan ddangos lleoliad y corff nesaf.

Ei henw oedd Poppaline Thomas, yn gwneud hyd at dri job ar adegau. Glanhäwr ben bore. Gweithio i gwmni seciwriti ar seitiau adeiladu yn y nos ac weithiau yn gweithio mewn bar. Yn sengl, yn byw mewn tŷ ar stad tai cyngor, hanes achlysurol o drwbl gyda'r heddlu... Rhai'n tarddu o gyfnod diwedd perthynas gyda dyn treisgar, Jimmy Lewis, ambell drosedd yn ymwneud â chanabis ac un achos o yfed a gyrru dan ddylanwad, gyda hwn yn dyddio o'r union adeg roedd hi a'i gŵr wedi bod yn cweryla yn gyhoeddus. Roedd y ddau wedi cael sawl rhybudd ar sawl achlysur.

Dyn yn mynd â'i gi am dro ar ochr y gamlas yng Nghastell-nedd ddaeth o hyd i'r corff ac yn ei nodiadau manwl roedd Rawson yn weddol siŵr taw gwaith llaw'r un person oedd i'w weld yma. Ond y tro hwn roedd ôl brys, darnau o organau wedi eu gadael ar ôl, a rhai pethau wedi eu tynnu'n rhydd, gan adael olion, a phethau'n glynu wrth du fewn y frest. Roedd ambell doriad yn y lle anghywir, dim ond o ychydig gentimetrau, ond roedd fel petai meistr wedi arwain prentis drwy'r broses o wagio'r corff dynol.

Holwyd pawb oedd yn cerdded ar hyd y darn yma o lwybr y gamlas dros gyfnod o bythefnos. Ac er cribo a chribo doedd dim tystiolaeth bendant o unrhyw werth. Storiodd Freeman yr wybodaeth i gyd, a phori'n hir dros y delweddau a'r adroddiadau, heb fflach o ysbrydoliaeth i'w goleuo.

Ond roedd y drydedd ffeil yn fonansa o'i chymharu â'r un gyntaf. Bu Deke Masters yn gweithio fel *sous chef* ac roedd adroddiad y patholegydd – nid Rawson y tro hwn ond rhyw Dr Hamilton oedd yn teipio ac yn defnyddio iaith ffurfiol iawn – eto'n disgrifio'r corff fel petai rhywun wedi "ceisio paratoi twrci ar gyfer y ffwrn" gan lanhau cawell y corff. Oedodd Freeman ddim am eiliad. Anfonodd neges destun at Tom Tom yn awgrymu y dylid cyfweld â phobl yn y diwydiant arlwyo, canolbwyntio ar hyn, edrych am gysylltiadau gyda choginio neu fwtsiera. Dychmygai Tom Tom a'r sgwad yn mynd o le bwyta i le bwyta, o gegin i gegin, a dechrau paratoi rhestr o bobl oedd wedi cyflogi'r ddau.

Doedd Freeman ei hun ddim yn hoff iawn o'r gwaith yma, a doedd hi ddim yn credu bod holi hwn a hwn a hon a hon am ddyddiau bwygilydd yn gryfder ganddi, ond gwyddai bod ganddi'r gallu i ddarllen drwy'r holl eiriau yma yn yr un ffordd ag roedd Tom Tom yn medru serennu yn y busnes o brosesu gwybodaeth ar y stryd. Darllen, darllen, a dygnwch wrth edrych am gliw. Dyna pam roedd y ddau yn gweithio fel tîm. Os câi'r ddau gyfle fyth eto i weithio gyda'i gilydd.

Eisteddodd Freeman yn ôl yn y gadair. Gwrandawodd ar y tawelwch yn taranu yn ei phen.

3

Magned yw'r brifddinas

Ni ddisgwyliai'r Prif Gwnstabl Harold Enfield elfen o ddirgelwch ynglŷn â'i gyfarfod gyda Phrif Weithredwr Cyngor Caerdydd a Chomisiynydd yr Heddlu ond pan ofynnodd ei ysgrifenyddes beth oedd ei bwrpas ni chafodd ateb iawn. Y comisiynydd. Pam y comisiynydd? Nid dyma'r ffordd i gyfathrebu rhwng awdurdod lleol a heddlu newydd sbon, siŵr Dduw, meddyliodd wrth yrru draw. Yn yr hen ddyddiau byddai wedi dod mewn car gyda gyrrwr ond roedd y toriadau wedi arwain at ffyrdd newydd o wneud pethau, ac roedd Enfield yn hapus i addasu gan nad oedd yn ffan o rwysg a phomp. Ond roedd y car yn rhy fach iddo, er ei fod yn berffaith ar gyfer parcio mewn llefydd cul.

Mae lle wedi ei wedi neilltuo iddo y tu allan i Neuadd y Ddinas a'r boi diogelwch wrth y giât yn rhyfeddu o weld yr uwch-swyddog yn camu allan o'r Citroën Cactus lliw leim, nid yn unig am ei liw na'i faint ond taw car Ffrengig oedd hwn ac roedd e'n meddwl y byddai'r cops yn prynu ceir o Brydain. Nid bod hynny'n hawdd y dyddiau hyn oherwydd roedd popeth yn cael ei wneud yn rhyngwladol, gyda Tsieina yn berchen ar BMW a chwmni o fan hyn wedi uno â chwmni o fan draw.

'Bore da, Mr Enfield. Mi fydd rhywun yma i'ch cwrdd ymhen munud. Mae'r comisiynydd yma'n barod.'

Daeth gŵr ifanc ar draws y cyntedd i gyflwyno ei hunan fel ysgrifennydd y Prif Weithredwr, gan ddweud bod pawb yn disgwyl amdano yn Stafell Cynhadledd Rhif 2. Pawb? Roedd "pawb" yn swnio fel mwy na dau berson ac erbyn i Enfield gyrraedd drysau mawr yr ystafell roedd wedi drysu braidd.

Drysodd hyd yn oed yn fwy pan welodd fod pump yn disgwyl amdano, gan gynnwys tri nad oedd yn eu hadnabod o gwbl.

'Hello,' meddai Gareth Lewis, Prif Weithredwr y Cyngor, gan gynnig ei law. 'May I present the Chief Constable Harry Enfield. The Commissioner you know, of course, and this is David Fredericks of McGill Global Management and Yvonne Ratcliffe of their legal department. And this is Owain Watkins from our PR department. I'm sorry it's been a bit cloak and dagger, all of this, but when you hear what we have to say you'll understand that everything's been under the radar for all manner of reasons, some operational, some commercial and well, let me hand over to David. Coffee is on its way.'

Yna, drwy gyfres o ddelweddau ar sgrin, esboniodd Fredericks bopeth, ac yn fuan iawn gallai Enfield ddeall pam fod y cyfarfod hwn mor rhyfedd. McGill Global yw'r cwmni sy'n edrych ar ôl buddiannau buddsoddwyr tramor gan gynnwys siop James Howell & Co yng nghanol Caerdydd. Esboniodd y dyn yn ei siwt ddrudfawr fod rhai o'r buddsoddwyr wedi dod i'r casgliad y byddai'n well gwerthu nawr yn hytrach nag yn hwyrach. Yn yr un anadl esboniwyd sut roedd un o gwmnïau mwya'r byd yn awyddus i greu pencadlys newydd, sef ei bencadlys yn y byd, rhywle yn ne Cymru ac roedd y Comisiynydd wedi cael syniad oedd wedi ennill cefnogaeth frwd gan y cyngor, yn ogystal â buddsoddwyr dan ofal McGill a'r Comisiynydd. Y cynllun oedd cyfnewid y tir lle safai pencadlys yr heddlu ar gyrion Pen-y-bont ar y foment am bridwerth siop James Howell & Co reit yng nghanol Caerdydd. Roedd y cyngor yn cefnogi'r syniad oherwydd doedden nhw ddim eisiau siop enfawr wag yn ardal siopa brysuraf y ddinas – byddai rhywun yn siŵr o'i llosgi i'r llawr rhyw ddiwrnod. Ac roedd y syniad o gael yr heddlu reit yng nghanol y bwrlwm yn mynd i wneud i bawb deimlo'n saffach, gyda mygio a throseddau gyda chyllyll ar gynnydd.

'We're under a bit of pressure to conclude this deal in a very short space of time as there are maybe a dozen countries trying to attract our client. But Wales has the advantage because the founder of this company, I cannot mention by name, is himself Welsh and he wants to bring the two thousand jobs, not to mention the incredible prestige of siting an international HQ for one of the world's most successful companies twenty miles away from here.'

Edrychodd Enfield yn syn ac yn gegrwth ar yr un pryd. Gallai weld y synnwyr yn y peth ond tybiai fod tri chwarter y staff yn byw yn agos at y Pencadlys ym Mhen-y-bont lle roedd prisiau tai yn ddim byd i'w cymharu â fan hyn. Hefyd roedd cael pencadlys mewn ardal siopa ddim yn beth da ar gyfer yr adran trafnidiaeth, er byddent yn medru cael eu lleoli ar gyrion y ddinas yn ddigon hawdd.

Ar ôl i Fredricks orffen ei gyflwyniad gofynnodd i Enfield a oedd ganddo unrhyw gwestiynau, gan awgrymu, gyda gwên agored, ei fod yn gwybod yn barod byddai'r dafnau'n troi'n llif.

'Beth yw'r amserlen yn union?'

'Mae angen cytuno trosglwyddo'r safle ym Mhen-y-bont heddiw.'

'Heddiw?'

'Os yn bosib, ond bore fory fan hwyraf. Dyna pam mae 'da ni gyfreithwraig yma gyda'r ddogfennaeth angenrheidiol i gyd. Hefyd bydd angen esbonio hyn i'r staff yn gyflym iawn, felly mae Owain Watkins wedi llunio datganiad mewnol. Bydd angen i ni lunio'r geiriau'n ofalus, heb sôn am gysylltu gyda phawb sydd angen gwybod ymlaen llaw. Y top lein i'r stori yw y bydd Heddlu Cymru yn elwa o hyd at dri deg miliwn o bunnoedd oherwydd y ddêl yma.'

'A beth am y ffaith na fydd pobl yn barod i symud? A hyd yn oed i'r rhai sydd am symud, bydd y gost yn sylweddol.'

'Ry'n ni wedi meddwl am hynny'n barod. Ma 'na ddau ateb. Yn gyntaf bydd pecyn ail-leoli hael ar gael i bawb, gan gynnwys benthyciad hirdymor i hwyluso neu ganiatáu i bobl symud tŷ os y'n nhw am wneud. A hefyd bydd modd i rai pobl aros yn y Pencadlys. A bydd rhai pobl yn medru cyfnewid un cyflogwr am gyflogwr arall, dybia i. Nawr bod Ford wedi tynnu mas o'r dre bydd croeso mawr i bob swydd newydd mae'n siŵr gen i.'

Roedd goblygiadau'r hyn roedd Enfield newydd glywed yn lluosi a phentyrru ac yn bygwth ei foddi dan eu pwysau.

'Mae popeth mor sydyn...' meddai'n uchel ond yn freuddwydiol a chytunodd y Comisiynydd, wrth feddwl am yr holl halibalŵ fyddai'n dod o gyfeiriad yr heddlu, y staff, Cyngor Pen-y-bont, a neb yn gwybod a oedd y ddêl yma, oedd, ar un olwg yn syml ac y dylai siwtio nifer o'i gyd-weithwyr, yn mynd i gael derbyniad gwresog neu un hallt ac ymosodol.

Cyrhaeddodd y coffi ar yr union eiliad roedd Enfield yn

meddwl am yr amserlen ar gyfer symud. Roedden nhw newydd ddodi system IT newydd i mewn, a gostiodd filiwn. Tybed a allai'r bois ddaeth â'r milltiroedd o gebl eu tynnu nhw i gyd, a'u trosglwyddo? Beth fyddai'r Goruchwylydd John Thomas, neu Stalin, yn ôl ei lysenw, yn ei ddweud? Fe oedd yn delio gyda'r undebau gan amlaf. Gyda hynny dyma fe'n penderfynu ei ffonio a gofyn iddo ddod draw ar fyrder. Os oedd gan y buddsoddwyr a'r Cyngor eu timau bach, roedd angen ychydig o help arno yntau hefyd. Diolch i'r drefn, roedd Thomas yng Nghaerdydd yn barod, ar ei ffordd i'r ysbyty i gael *check-up*. Wrth godi'r ffôn clywodd rywbeth yn llais ei fòs a wnaeth iddo fynnu ei fod ar y ffordd, ac y gallai aildrefnu'r slot yn yr ysbyty.

Mewn chwinciad roedd y fenyw yn y cyntedd yn ffonio drwodd i ddweud bod Thomas yno, ac Enfield yn cael y teimlad fod Stalin megis *genie* mewn lamp, yn disgwyl am yr alwad. Nid dyma'r tro cyntaf iddo ymddangos yn syth wedi'r alwad, a dyna oedd un o'r pethau gorau amdano, ei fod e mor ddibynadwy. Efallai fod ganddo enw am fod yn tyff ac yn ddigyfaddawd ond os oedd sefyllfa'n codi pan oedd angen rhywun i sefyll wrth eich ochr, wel, ef fyddai'r dewis cyntaf.

Cyflwynodd Enfield y Goruchwylydd Thomas i bawb a dechreuodd y gwaith caib a rhaw o lunio tudalen o ddatganiad i'r wasg oedd yn darogan ac yn ateb pob cwestiwn posib. Rhyfeddodd Enfield wrth weld delwedd o du allan y siop gyda chyfres o lampau glas hen ffasiwn, pob un wedi ei labeli gyda'r gair Heddlu, yn unol â pholisi rhoi'r Gymraeg yn flaenllaw. Wrth drafod ymhellach sylweddolodd fod llawer wedi digwydd mewn llai na 48 awr, gan gynnwys penderfyniad gan y Cyngor i groesawu pencadlys yr heddlu i'r brifddinas ymhob ffordd bosib, gan fwriadu sefydlu uned arbennig i gynorthwyo a hwyluso'r symud.

'Mae 'da ni ddigon ar ein plât yn barod, heb hyn,' awgrymodd Thomas wrth iddo fe ac Enfield gerdded i'r car. 'Alla i ddychmygu bydd pwysau arnom o gyfeiriad y cyfryngau a'r cyhoedd i ddal y llofrudd ddiawl 'ma yn codi a chodi. Tri chorff a dim clem pwy laddodd nhw. Tomkins yn poeni am yr achos o wrachyddiaeth, a chorff wedi ei ddarganfod mewn cylch dieflig mewn coedwig fel tasen ni'n byw yn y Canol blydi Oesoedd. Felly pedwar corff, o leiaf. Mae rhyw bump grŵp o *vigilantes* wedi cael eu ffurfio yn ne Cymru a phwy a ŵyr beth all ddigwydd pan ma pobl yn clywed rhyw si ac yn penderfynu mynd i sorto fe mas eu hunain. Chi'n cofio beth ddigwyddodd ar stad Bluebell?'

Cofiai Enfield yn rhy dda. Dyn yn clywed bod cymydog iddo yn bediatrydd ac yn cam-ddeall ei fod yn bedoffeil a chriw o ddynion yn ei lusgo allan o'r tŷ o flaen ei wraig a'i blant ac yn ei guro'n wyllt, i'r fath raddau ei fod wedi gorfod mynd i'r ysbyty, lle roedd yn gweithio yn yr adran bediatreg. Roedd arestio'r chwe gŵr wedi bod yn anodd. Roedd carfan sylweddol o bobl leol wedi ceisio rhwystro'r heddlu i'w dal, gyda nifer yn dadlau y gallai unrhyw un fod wedi gwneud y fath gamsyniad. Ond roedd dyn mewn uned gofal dwys, ei deulu mewn trawma dwfn ac, yn fwy sylfaenol, doedd gan neb yr hawl i gymryd y gyfraith i'w dwylo eu hunain.

'Ody Tomkins a'i gang wedi dod o hyd i unrhyw beth defnyddiol hyd yma?'

'Ry'n ni'n mynd o ddrws i ddrws ar y foment. Syniad Freeman a gweud y gwir. Rownd y colegau a'r llefydd bwyta. Job enfawr ond ry'n ni'n llwyddo i'w wneud o fewn oriau gwaith felly bydd dim taliadau *overtime* dychrynllyd ar y diwedd.'

'Diolch byth am hynny.' Roedd pob bil annisgwyl, fel gwarchod gwleidyddion neu gêm bêl-droed fawr, yn straen ar y pot arian, oedd yn mynd yn llai a llai o hyd.

Wrth i'r ddau yrru'n ôl i'r pencadlys, roedd Simon Hughes, newyddiadurwr stilgar gyda Media Wales yn dilyn tip-off gan ei gefnder oedd yn gweithio yn Neuadd y Sir yng Nghaerdydd. Roedd yntau wedi clywed si fod pencadlys yr heddlu yn symud i ganol y ddinas. Cafodd Hughes orchymyn gan y golygydd i hoelio'r stori erbyn y cyfarfod golygyddol am wyth, gan fwriadu llenwi'r dudalen flaen gyda'r stori a chael ymateb gan gyrff fel y Siambr Fasnach yng Nghaerdydd a thrigolion Pen-y-bont. Roedd y dref wedi cael sawl ergyd farwol yn ddiweddar, rhwng cau ffatri injans Ford, problemau Panasonic a hefyd y cwmwl parhaol a hongiai dros waith dur Port Talbot. Gwyddai Hughes pa heddwas i'w ffonio. Roedd wastad rhywun yn fodlon rhannu gwybodaeth am ffi, pris noson o yfed gyda chachgwn eraill o fewn y ffôrs. Deialodd rif na ddefnyddiodd ers achau, ac agor ei lyfr nodiadau rhag ofn byddai unrhyw fanylion pellach gan y dyn i'w rhannu.

Canodd y ffôn yr ochr arall am ychydig cyn bod llais cysglyd yn ateb.

'Daniels. Waddya want?'

4

Otorhinolaryng-olegydd

GWEDDÏA FOD YR arbenigwr yn mynd i ddweud rhywbeth positif oherwydd mae'r holl dawelwch yn gwneud iddi fynd i banig, am nad yw'n stopio. Diderfyn yw absenoldeb sŵn. Ers y ffrwydriad, a'r pwysau aer dychrynllyd yn nhiwbiau délicet ei chlust, roedd hi'n clywed sŵn fel tonnau'r môr drwy'r amser. I rai, byddai diffyg sŵn yn falm i'r enaid – mae rhai'n dewis mynd i Ynys Iona neu Ynys Bŷr i wledda ar y tawelwch. Byddai Emma yn dewis clywed caneuon metal trwm, unrhyw beth er mwyn cael clywed eto.

Mae cerdded i'r bws yn anodd oherwydd nid yw'n medru clywed plant ar sgwters yn rhuthro tuag ati o'r tu ôl, ac mae croesi'r hewl yn beryglus, ond mae Freeman yn benderfynol nad yw hi'n mynd i gymryd tacsi. Mae pob problem fach mae hi'n ei goroesi yn hwb iddi ac, wedi'r cwbl, mae hi wastad wedi dibynnu ar ei dewrder a'i gallu i ddelio gyda phwysau – cryfder diamheuol sydd wedi ei chynnal drwy dreialon marwolaeth ei gŵr Terry, ac effaith y datgelu – dros gyfnod hir – beth yn union ddigwyddodd iddo cyn iddo gael ei ddienyddio'n gyhoeddus ar y we. Yr eironi yw ei bod hi'n medru clywed ei lais yn glir er nad yw hi'n medru clywed sgyrsiau'i chyd-deithwyr ar y bws. Roedd melfed yn ei lais. Llais Terry.

Efallai taw un o'i chyd-deithwyr yw'r llofrudd, meddylia. Mae'n bosib. Mae unrhyw beth yn bosib.

Byddai cot o baent yn gwneud byd o wahaniaeth i'r ysbyty, sy'n gymysgedd o waith bric tywyll, addurniadau Gothig a chawlach o estyniadau diweddar, ynghyd â Portakabins sy'n llenwi pob un o'r meysydd parcio. Mae'r cyntedd eang yn gwch gwenyn o brysurdeb ac mae'n cerdded heibio llinell o bobl yn yr adran gwaedyddiaeth sy'n tynnu ticedi allan o beiriant tebyg i'r un chi'n ei gael mewn cownter siop. Noda Freeman liw croen un hen foi sy'n borffor fel grawnwin, gan dybio na fyddai'n hir yn y dwthwn hwn.

Mae swyddfa Mr Price, yr otorhinolaryngolegydd, ar y pedwerydd llawr ac mae Freeman yn rhedeg lan y grisiau gan ryfeddu ychydig at y ffaith ei bod hi'n anadlu'n drwm. Ond roedd hi wedi bod yn gaeth i'w chartref ers wythnosau, a heb wneud fawr ddim mwy na darllen ac ailddarllen am y llofruddiaethau, yn dechrau obsesiyna amdanyn nhw. Doedd hynny ddim yn beth drwg efallai, oherwydd roedd yn tynnu ei meddwl oddi ar y broblem â'i chlustiau. Mae perygl yn perthyn i sawl swydd ond prin bod llawer o bobl sy'n gorfod wynebu bomiau a'r Maffia Albaniaidd a dal llond llong o gyffuriau mewn un diwrnod.

Daw Mr Price ei hun i'r drws i'w gwahodd i mewn, gan ystumio iddi eistedd cyn setlo ei hun a dechrau teipio ar lechen electronig o'i flaen, gan daflu'r geiriau ar sgrin ar y wal. Cynigia lechen gyffelyb i Freeman, sy'n gwybod y drefn bellach ac mae'n teipio cyfarch sydyn i ateb ei un ef.

'Dim lot o newid. Hisian ambell waith. Falle ddwywaith. Geiriau'n mynd a dod, un ymhob tri efallai. Ydy'r canlyniadau'n ôl eto?'

'Ydyn, ydyn. O'n i'n meddwl eich bod yn mynd i ofyn yn

syth. Y newyddion da yw bod dim niwed parhaol. Mae popeth yn ei le, a dim rhwyg na malu na dim byd felly.'

Mae bys blaen Emma yn crynu wrth iddi anwesu'r allweddellau'n chwim. Teipia'r cwestiwn sy'n llosgi y tu fewn iddi.

'Beth yw'r newyddion drwg felly?'

'Does dim newyddion drwg. Ry'n ni'n disgwyl i chi wella'n fuan. Mae'n bosib bod rhywbeth syml iawn fel cwyr yn llenwi un ochr a galla i gael gwared ar hwnna nawr. Y ffrwydriad sydd wedi gwthio'r peth i fewn yn ddwfn. Ma 'na ddarn o'n i heb ei weld y tro cyntaf: rhaid ei fod wedi ffurfio fel sgileffaith i'r ffrwydriad. Mae'r pethau hyn yn digwydd, pethau bach annisgwyl wrth i'r corff wella. Ga i edrych?'

Daw i sefyll wrth ei hochr cyn gosod y dortsh fach yn ei lle. Coda ei fys bawd wrth iddo ddarganfod yn union y fath o belen yr oedd wedi proffwydo ei gweld. Gofynna iddi orffwys ei phen ar ei ochr ar ei ddesg. Yna, mae'n gafael mewn syrinj ac yn ei lenwi gydag olew olewydd, ac ar ôl ychydig funudau mae'n rhoi chwistrelliad dda o hydrogen peroxide o declyn bach arall. Sylla ar ei wats cyn gofyn iddi godi ei phen ac mae'r sŵn yn dechrau. Epiffani! Mae sŵn y byd yn llifo i'w chlust chwith a bron y gallai lefain gyda diolch a llawenydd. Mae'n estyn i sgrifennu'r gair diolch ond wedyn mae'n sylweddoli, gan deimlo'n ffôl, ei bod hi'n medru dweud y gair a chlywed y gair ac mae hi bron yn gweiddi.

'Bydd y llall yn gwella cyn hir gobeithio. Beth am i chi ddod 'nôl i 'ngweld i mewn mis?'

'Mis o ddathlu, Mr Price, alla i weud hynny 'thoch chi. Diolch, diolch, diolch.'

'Pleser. Nawr, ewch i ddal y crwcs.'

Dyw hi ddim yn aros cyn mynd adref i ffonio Tom Tom â'r

newyddion. Mae hi eisiau clywed ei lais eto, ac am ddechrau trafod beth mae'r Uned wedi llwyddo i'w ddarganfod ynglŷn â'r llofruddiaethau.

'Helô? DI Thomas Thomas yn siarad. DI Thomas speaking.'

Oeda am eiliad neu ddwy, yn chwilio am y geiriau iawn ond dydyn nhw ddim yn dod.

'Tom...'

'Emma, ti sy 'na? Ma'r clyw 'nôl?'

'Ma'r clyw yn dod yn ôl. Ddim yn berffaith hyd yma ond alla i glywed lot, lot gwell, felly mae'n teimlo fel gwyrth ar ôl bod mewn byd bach mud cyhyd.'

'Ble wyt ti?'

'Yn yr ysbyty. Ar y ffordd i'r bỳs.'

'Princess of Wales?'

'Yr union dywysoges.'

'Bydda i yno mewn ugain munud. Awn i'r Starbucks newydd i gael cinio mawreddog i ddathlu.'

'Brechdan ti'n feddwl?'

'Ac efallai cacen. Ti'n nabod fy steil. Ar y ffordd, Freeman...'

'Gyrra'n ofalus, Tom.'

*

Mae'r cyfarfod fel rhywbeth mas o ffilm sopi, gyda Freeman yn sefyll ar ymyl y pafin a Tom Tom yn stopio bum llathen oddi wrthi ar linellau melyn dwbl ac yn camu allan i'w chofleidio'n dynn. Mae Freeman yn dwli, dwli, dwli ar sŵn drws y car yn clepian ynghau.

Ond nid yw'r pryd bwyd syml yn sopi o gwbl oherwydd

mae'r ddau bron â baglu dros eiriau'r naill a'r llall, ac oherwydd bod y ddau yn gops i'r carn nid clyw Freeman na hanes Tom Tom sydd dan sylw. Mae Freeman am wybod sut mae'r ymholiadau drws i ddrws wedi bod yn mynd ond mae Tom Tom am wybod a yw Freeman wedi dod i unrhyw gasgliadau o ddarllen y ffeiliau.

'Pardwn?'

Mae Tom Tom yn oedi am eiliad, yn poeni, cyn ei fod e'n sylweddoli bod Freeman wedi llwyddo i wneud jôc am ei hunllef diweddar, a dyma'r ddau'n dechrau rhowlio chwerthin a dydyn nhw ddim yn stopio nes iddyn nhw, o'r diwedd, sychu'u dagrau, heb boeni dim fod pob cwsmer yn edrych arnyn nhw fel petaen nhw'n boncyrs.

'Police business,' meddai Tom Tom gan fflachio ei gerdyn warant ar bawb, sydd mor anarferol nes bod hyd yn oed Tom Tom wedi cael tipyn o syrpréis. Aeth y cwsmeriaid syfrdan yn ôl at eu lattes a'u frappés, tra bod Freeman yn agor ei llyfr nodiadau – llyfr twt, *moleskin* du, i fynd mewn bag, er nad oedd Freeman yn un i gario handbag. Gwisgai ddillad oedd yn addas ar gyfer cario stwff, oherwydd petai ganddi foto, yna 'Byddwch barod' fyddai hwnnw.

'Patrwm?' gofynnodd Tom Tom.

'Dim patrwm ond dwi'n dechrau mynd i feddwl fwyfwy taw menyw yw'r llofrudd.'

'Menyw? Ceisio sicrhau cyfartaledd yw hyn?'

'Trust me on this one. Mae fy ngreddf yn dweud hyn yn glir.'

'Ond fi yw'r un sy'n gorfod defnyddio greddf. Ti yw'r un sy'n dibynnu ar fod yn smart. Ti'n rhan o genhedlaeth o bobl smart sy'n disodli deinosoriaid fel fi.'

'Tyrannosaurus Tom!'

'Rhywbeth fel'na!'

Mae Freeman yn mwynhau'r banter yma gyda Tom Tom. Anghofiodd gymaint o fwynhad oedd cael treulio amser yn ei gwmni, gan wybod hefyd pa mor galed roedd hi wedi gorfod ffrwyno ei theimladau er mwyn cadw pethau'n broffesiynol. Ac roedd y gorffennol yn gymhleth.

'Dwi wedi bod yn edrych ar y ffordd ma hi'n lladd. Fel cynifer o'r math yma o lofruddwyr, mae hon yn chwyddo gyda phŵer, yn troi'n dduwies, yn bwydo'n braf ar y ffaith ei bod hi'n medru penderfynu pwy sy'n byw a phwy sy'n mynd i farw.'

'Mae hi'n debyg i gymaint o'r *serial killers* eraill felly.'

'Na, Tom, ry'ch chi'n meddwl am Hannibal the Cannibal Lecter a'i fath yn y ffilms. Pobl sy'n fwy gwallgo na gwallgo. Ond nid yw'r teipiau yma'n wir. Pobl yn Hollywood sydd wedi eu creu i godi ofn ar gwsmeriaid y mwfis. Mae'n lot mwy tebygol bod y llofrudd yn casáu cymdeithas, ddim yn medru ffitio i mewn, ac felly'n byw ar yr ymylon. Ond ddim tro yma, dybia i. Dwi'n credu bod hon yn byw yn ei chanol hi, yn berson amlwg, cyhoeddus, enw cyfarwydd hyd yn oed. Seicopath, ie, ond dan reolaeth. Ma gan hon ddisgyblaeth, crefft i'w gwaith.'

Cododd lyfr mawr o'r rycsac wrth ei hochr.

'Dyma fy hoff nofel ar y foment...' Llygadodd Tom Tom y teitl. *The Diagnostic and Statistical Manual of Mental Disorders.*

'Nid *Sense and Sensibility* felly? Neu'r boi Russian 'na...'

'Dostoievsky, na, ma hwnna'n dod yn y categori darllen trwm i'ch helpu chi gysgu... Na, mae'r *Statistical Manual* yn lot mwy dyrys. Yn hwn mae'n gosod y rheolau, neu'r hyn sy'n gyffredin ymhlith y bobl 'ma. Gwranda'n astud, Tom, a bryna i cappuccino arall i ti wedi cwpla.'

'Fydd 'na brawf? I neud yn siŵr 'mod i wedi gwrando a deall?'

'Falle. Gwranda, tro diwetha aethon ni ar ôl rhywun oedd yn lladd ac yn lladd eto doedd dim digon o ddealltwriaeth gyda ni. Ond dwi wedi bod yn darllen a darllen. Reit, dyw'r person yma ddim yn becso am y gyfraith, am gyfreithiau na rheolau cymdeithas. Dyw hi ddim yn parchu hawliau pobl eraill. Mae'r unigolyn fel petai'n ddienw.'

'Got it. Ma gen i'r pictiwr.'

'Ga i roi mwy o fanylion yn y pictiwr, felly? Dyw'r fenyw yma ddim yn medru difaru neu deimlo euogrwydd. Mae'n dreisgar, ond ddim yn dueddol o fynd yn wyllt, colli gafael, colli rheolaeth. Na, mae'n hoffi rheoli sefyllfa.'

'Odi hi'n wallgo?'

'Cwestiwn da, ond na yw'r ateb. Prin byddai system y gyfraith yn gweld ei bod hi'n wallgof. Byddai'n rhaid profi nad yw unigolyn fel hon yn ymwybodol bod yr hyn mae'n ei wneud yn erbyn y gyfraith. Dwi ddim yn credu nad yw hi'n gwybod, jyst ei bod hi ddim yn becso dam. Pan mae'n lladd, mae'n gwybod yn iawn ei fod yn erbyn y gyfraith. Dyna'r *conundrum*, ontife? Meddwl yn glir wrth wneud rhywbeth erchyll, rhywbeth tu hwnt i'n dealltwriaeth ni.'

'Ma America'n llawn dop ohonyn nhw o edrych ar drwch y llyfr 'na.'

'Oes, ma 'na sawl esiampl enwog. Bron 'mod i ddim eisiau darllen amdanyn nhw cyn mynd i gysgu rhag ofn eu bod nhw'n cerdded i goridorau tywyll fy hunllefau. Ted Bundy, John Wayne Gacey a Dennis Rader – pob un ddim yn ymwybodol bod yr hyn roedden nhw'n neud yn rong mewn unrhyw ffordd. Y peth oedd yn eu cyflyru oedd yr angen diddiwedd i ladd a lladd. Ac mae hynny fel byw mewn bybl, yn rhoi pŵer iddyn nhw symud o gwmpas heb bwysau cydwybod yn eu llusgo nhw, yn fyrdwn arnyn nhw.'

'Felly ma nhw'n iawn eu meddwl?'

'Dim ond yn nhermau'r gyfraith. Ma 'na foi yn y llyfr sy'n hollol boncyrs, David Berkowitz, ond ma pobl yn ei nabod fel 'Son of Sam' oedd yn adrodd pob math o storïau am ddefodau dieflig a honni ei fod yn gwneud pethau am ei fod yn was ffyddlon i'r diafol, a bod y diafol yn y stafell gydag e drwy'r amser. Dyw hynny ddim yn gonfensiynol, dim fel y boi ar fŷs 61, odi e?'

'Oedd e'n foi clyfar? Robot neu athrylith?'

'Ti'n ôl i'r ffilmiau eto, on'd wyt ti? Ti wedi gweld *Seven*, am John Doe, y llofrudd clyfar iawn? Wel, dy'n nhw ddim fel'na gan amlaf. Dyw hon ddim yn fwy clyfar na ti a fi...'

'Fi efallai. Ond dim ti Emma. Dyna pam ry'n ni'n mynd i'w ffindo hi.'

'Na, dyw hi ddim yn glyfar tu hwnt. Ond mae hi'n cynllunio'n fanwl, yn meddwl am y sut, os nad y pam. Ac mae hi'n hollol obsesiynol, ei gwaed yn oer, y seicopath oddi fewn yn dominyddu ei bywyd, yn ei rheoli.'

'Cacen?'

'Iawn, a wedyn gei di'r prawf, jyst i wneud yn siŵr dy fod wedi bod yn gwrando'n astud...'

'Wastad, Emma, wastad.'

5

Gwaith solo

GWYDDAI FREEMAN y byddai pawb arall yn canolbwyntio ar y dioddefwyr oedd yn gysylltiedig â'r diwydiant arlwyo, oherwydd roedd yn haws, oherwydd bod 'na batrwm. Ond roedd ei greddf hi'n dweud wrthi am fynd i gyfeiriad arall, a bod 'na gliw yn yr ail lofruddiaeth. Poppaline. Am enw rhyfedd. Byddai'n mynd i weld ei gŵr gweddw.

Doedd Freeman ddim am fynd yno gyda Tom Tom: doedd y llawlyfr plismona ddim yn cynnwys cyngor ynglŷn â sut i fihafio os digwydd i chi ddechrau perthynas gyda chydweithiwr. Ac roedden nhw ar fin dechrau rhywbeth, teimlai hynny yn ei chrombil. Roedd ei theimladau'n fyw ac effro i bob munud yn ei bresenoldeb ac roedd yn dyheu am ei weld. Ond dim heddiw. Doedd hi ddim yn credu y gallai smalio bod pethau heb newid yn gyfan gwbl rhyngddynt, yn enwedig a hithau'n gorfod gwneud y gwaith gwaethaf posib, sef ymweld â thylwyth un oedd wedi cael ei lofruddio'n ddireswm. Roedd hynny'n dyfnhau'r hunllef, yn ei gwneud hi'n amhosib i amgyffred y tywyllwch fyddai'n cau i fewn a gwasgu'n dynn, a gwthio'r anadl allan o frest yr hwn oedd wedi goroesi. Adnabu'r teimlad yn rhy dda.

Penderfynodd fynd â'i char ei hun, i'w wneud yn anoddach i Tom Tom. Anodd credu ei bod hi'n cymryd y fath gam i fynd o dan ei radar, ond byddai yntau'n mynnu gwybod popeth. A byddai'n rhannu popeth gyda'i phartner yn y pen draw beth bynnag. Partner. Newidiodd ystyr y gair oherwydd yr hyn oedd wedi digwydd.

Aeth i gael coffi yn ei hoff gaffi newydd, Uncommon Grounds, a chan ei bod yn hoffi hit go galed o gaffîn archebodd Americano gyda siot ychwanegol. Gwyddai bod rhai o'r hen fois, yr hen stejyrs go iawn wastad yn cael llond llwnc o whisgi cyn mynd i guro drws y galarwyr ond iddi hi roedd coffi'n gwneud y job yn iawn ac yn ei helpu i feddwl yn glir. Y peth pwysig oedd cofio bod y person oedd wedi cael ei lofruddio yn nabod y llofrudd yn amlach na heb, ac roedd wastad rhyw gysylltiad, patrwm, linc: ei gwaith hi oedd dod o hyd i'r rheini. Cofiai am un o'i hoff storïau gan Henry James, 'The Figure in the Carpet' pan mae'r person sy'n adrodd yr hanes yn disgrifio cwrdd â'i hoff awdur ac yn raddol fynd yn obsesiynol â'r ffigwr sydd i'w weld mewn carped o Bersia. Byddai'r ffigwr yno wastad, ond ddim yn glir ar brydiau, neu ddim yn glir i bawb. Gwaith felly oedd gwaith ditectif – gweld y ffigwr yn y carped yn gyntaf, ac yna ddod o hyd i ffordd i wneud yn siŵr fod pawb yn medru ei weld. Yn enwedig barnwyr a rheithgor. A phrofi iddynt fod y ffigwr yno. Dyna oedd y dasg.

Cerddodd i nôl ei char, a chael y teimlad fod rhywun yn edrych arni, ond ni allai weld neb. Nid dyna'r tro cyntaf iddi deimlo'r fath ias yn siglo'n dawel i lawr ei hasgwrn cefn, ond rhesymai ei bod hi'n dal i fod mewn sioc ar ôl y cyfnod mewn byddardod.

Roedd cartref Poppaline yn un o'r strydoedd y tu ôl i Grand Avenue yn Nhrelái, ddim yn bell o siop gornel ddi-nod lle roedd criw o fois ifanc mewn hwdis yn hongian o gwmpas yn lladd amser. Gwyddai eu bod nhw'n medru gweld ei bod hi'n blismones wrth y ffordd roedd hi'n cerdded, yn yr un ffordd yr oedd hithau'n medru asesu un o'r bois yn go sydyn. Un edrychiad oedd ei angen. Hwnna. Un deg saith mlwydd oed, dibyniaeth drwm ar ganabis, yn enwedig sgync. Roedd y gwynt siarp a ddeuai o gyfeiriad y bechgyn yn awgrymu bod un ohonyn nhw wedi bod yn smocio funudau'n unig cyn iddi gyrraedd. Clodd y car ac edrych yn bwrpasol ar y criw, gan dynnu llun pendant gyda chamera'r cof allai gael ei ddefnyddio mewn rhes adnabod.

Gallai hi ail-greu rhestr siopa wythnosol Mr Evans, y gweddw, o'r caniau a'r poteli yn yr ardd ffrynt. Roedd yn amlwg hefyd ei fod yn smociwr mawr, heb sôn am ddyn oedd yn casáu garddio gydag arddeliad. Edrychai'r lawnt fel sgwâr o wair wedi ei adael yn niffeithwch y Gobi ymhell o ddŵr neu fysedd gwyrddion gofalus. Maluriwyd rhai o ffenestri'r tŷ rywbryd yn y gorffennol ac yn lle cael gwydr newydd roedd rhywun wedi eu trwsio â chardfwrdd. Roedd enw'r tŷ, felly, yn eironig ddigon – Shangri-La. Gwenodd Freeman wrth gamu at y drws ffrynt, gan edrych yn amheus am y bois yn yr hwdis oedd wedi diflannu fel gwlith y bore, a diolch byth, heb symud yn agos at ei char. Heb yn wybod i Freeman doedd neb yn dod yn agos at dŷ'r Evansiaid oherwydd enw drwg Evans, a hithau wedi bod yn esgeulus a heb wneud yr ymchwil mwyaf sylfaenol amdano. Byddai wedi darganfod ei fod wedi gweld y tu fewn i wyth carchar yn ystod ei fywyd, a thrais yn thema gyson bob tro roedd wedi cael ei wahanu oddi wrth gymdeithas. Abertawe – naw mis am greu helynt. Caerdydd – blwyddyn am drywanu warden traffig. Wakefield – pedair blynedd am drywanu barman yn ei lygad gyda gwydr.

Canodd y gloch i alaw 'Eidelweiss' ond y sain wedi ei greu mewn ffatri synau yn Taiwan. Bu'n aros yn hir ar drothwy'r drws cyn i Evans ymddangos, ac roedd golwg flin ar ei wyneb, bron i'r fath raddau y gallech dynnu llun ohono er mwyn diffinio'r term. Blin. Ffycin blin.

'What the hell?' gofynnodd wrth geisio edrych y tu ôl iddi i weld os oedd 'na gops eraill o gwmpas. Gallai ogleuo cops fel gallai'r cawr ogleuo plentyn yn *Jack and the Beanstalk*. Ac roedd e'n gawr hefyd – chwe troedfedd a phedair modfedd. Gwisgai grys-T gyda'r llewysau wedi eu torri i ffwrdd, er mwyn arddangos ei gasgliad cyflawn o gyhyrau abnormal o fawr, rhai ohonynt yn edrych i Freeman fel tystiolaeth bod y ddynolryw yn esblygu'n fwystfilod dan ddylanwad gormod o steroids. Doedd 'na ddim ffordd yn y byd y gallai rhywun ddatblygu corff fel hwn trwy ddefnyddio pwysau ac offer *gym* yn unig. Nadreddai tatŵs o gwmpas ei ysgwyddau llydan a'r rheini'n digwydd bod yn gasgliad o nadredd, ac un anaconda sylweddol uwchben yr enw Mabel, oedd yn drysu Freeman: ai enw'r anifail oedd Mabel, neu dyna enw mam Evans?

'You'd better come in. Neighbours are nosy, stick their noses in everybody's business.'

Doedd tu fewn y tŷ ddim yn debyg o gwbl i'r hyn roedd Emma yn ei ddisgwyl oherwydd roedd yn dwt ac yn drwsiadus, fel pin mewn papur.

'She was a good woman, 'ouseproud, kept things spick and span, as she put it.'

Mae Emma'n cydymdeimlo'n ffurfiol â'r dyn, sy'n derbyn y geiriau drwy wydr trwchus ei lygaid, sy'n dangos 'run smic o emosiwn. Nid yw Emma'n medru darllen y dyn yma'n hawdd – tybiai bod rhyw dynerwch yn cuddio ymhlith yr arwyddion eraill sy'n gweiddi 'Dyma ddyn peryglus! Gochelwch rhag hwn.'

Mae'n gosod tegell coch ar un o'r cylchoedd nwy ar y stof,

ac yn paratoi te mewn ffordd fecanyddol, sy'n awgrymu ei fod wedi gwneud hyn i'w wraig droeon, sydd, eto, ddim yn gyson â'r ddelwedd fygythiol, ymosodol bron ohono.

'Oes ots os dwi'n gofyn ambell i gwestiwn i chi?'

Mae'r dyn yn ateb yn swrth, gan atgoffa Emma ei fod wedi ateb llu o gwestiynau'n barod, fel petaen nhw'n amau taw fe oedd wedi lladd ei wraig. Tra'i fod yn dweud hyn edrychai Freeman i fyw ei lygaid, gan ddefnyddio'r hen brawf poligraff hwnnw, bod celwydd golau i'w weld yn llosgi'n gannwyll yng nghrombil y llygad. Yn sydyn mae'n codi o'i gadair ac yn rhuthro tua'r drws. Mae wedi gweld rhai o'r rafins ifanc yn cerdded yn llechwraidd tuag at gar Freeman ac mae'n bloeddio arnynt gyda'i utgorn enfawr o lais.

Daw'n ôl gan ymddiheuro, ond mae hi'n diolch iddo'n ddiffuant oherwydd mae'n gwybod pa mor gyflym mae rhai o'r bois yma'n medru agor drws car, yn enwedig ei char hi – dyna i gyd sydd ei angen yw hanner pêl tenis i chwythu aer drwy'r clo: bydd y pwysau sydyn yn ddigon i'w agor.

Mae'r cawr yn arllwys te, y tebot a'r cwpanau yn edrych fel rhywbeth o Lilliput yn ei ddwylo mawr a'i fysedd sylweddol ddwy waith maint selsig Cumberland, gyda gwythiennau glas sy'n dangos ffyrnigrwydd y cylchrediad gwaed – symptom arall o orddefnyddio steroids efallai.

Mae Freeman yn tynnu ei gliniadur allan o'i bag ac yn cychwyn ar y cwestiynu, gan geisio creu trywydd newydd fel nad yw Evans yn danto ar glywed yr un hen gwestiynau. Ond rhaid dechrau gyda'r rhai elfennol ac felly mae'n rhuthro drwy'r rheini'n gyflym, fel awtomaton. Oedd ei ddiweddar wraig wedi cwmpo mas gydag unrhyw un? Oedd hi wedi gweithio mewn caffi neu le bwyta yn ddiweddar? Neu'n nabod rhywun oedd wedi gweithio mewn lle o'r fath?

Ac mae un o atebion Evans yn gwneud iddi oedi, i dynnu anadl ddofn: y math o deimlad sy'n awgrymu ei bod hi ar drywydd rhywbeth arwyddocaol.

'Her sister worked in that Italian place down in Canton, the one near Tesco. Everybody raves about it but people like me don't go to places like that. I like food at home me. Home grown, I mean home cooked food.'

Ei chwaer. Yn gweithio yn Calabrisella. Roedd Freeman yn nabod y lle yn iawn, wedi bod yno ddwy waith. Rhyfeddai fod rhywun nad oedd yn dod o'r Eidal yn gweithio yno oherwydd roedd y staff i gyd fel petaen nhw'n Eidalwyr.

'Ydy'ch chwaer yng nghyfraith yn siarad Eidaleg?'

Atebodd Evans ei bod hi, gan bod ei gŵr yn dod o Turin, cartref Juventus, fel yr esboniodd wrthi.

Teimlai Freeman y gallai ddod â'r cyfweliad i ben yn barod ond gwyddai hefyd bod dod i gasgliad yn rhy sydyn, neu ddewis dilyn un llwybr heb fod yn ymwybodol o'r holl lwybrau eraill oedd yn bosib, yn beryglus. Ond gwyddai hefyd fod patrwm a gysylltai'r bobl oedd wedi eu llofruddio gyda llefydd bwyta neu'r diwydiant arlwyo. Hwnna oedd y llwybr.

Ond roedd mwy i ddod. Wrth arllwys yr ail gwpaned o de dyma Evans yn dechrau rhaffu ei ddamcaniaeth ei hunan ynglŷn â'r hyn ddigwyddodd i'w wraig druan.

Roedd Poppaline i fod i gwrdd â'i chwaer y noson honno ac roedd yn od, neu'n arwydd o fethiant, ar ran yr holwyr eraill nad oedd neb wedi trafod hyn. Roedd hi'n hollbwysig i wybod ble roedd hi wedi mynd, a phwy oedd hi i fod i gwrdd, ond roedd y ffocws i gyd arno fe, fel petaen nhw am ei ddal e, a'i gymryd o flaen ei well a'i ddanfon i garchar nes bod ei farf yn wyn ac yn hongian yn llaes hyd at ei draed ac efallai'n llusgo'r tu ôl iddo fel un o'r hen ddynion cant a hanner mlwydd oed 'na yn Tsieina neu Nepal.

Rhyfeddodd Freeman at huodledd y dyn, y geiriau'n rhaeadru o'i geg, ymgais i chwarae ditectif, a dodi'r cliwiau i gyd at ei gilydd nes bod y jig-so yn gyflawn, y darnau i gyd wedi disgyn i'w lle.

Cymerodd lwnc o ryw hanner peint o'r te cyn dechrau ar ei araith, cyflwyno ei ddamcaniaeth ynglŷn â phwy oedd y llofrudd, gan ei fod yn gwybod y sut yn barod.

Credai fod rhywun wedi camgymryd Poppaline am ei chwaer, a taw'r chwaer oedd y targed go iawn, a gallai Mr Evans feddwl am hanner dwsin o bobl allai fod wedi eisiau lladd honno. Awgrymodd fod ei moesau braidd yn llac, ac roedd ei gŵr wedi darganfod ei bod yn cael ffling gyda Matt Wiley. Cofiai Freeman am Wiley, a gollodd ei swydd wedi iddo gael ei ddal yn gwneud gwaith diogelwch i glwb nos Tigerz pan oedd e fod i weithio'r shifft nos. Gwyddai hefyd fod ganddo dymer y diawl a'i fod yn enwog am gael mwy na chant o oriau o therapi i reoli'r tymer hwnnw. Ar ôl iddo orffen ei wythfed cwrs dyma fe'n chwythu lan yng ngŵydd ei therapydd ac yn taflu cyfrifiadur drwy ffenest cyn bod ei gyfeillion yn y swyddfa yn ei dawelu drwy'i roi mewn cyffs a'i osod ar ei gefn ar lawr. Petai rhywun fel'na wedi darganfod bod ei gariad yn briod, mae'n annhebygol y byddai'n cwyno'n dawel am y peth. Gwyddai fod angen iddi rannu'r wybodaeth yma gyda Tom Tom ond ni allai weld ffordd o wneud hynny heb orfod cyffesu ei bod hi wedi bod yn nhŷ rhywun oedd ag enw drwg am ddifetha wynebau pobl gyda photeli Peroni. Heb os, dyma hi mewn picil a hanner.

Roedd sail ddigon cadarn i ddamcaniaeth Evans. Ei chwaer yng nghyfraith yn cael affêr gyda chyn-blisman oedd yn dueddol o weld y llen goch yn disgyn o flaen ei lygaid ac yn mynd allan i gwrdd â hi heb wybod bod ei chwaer wedi bod i gwrdd â hi yr un noson, ddim yn bell o'r fan ar y gamlas lle darganfuwyd y corff. Ond roedd 'na fwy. Dyma ddyn oedd yn fonansa o wybodaeth a theori. Esboniodd fod ei wraig wedi dweud ei bod am wisgo yn nillad ei chwaer oherwydd ei bod hithau'n credu bod rhywun yn ei dilyn. A dyma drefnu plot bach syml pan fyddai'r ddwy'n cyfnewid dillad, a Poppaline yn cerdded ar hyd y gamlas tra bod ei chwaer yn cadw llygad barcud arni o ochr arall y llwyn mieri a dyfai'n rhemp rhyw ugain metr i ffwrdd.

Allai Freeman ddim credu nad oedd cwestiynu ei chyfeillion wedi arwain at y drysorfa yma o wybodaeth, ond efallai fod Evans wedi bod yn gyndyn i siarad, neu yng nghanol pydew dwfn o alar. Doedd dim dwywaith ym meddwl Freeman ei fod yn caru ei wraig yn ei ffordd ddihafal ei hun, ond gwyddai hefyd fod rhaid iddi fod yn ofalus iawn ynglŷn â phenderfyniadau fel'na. Dilyn greddf nid rhesymeg. Cofiai achlysuron tebyg pan oedd rhywun wedi ymddwyn fel cariad neu gymar oedd yn torri calon ac yna wythnosau, ambell waith ddyddiau yn ddiweddarach roedd yn cyffesu'r weithred, neu'n arwain yr heddlu at y corff, neu'r fwyell neu'r gyllell waedlyd wedi ei chuddio dan lawr y garej. Anodd credu'r nifer o bobl oedd yn cuddio'r arf yn hytrach na'i daflu i'r môr neu waelod llyn. Ond byddai'r un person oedd wedi ymbil yn ddagreuol yn troi mas i fod yn dreisgar neu'n genfigennus hyd at lofruddiaeth neu, yn waeth fyth, y math o berson allai dreulio misoedd yn cynllunio'n ofalus sut i wneud i'w wraig syrthio i lawr y grisiau, neu sicrhau nad oedd brêcs y car yn gweithio'n iawn, neu gyflwyno mesur pitw bach o wenwyn yn y bwyd dros gyfnod o wythnos gan edrych ar y gŵr neu wraig yn gwelwi ac yn gwanhau ac yn raddol farw o flaen ei llygaid. Ond nid y boi yma. Teimlai Freeman ym mêr ei hesgyrn fod y boi yma'n *legit*, ac y dylai edrych i fewn i'r stori waethaf yma o anlwc, sef rhywun yn twyllo llofrudd ac yn colli ei henaid o'r herwydd.

Diolchodd iddo am ei amser, gan ofyn am ychydig funudau i orffen teipio'i nodiadau ar ei gliniadur. Byddai'n siŵr o gysylltu â'r chwaer a Wiley, er na fyddai'n hapus i'w gweld. Byddai'n dechrau gyda gŵr y chwaer yng nghyfraith. Ond cyn mynd i'w weld byddai angen iddi esbonio'r picil yma i Tom Tom a gwyddai y byddai'n anhapus iawn. Efallai y dylen nhw gwrdd mewn eglwys Gatholig lle byddai'r awyrgylch yn fwy addas ar gyfer cyffes o'r fath. Byddai siarad gyda Tom Tom yng ngŵydd cerfluniau gyda llygaid oer o farmor yn briodol. Wrth iddi gerdded 'nôl i'r car fe'i siomwyd i weld bod yr hwdis wedi llwyddo i beintio neges syml ar y bonet. 'Pigs must die.' Byddai'n gyrru'n ôl heibio'r *body shop* a gofyn i'r perchennog wneud y job glanhau yn syth. Efallai fod y geiriau'n rhy agos at y gwirionedd.

6

Drws i ddrws

BYDDAI'R BOIS IFANC, y cops newydd, yn casáu'r rhan yma o'r gwaith gan amlaf, y stwff caib a rhaw, y cerdded o fan i fan yn holi yr un cwestiynau drosodd a throsodd. Gwell ganddyn nhw eistedd o flaen cyfrifiadur yn anfon y cwestiynau ar e-bost. Ond fel ymresymai Tom Tom, nid oedd e-bost yn medru helpu rhywun i gofio, nac arwain rhywun at ddarn o dystiolaeth angenrheidiol oedd yn llechwra mewn rhyw batsyn tywyll o'r cof, a neb yn gwybod ei werth nes bod rhywun fel Tom Tom neu un o'r cops ifanc yma'n prosesu'r wybodaeth, a'i drin fel darn o'r jig-so. Holi, holi eto a holi drachefn: drwy hynny byddai'r ystadegau yn erbyn dal y dyn drwg yn lleihau a lleihau nes bod yr actorion i gyd, y cops a'r drwgweithredwyr yn cyrraedd yr un lle, sef drama syml yr arestio.

Oherwydd bod cymaint o lefydd bwyta yn y ddinas roedd y cops wedi rhannu de-ddwyrain Cymru mewn i wyth ardal, a dau dîm yn gweithio pob ardal. Ond hyd yn oed wedyn roedd gan bob unigolyn dros gant o lefydd i ymweld â nhw, felly man a man i bob un ddweud ffarwél am y tro i'w teuluoedd, i amser hamdden, oriau da o gwsg ac i fwyta'n gyson o fewn yr oriau priodol. Ond doedd neb yn bwyta ar amserau call wrth weithio'r stryd, ac amser ei hunan yn meddalu, toddi, rhai oriau'n ymestyn fel darn o does pitsa ac eraill yn cywasgu'n fflachiadau. Ar ben hynny, roedd cynifer ohonynt yn poeni am symud tŷ, a newid ysgol i'r plant, fel nad oedd fawr ddim chwant bwyd arnyn nhw.

Penderfynodd Tom Tom ddechrau gyda'r lle bwyta mwyaf yng nghanol Caerdydd. Cyflogai Oaxaca ddeugain o staff, gan gynnwys y rhai rhan amser ac roedd y rheolwr yn hapus iawn i eistedd lawr gyda ditectif, oherwydd iddo danlinellu pwysigrwydd unrhyw sgrapyn o wybodaeth.

'Oes gan hyn rywbeth i'w neud â'r llofruddiaethau ofnadwy yma?' mentrodd Ray Smith, 42 oed, dyn oedd eisiau ymddeol er mwyn mwynhau blynyddoedd olaf plentyndod ei unig fab. Oherwydd oriau gwaith hir yn y diwydiant arlwyo roedd bod yn bresennol mewn pethau fel sioeau ysgol, neu gemau rygbi, y pethau arferol, yn amhosib yn llawer rhy aml. Ond breuddwyd ffôl oedd meddwl y gallai adael y job, oni bai ei fod yn ennill y loteri a byddai hynny'n amhosib gan ei fod wedi stopio prynu tocynnau i arbed arian.

Daeth yr holl wybodaeth yma allan dros bedwar cwestiwn syml, oherwydd roedd Tom Tom yn gwybod bod dod i nabod rhywun, un person yn unig ymhob un o'r llefydd bwyta yma, yn waith da ac yn rhan bwysig o'r ymchwiliad, fel pry cop yn gosod un weiren denau o we, a phob weiren yn cysylltu'n ôl yn uniongyrchol i'r anifail bach bolddu, fel creu rhwydwaith sydyn o wybodaeth, casglu newyddion a theimlo pyls y ddinas yn y weiars yma oedd yn bwydo'n syth yn ôl i Tom Tom. Pry cop go iawn.

A dyna sut fuodd hi am dridiau, yn ymweld â llefydd fel Casanova, Curado a Potted Pig, lle gwleddai'r dosbarth canol yn sipian eu jins, neu'r llefydd bach ar Heol yr Eglwys Fair lle gallai teulu cyfan fwynhau bwced o ffowlyn ffatri a tsips di-daten am £9.99. Roedd rhai'n hapus ddigon i helpu, hyd yn oed pan oedd y llefydd dan eu sang. Ond ni chafwyd gwybodaeth o werth. Pan ofynnai am aelodau staff oedd wedi bod yn absennol byddai'r ateb wastad yn "Ie" a phan chwiliai'n ddyfnach i'r rheswm pam na ddaeth hwn a hwn neu hon a hon i'r gwaith byddai'r atebion wastad yn debyg – 'O, mae'n rhy hoff o'i drygs' – neu ei fod wedi symud i rywle arall i weithio – roedd y gweithlu'n *fluid* iawn, ac yn newid yn gyson.

Gwyddai Tom Tom fod cyffuriau'n rhemp ymhlith y staff mewn nifer o'r llefydd, ac roedd hyn yn meddwl bod unrhyw aelod o'r staff yn mynd i fod yn ddrwgdybus iawn ohono, yn syllu i fyw ei lygaid ac yn gweld tystiolaeth o'r sialc trwyn oedd wedi diflannu lan ei ffroenau ychydig funudau ynghynt. Ni wyddai sut roedd rhai o'r bois yma'n medru gwenu'n ffals a moesymgrymu'n barhaol, a theimlo'r paranoia oedd yn dod yn sgil defnydd hirdymor o gocên. Fel y boi yn Kebaborama oedd yn twitsian fel llygoden wrth gredu nad oedd yr ymweliad yn ymwneud ag ef o gwbl, a bod y ditectif yma i holi am bobl oedd heb droi lan i'r gwaith yn hytrach na rhyw foi o'r drygs sgwod oedd yn defnyddio hyn fel esgus i gael pip o gwmpas y lle. Ei gadw yn y bwyty oedd raid, oherwydd y bag o Bolivian oedd ar fwrdd y gegin yn barod i'w osod mewn bagiau bach unwaith byddai Ahmed yn cyrraedd yn ôl ar ôl delifro deg *donner kebab* i griw o weithwyr ar y fflatiau newydd oddi ar Dumballs Road.

Estynnodd y ditectif garden gwaith iddo, ond roedd rheolwr Kebaborama mor dynn ei weiar fel bron wnaeth e ei heglu hi oddi yno – roedd wedi anghofio am y sbliff gafodd cyn agor lan, a'r sgync oedd yn ddigon cryf i lorio rheino. Sdim rhyfedd ei fod mewn panig. Cop yn eistedd wrth y bwrdd ger y ffenest. Ahmed ymfflamychol ar ei ffordd, a hwnnw'n casáu cops ar ôl beth ddigwyddodd i'w dad, a fu farw mewn cell yn swyddfa'r heddlu yng Nghastell-nedd. Roedd y sefyllfa'n un ffrwydrol, er na fyddai unrhyw un oedd yn cerdded heibio yn amau dim. Dau ddyn yn eistedd wrth fwrdd mewn lle kebabs yn siarad am hyn a'r llall peth cyntaf yn y bore. Yn hamddenol reit.

'Ocê, rowch ganiad i mi os glywch chi am rywun sydd heb ddod i'r gwaith, efallai mewn lle kebab arall. Shwt ma busnes, gyda llaw?'

Ochneidiodd y dyn ei ateb – ei unig ddymuniad oedd bod y ffycyr yma'n gadael cyn bod Ahmed yn dod, pan allai'r gyllell hir ar gyfer y *donners* gael ei defnyddio i bwrpas arall. Defnyddiai Ahmed goctel gwyllt o gyffuriau bob dydd, rhai i'w gadw'n effro, rhai i'w dawelu. Nid oedd modd ei berswadio na ddylai gymryd un math o ddrygs, heb sôn am y cymysgedd enfawr, tra oedd yn gyrru fel ffŵl ar hyd y lle, yn ceisio gwneud yn siŵr bod y bwyd yn dwym erbyn iddo gyrraedd.

Cerddodd Tom Tom allan drwy'r drws yn sŵn moto-beic Ahmed yn cyrraedd rownd y cefn. Wrth iddo gyrraedd y lle bwyta nesaf cafodd alwad ffôn gan Tomkins oedd yn amlwg wedi cynhyrfu.

'Thomas, ma nhw wedi dod o hyd i gorff!'

'Yr un llofrudd?'

'Nage, nage. Ma'r *modus operandi* yn hollol wahanol. Yn syml iawn, trywanu rhywun gyda chyllell ugain o weithiau.'

'Odych chi am i mi edrych ar y peth, syr? Galla i wneud â brêc o'r *Good Food Guide*.'

'Ie, plis, Thomas. Ma 'da ni lygad-dystion ac ma 'da ni'r llofrudd. Ar yr Allensbank Road. Os ewch chi'n syth 'na gallwch siarad â phob un o'n nhw.'

Sgyrnygodd Tom Tom ei wyneb o gofio bod y car wedi ei barcio y tu allan i'r Ganolfan Chwaraeon Genedlaethol, felly aeth yn syth am y tacsis.

*

Erbyn iddo gyrraedd Allensbank Road roedd y plods wedi llwyddo i osod cordon o gwmpas y man a chamodd Hutchings ymlaen, hen law ar y math yma o beth, i siglo llaw Tom Tom a gwneud hynny gyda gwên slei, gan gofio bod y cyhoedd ar hyd y lle, a bod angen parch tuag at y newydd-farw.

'Iawn, Hutch. Ti am weud be yw be?'

'Enw'r dyn sydd wedi marw yw Geraint Roberts, perchennog y dafarn draw fan'na. Parciodd ei gar, yn ôl yr arfer y tu ôl i'r bins, allan o'r ffordd, oherwydd mae Beamers mewn lifrai du yn dueddol o ddenu sylw pobl. Mae'n debyg ei fod yn cyrraedd tua'r un amser yma bob dydd, wedi bod i'r banc. Dyna wnaeth i rai feddwl taw lladrad wedi mynd yn rong oedd hwn, ond nid yn ôl y ddau lygad-dyst...'

'Ble maen nhw?'

'Yn y fan, yn aros i chi gyrraedd. Mae'r ddwy'n hapus i gael gair cyn mynd lawr i'r stesion i roi manylion llawn ar dâp.'

'Ocê, rho weddill yr hyn sydd ei angen arna i...'

'Pan ddath e allan o'r car dyma ddyn gwyllt yr olwg – Darty yw'r enw mae pobl yn ei ddefnyddio ond ry'n ni trial cael hyd i'w enw iawn ar y foment – yn camu mas o du ôl y bins a dechrau gweiddi pethau gwyllt, pethau oedd ddim yn neud lot o sens.'

'A ble oedd y llygad-dystion pan oedd hyn yn digwydd?'

'Yn eistedd yn yr ardd gwrw yn cael smôc, mae'n debyg. Medru gweld a chlywed popeth yn glir. Dyma Darty, y dyn 'ma'n dechrau cyhuddo Mr Roberts o herwgipio ei ferch, a'i thynnu i gylch o buteiniaid a'i chludo i ryw wlad bell.'

'Pa wlad?'

'Doedd yr un o'r ddwy wedi clywed am y lle, rhywbeth fel Handukistan.'

'Wela i.' Doedd y wlad ddim wedi bod yn rhan o'i astudiaethau daearyddiaeth Lefel O.

'Yna dechreuodd weiddi cyhuddiadau eraill, cyhuddo Roberts o ddwyn ei gartref, a'i fod yn cymryd y bwyd allan o gegau ei blant.'

'Erbyn hyn roedd Darty wedi dechrau siglo Roberts ac yntau'n ceisio dianc o'i afael. Ond roedd y dyn, sori, wnes i anghofio esbonio, mae'r dyn yn foi mawr, ac wrth i Roberts brotestio nad oedd yn nabod ei blant, ac erioed wedi cwrdd â'i ferch, heb sôn am Darty ei hunan, dyma Darty yn gweiddi'n uwch ac yn uwch ar y dyn oedd yn stryglo erbyn hyn i anadlu'n iawn.'

Edrychodd y plisman ar ei nodiadau ar ei ffôn symudol, a darllen:

'Wedodd e rhywbeth fel, "Byddi di'n marw heddi ac erbyn fory bydd dy wraig wedi anghofio amdanat ti. Wna i symud mewn i'w gwely hi yfory, i helpu ddi anghofio am ei gŵr, y twat." Llwyddodd Roberts i ruglo'n rhydd a dechrau camu i ffwrdd ond wedyn wnaeth Darty dynnu cyllell...'

'Ma honno 'da ni, dwi'n cymryd?'

'Mewn bag gyda label, saith centimetr o flêd, yn dew 'da gwaed.'

Edrychodd ar ei nodiadau drachefn.

'Trywanodd Roberts efallai ugain gwaith. Erbyn i'r ambiwlans gyrraedd – nath gymryd y nesa peth i ddim oherwydd ma'r ysbyty jyst rownd y gornel – gorweddai

Roberts mewn llyn o waed a'r menywod yn yr ardd mewn hysterics, heb sôn am bron pawb oedd yn y dafarn oedd wedi dod mas i weld beth oedd yr holl weiddi a sgrechen.'

'Rwyt ti wedi dysgu cyflwyno'r wybodaeth yn dy nodiadau'n glir iawn ac yn hynod effeithiol, os ga i ddweud.'

'Diolch, syr. Nawr 'te, odych chi am siarad â'r llygad-dystion yn gyntaf?'

'Dwi ddim yn credu bod angen gofyn iddyn nhw ail-fyw'r prynhawn. Bydd yr achos llys yn hen ddigon i ffrwydro'r delweddau 'na sydd wedi serio yn y cof i'r ddwy, gwaetha'r modd.'

'A beth am Darty?'

'Cer â fe'n ôl i'r orsaf, gad iddo fe stiwio am ychydig. Dwi am fynd i weld y man lladd a chael tamed o awyr iach.'

'Awyr iach?' meddyliodd y plisman wrth gau ei liniadur bach. Roedd bois y *murder squad* yn greaduriaid rhyfedd. Yr unig beth roedd e eisiau neud reit nawr oedd mynd i rywle i fod yn sic. Doedd e erioed wedi medru delio â gwaed, nac yn wir gyda chyrff wedi eu darnio'n wyllt. Ond dyna'r math o ddydd Iau oedd hwn. Un na allai anghofio nes y byddai'n hen, a hynny'n wlad bell i ffwrdd, fel cwsg.

Wrth gerdded o gwmpas y man lle llofruddiwyd perchennog tafarn yng ngolau dydd meddyliodd Tom Tom am Reg Riley, *sous chef* oedd heb droi lan i'w waith yn y gwesty ger yr Orsaf Ganolog. A doedd hyn ddim fel Reg, mae'n debyg, oherwydd roedd e'r math o berson oedd yn nodi yn nyddiadur y gwaith y byddai'n mynd at y deintydd bythefnos cyn y dyddiad.

Gyda hynny, canodd y ffôn oedd yn defnyddio'i hoff diwn gan y Beta Band, sef 'Dry the Rain'. Emma! Nid oedd yn disgwyl galwad er ei fod yn chwennych un, fel mae gwenynen yn chwennych blodyn lafant. Ond roedd rhywbeth oeraidd yn ei llais, a'r geiriau hefyd braidd yn ffurfiol, gan ymylu ar fod yn swrth.

'Wyt ti'n rhydd i gwrdd o fewn yr awr nesa?'

Meddyliodd y ditectif am ychydig. Roedd popeth yn dod i fwcwl fan hyn am y tro, felly byddai angen deng munud arall arno fe i edrych ar y man lladd a dyna hi wedyn. Byddai Tom Tom wedi hoffi mynd adref i gael cawod i olchi budreddi'r dydd oddi ar ei groen ond roedd tôn llais Freeman yn gwneud i'w chwestiwn ymddangos fel gorchymyn.

'Gallaf, wrth gwrs. Ti'n iawn?'

'Na, dim felly, ond weda i'r cwbwl dros baned. Wyt ti'n agos i'r Apothecary?'

'Dwi bum munud i ffwrdd.'

'Iawn, archeba rywbeth sy'n tawelu'r nerfau.'

Teimlai Tom Tom fel y dyn mwyaf unig yn y byd wrth aros yn y lle te, fel petai wedi ei adael ar ynys bellennig. Edrychai ar y fenyw yn brysur yn gwneud paneidiau, ac er ei fod yn gwybod ei bod hi yno roedd hi hefyd yn ymddangos fel rhith. Synnai fod Emma yn medru cael y fath effaith arno. Dim ond tôn wahanol yn ei llais, a chyfnod byr iawn, wedi ystyried, o beidio cysylltu ag e, ac roedd e'n teimlo'n rhacs, ei asgwrn cefn yn crynu fel jeli. Roedd yn becso amdani, ers y ffrwydriad ac yn sgil y bygythiadau o gyfeiriad Albania, ac yn teimlo'n warchodol iawn tuag ati, ond synnai fod ei deimladau amdani mor fyw hefyd, mor gymhleth, a hwythau ond newydd ddechrau perthynas waith mewn gwirionedd.

Edrychodd ar fysedd y cloc ond roedd y rheini megis wedi rhewi yn yr unlle. Gofynnodd y fenyw oedd e eisiau iddi ddod â'r tebot draw, ac wrth iddi wneud hynny gofynnodd iddi pa un o'r cacennau gogoneddus roedd hi'n argymell ac wrth iddi esbonio bod ganddi ddau ffefryn archebodd Tom Tom y ddau, gan ofyn am y slabiau mwyaf ynghyd â phot o hufen. Teimlai'r holl beth fel mynd ar ddêt yn hytrach na chwrdd â chyd-weithiwr, ac roedd awyrgylch y caffi yn ategu'r teimlad. Roedd y lle'n *chintzy*, gyda phob math o addurniadau lliwgar, nifer wedi eu nyddu o wlân. Edrychodd ar y cloc eto a gallai dyngu nad oedd y bysedd wedi symud o gwbl.

Cyrhaeddodd Freeman gyda'i gwynt yn ei dwrn, ac er ei fod wedi codi o'r gadair ni chusanodd ef, na siglo ei law hyd yn oed. Saethodd yr oerfel i ganol Tom Tom, oedd wedi'i ddrysu braidd. Nid oedd yn medru darllen yr arwyddion. Teimlai nad oedd yn adnabod y fenyw yma'n ddigon da i wybod beth ar y ddaear oedd yn mynd ymlaen.

'Ti'n iawn?' gofynnodd. Edrychodd Freeman arno'n syn, fel petai wedi gofyn iddi os oedd hi am rhannu syrinj o heroin gyda fe yn lle cacen.

'Ydw... mewn ffordd.'

Doedd hi ddim yn gwybod a ddylai oedi neu fynd yn syth iddi'n uniongyrchol.

'Es i weld gŵr, sori gweddw, Poppaline...'

'Evans? Wrth dy hunan? Mae'n foi treisgar, yn ôl pob sôn.'

'Ar ben fy hun, do...'

'Heb weud wrtho i?'

'Na neb arall.'

'Pam ar wyneb daear?'

'Mympwy? Eisiau gwneud rhywbeth ar liwt fy hun oeddwn i, i brofi nad ydw i'n hollol ffaeledig ers y broblem 'da'r clustiau.'

'Odyn nhw'n iawn?'

'Ydyn, ydyn.'

'Ond gest ti gnoc seicolegol.'

'Fyddai unrhyw un yn cael?'

Roedd hi'n heriol, yn amddiffynnol, yn gwrthod edrych arno'n iawn. Tu fewn roedd Tom Tom yn gwaedu'n emosiynol ond ni allai ddangos hynny. Os oedd un gair, un elfen o'i hunan roedd e'n mynnu ei warchod, wel, bod yn broffesiynol oedd hynny. Nid bod ei ddiffiniad o'r gair fel pawb arall, yn enwedig o ystyried ei dechnegau anorthodocs. Ond roedd bod yn broffesiynol yn meddwl bod rhywun yn gwneud popeth posib i ddal y dyn neu'r ddynes ddrwg a mynd â nhw gerbron eu gwell. Edrychodd ar y fenyw gyferbyn ag e, gan wybod bod ei diffiniad hi o broffesiynoldeb yn wahanol iawn, a'i bod hi'n credu bod yr hyn roedd hi wedi'i wneud yn rhywbeth gwael tra'i fod ef yn gweld e'n rhywbeth bach pitw. Doedd Tom Tom ddim am gredu ei bod hi wedi mynd ar liwt ei hun er mwyn osgoi mynd i'w weld yn ei gwmni yntau.

Nadreddai'r holl deimladau a'r damcaniaethau yma oddi fewn iddo wrth i'r perchennog hawddgar osod darn enfawr o gacen foron ac un arall blas lemwn, persimwn a sinsir o'u blaenau. Lledaenodd gwên ar draws wyneb Emma wrth iddi gofio ei bod wedi dweud wrtho unwaith taw'r gacen persimwn oedd ei hoff beth yn y lle, ac roedd e wedi cofio. Ond ffrwynodd ei hunan yn gyflym, oherwydd roedd pethau pwysicach i'w cyfleu.

'Roedd Poppaline wedi mynd i gwrdd â'i chwaer oedd yn credu bod rhywun yn ei dilyn, yn ei chysgodi oherwydd bod ei gŵr yn amau ei bod hi'n chwarae bant...'

'Oedd hi?'

'Oedd, ma'n debyg. Ond nid dyna'r pwynt. Cytunodd y ddwy y byddai Poppaline yn cyfnewid dillad gyda'i chwaer, neu o leia eu cotiau, felly byddai'r llofrudd yn meddwl taw ei chwaer oedd yn cerdded ar hyd y gamlas...'

'Felly'r gŵr...?'

'Isht! Mae mwy... Roedd y chwaer yn gweithio yn Calabrisella, y lle bwyta lyfli 'na ar Cowbridge Road East. Ma gen i deimlad bod hynny'n fwy pwysig na'r ffaith bod rhywun yn dilyn y chwaer.'

'Oedd 'na rywun yn ei dilyn?'

'Cyn-gop, Wiley, cariad iddi.'

'Dwi'n cofio. Dyn sleimi. Peth gorau wnaeth y ffôrs oedd cael gwared ohono fe. Ond... roedd hi'n annoeth mynd i weld Mr Evans heb ddweud wrth neb. Fydd unrhyw beth yn dy nodiadau ddim yn cyfri os digwydd i'r achos fynd i'r llys.'

'Ry'n ni'n bell iawn o unrhyw achos.'

Estynnodd Emma ei llaw allan er mwyn gafael yn llaw Tom Tom.

'Mae'n wir ddrwg 'da fi. Mae'r pwysau wedi bod yn drech na fi.'

'Rwyt ti wedi cael *leads* da, a dwi ddim yn siŵr bod y bois wedi cyrraedd mor bell â Threganna eto. Ma nhw wedi bod yn canolbwyntio ar ganol y ddinas, gweithio allan o'r canol tuag at y cyrion.'

'Ma'n ddrwg 'da fi am bopeth.'

'Y *radio silence*. Dwi wedi bod yn becso.'

'Dim poeni amdanat ti dy hunan?' Brathodd ei thafod rhag dweud rhywbeth arall creulon.

'Y peth yw, Emma Freeman, ma gan ddyn deimladau...'

Cyrhaeddodd y ddau y pwynt mewn sgwrs pan mae geiriau'n teimlo'n ddiwerth, yn rhy ysgafn ar gyfer dwyster y sefyllfa. Roedden nhw'n trafod marwolaeth a bywyd yn yr un anadl. Cymysgai blas chwerw eu gwaith beunyddiol gyda gobaith perthynas newydd, heb sôn am felyster eisin y gacen.

'Wnei di gadw fi yn y lŵp o nawr ymlaen?'

'Rwyt ti *yn* y lŵp, Tom. Wnes i gamsyniad, ac mae'n ddrwg 'da fi.'

'Amen i hynny. Mwy o lapsang souchong?' Yna esboniodd Tom Tom am y digwyddiad yn Allensbank Road, a'r cymeriadau od ddaeth i'r amlwg. *Open and shut case.* Diwrnod arall fel cop yn ne Cymru.

Yna, yfodd y ddau weddill eu te mewn tawelwch mynachaidd.

7

Amser hela

Y R HEN CHWANT yna eto, yn cronni oddi fewn ac yna'n brigo i'r wyneb. Gwisgodd Christine yn gyflym gan wybod yn union ble i fynd. Roedd ganddi wahoddiad i barti yn y Parc Plaza a gwyddai y byddai Hywel Roberts yno. O, roedd hi'n chwennych ei gorff, o oedd. Ond nid am y rhyw. Gwyddai bethau amdano. Ei fod e'n byw mewn fflat cyfagos. Rhif y fflat. Enw'r clos. Un noson rhoddodd y cod diogelwch ar gyfer y lle, fel gwahoddiad powld hyd yn oed. Am ffŵl. Gwyddai na allai adael y gwesty gydag e, o flaen pawb, felly roedd hi wedi trefnu bod escort yn mynd i siarad ag e, ac yn cynnig rhyw yn blwmp ac yn blaen. Roedd hi wedi bod yn trefnu hyn ers pythefnos: nawr oedd y cyfle i niweidio Freeman, ei tharo hi ar ei gwannaf.

Cynllun da. Byddai'r escort yn mynd â Roberts i gar Emma ond cyn gadael y maes parcio byddai Christine yn dod draw ac yn cael row gyda hi, smalio ei bod yn dwyn ei dyn hi, reit o flaen ei thrwyn, a Hywel druan yn deall dim, a'r ffaith bod dwy fenyw olygus yn ymladd am rannu ei wely.

Wrth gerdded i ffwrdd o'r car mae'r escort yn cyfri'r papurau pum deg punt, yr ugain ohonynt. Tâl arbennig am wneud dim byd. Penderfyna brynu carreg dda o grac, ond nid yw'r cyffur mor hawdd i'w gael y dyddiau yma oherwydd mae pethau eraill, newydd, gwell ar hyd lle ond mae'n dymuno cael hit oherwydd *nostalgia*. Efallai bydd Liquorice Pete yn Tudor Lane yn medru cyflenwi: mae e'n byw yn y gorffennol: hen foi, hen gyffuriau. Poceda'r arian. Ie, gwaith da i... beth yw ei henw hi? O sdim ots. Does neb yn defnyddio enwau iawn yn myd yr escorts. Dim yr escorts, na'u cwsmeriaid. Ond mil o bunnoedd. Bril.

'Gallwn fynd yn dy gar di draw i fy lle i, os yw hynny'n iawn?' gofynna Christine yn ei llais cath fach gorau.

Cerdda Hywel drwy ddilyniant o ddelweddau sy'n debyg iawn i'r ffantasïau mae'n eu cael cyn mynd i gysgu. Menyw gorjys yn y car wrth ei ymyl, yn cyffwrdd â'i goesau, yn gwasgu yn ei erbyn. Mae Christine wedi gwisgo'n ddeniadol tu hwnt, ac mae'n methu credu ei bod hi wedi gwneud yr ymdrech yma iddo fe, oherwydd nid yw'n ddim byd mwy na gwleidydd di-nod, ac yn byw mor bell o gyfaredd a *glitz* ei byd hithau. Cyfarfodydd pwyllgor. Ymgyrchu o ddrws i ddrws gan wybod bod y ffordd yma o gysylltu â phobl ar fin dirwyn i ben, oherwydd dylanwadu ar-lein yw'r ffordd ymlaen bellach a dyw'r hen bobl ddim am ateb drws dim mwy.

Wedi cyrraedd ei thŷ mae'n gweld bod Christine yn edrych yn anhygoel, ac mae hi'n arllwys diod iddo a hyd yn oed yn argymell iddo dynnu ei sgidiau a gwneud ei hunan yn gyfforddus. Mae'n clywed sŵn car, ac am eiliad mae'n credu ei fod yn clywed sŵn injan ei gar ei hunan ond yna mae'n diystyru'r posibilrwydd oherwydd ei fod yn rhy ryfedd. Ond y gwir yw bod ei gar yn diflannu ar gefn lorri ac yn mynd ar ei siwrne ola i chwarel ddofn yng nghyffiniau Dowlais lle bydd ugain mil o dunnelli o wastraff glo brig yn ei orchuddio dros nos. All neb gyhuddo Christine o beidio bod yn drwyadl iawn. All neb ei chyhuddo o fod yn llofrudd chwaith, a hynny yn anad dim oherwydd ei thrylwyrder yn y materion hyn. Cael gwared o bob sgrapyn o dystiolaeth, ymlaen llaw os yn bosib.

Mae hi'n mynd i losgi'r boi yn ulw, troi'r aelod yma o Gynulliad Cymru yn olosg. O boi, ydy. Noson lyfli i fewn.

8

Stiffville

WRTH IDDO YRRU draw i'r morg meddyliodd Tom Tom am Freeman yr holl ffordd, gan sylweddoli cymaint roedd yn colli ei chwmni, heb sôn am ei gallu parod i ddeall pethau, i weld pethau'n gliriach nag e. Mynnodd yr arbenigwr ei bod hi'n cael amser i ffwrdd o'r gwaith ac na ddylai neb ei styrbio hi yn ystod y cyfnod hwn. Nid oeddent wedi bod yn bartneriaid am hir ond roedd hi wedi dod i mewn i'w fywyd a newid popeth yn raddol fach. Nid oedd yn disgwyl teimlo unrhyw beth am fenyw byth eto, gan dybio bod yr Amason o alcohol oedd wedi llifo drwy ei wythiennau wedi boddi teimladau fel cariad, neu nwyd neu gyfuniad dryslyd a thrydanol a wel, meddwol, o'r ddau. Ie, gallai feddwi ar atgofion ohoni, ond nid oedd hynny'n beth da. Nid yn broffesiynol. Anodd oedd gweithio'n effeithiol gyda phartner os ydych chi'n caru'r partner hwnnw. Efallai dylai ddweud rhywbeth wrth Tomkins a byddai'r bòs yn siŵr o'u gwahanu. Ond nid oedd Tom Tom am i hynny ddigwydd oherwydd nid oedd yn hollol siŵr o'i theimladau hi. Do, mi gusanon nhw, nid unwaith ond ddwywaith, ond gwyddai hefyd ei bod hi'n llawn loes ar ôl marwolaeth ei gŵr. Ac ers hynny roedd 'na berthynas arall, gyda dyn o'r enw Mark er nid oedd Tom Tom yn gwybod rhyw lawer amdano ond roedd y berthynas honno wedi chwalu hefyd.

Roedd ceir yn crwbanu'n ddwy res araf ar hyd yr hewl i Orseinon a chymerodd ddeng munud dda i symud o'r draffordd i'r cylchdro er mwyn troi am yr ysbyty. Peth da fod ganddo lecyn parcio arbennig y tu ôl i gaets yn storio silindrau ocsigen lle byddai'n gadael ei gerdyn warant yn ffenest y car a cherdded rhyw ddeg llathen i ddrws ffrynt y morg. Nid oedd porthor ar y drws oherwydd yr holl doriadau, ac yn wir roedd Alun Rawson yn aml yn gweithio yno ar ben ei hun oni bai bod myfyriwr meddygaeth o Brifysgol Abertawe yn cael profiad gwaith ac yn llwyddo i ddod i dermau gyda hiwmor du'r patholegydd.

Parciodd Tom Tom y car ac am ychydig eiliadau drysodd wrth fethu dod o hyd i'w gerdyn adnabod, nes ei fod yn cofio bod y lliw a'r siâp wedi newid ers i Heddlu Cymru gael ei greu – un o'r rhesymau ei fod e a Freeman a Tomkins a'r bali lot yn symud i bencadlys newydd.

'Shwt mae'n mynd, hen ffrind?' gofynnodd Rawson gan sychu ei ddwylo ar glwtyn golchi llestri wedi ei addurno â'r Turin Shroud.

Cododd Tom Tom un o'i aeliau wrth ddeall beth oedd ystyr y llun.

'Paid â phoeni. Os oes unrhyw ficer neu Archesgob Caergaint yn dod 'ma dwi'n defnyddio clwtyn arall. Ond ma hwn yn un o'r ffefrynnau allan o'r casgliad.'

Cofiai Tom Tom weld eraill – Cofiwch Dryweryn, dathlu buddugoliaethau rygbi'r Gweilch, ymennydd mewn casgen gyda'r logo: "They drink Brains in Wales: they'll drink anything down there." Yr olaf oedd y cliw mwyaf i'r math o feddwl oedd gan Rawson.

'Steddwch, steddwch. Dwi'n clywed eich bod yn symud swyddfa cyn hir...'

'Symud popeth. Dwi'n dechrau chwilio am fflat wythnos nesa.'

'Ond fydd y blaidd unig ddim eisiau gadael ei gynefin. Prowlio'r mannau diarffordd yw'ch steil chi.'

'Steil? Dwi ddim yn credu bod y gair yn berthnasol. Cadw'n brysur?'

'Tawel i ddweud y gwir. Ar wahân i ambell ymwelydd arbennig, fel ti. Nawr 'te, dwi'n gwybod nad wyt ti wedi dod yma i drafod llieiniau golchi llestri.'

'Dwi 'di clywed bod hwn yn dipyn o *shocker*...'

'Hyd yn oed i hen law fel fi. Dwi wedi hen arfer â gweld pobl sydd wedi cael anafiadau llosgi difrifol ond roedd hwn yn rêl ces o losgi fel damwain gwaith dur.'

'Oes unrhyw beth o werth o ran tystiolaeth?'

'Oes, oes. Ond well i chi weld beth yw'r problemau'n gynta cyn gweld beth sy'n bositif am y corff yma. Odych chi'n coginio ar farbeciw?'

'Ambell waith, ganol haf. Sosejys. Ambell i stecen. Dim byd ffansi.'

'Ac odych chi erioed wedi anghofio fflipo'r byrgyrs? Neu hyd yn oed anghofio'n gyfan gwbl eu bod nhw ar y tân?'

'Ma hynny wedi digwydd. Effaith y gwres a gormod o gwrw, chi'n gwbod...'

'Felly bydd syniad 'da chi felly o beth sydd dan y gorchudd.'

Tynnodd y lliain gwyn gan ddadorchuddio corff dynol wedi ei losgi'n gols fel byrgyr anghofiedig. Cofiai Tom Tom am ddelweddau ar y teledu o gyrff yn y rwbel mewn dinas yn Syria, a gwyn y llygaid yn sefyll mas yn erbyn golosg y croen.

'Gwallt a chroen yw'r pethau mwyaf defnyddiol i ni mewn awtopsi,' meddai Rawson gan ddangos siâp y benglog gyda phensil. 'Ond mewn tân y peth cyntaf sy'n llosgi yw'r ddau beth yna, felly mae dwy ffynhonnell bwysig o dystiolaeth yn troi'n fwg o'r cychwyn. Os y'ch chi erioed wedi llosgi'ch hunan yn y gegin byddwch yn cofio aroglau'r blew yn llosgi wrth i'r croen gracio, y gwallt yn troi'n fflamau sydyn a therminyddion y nerfau yn ymateb i'r tymheredd drwy achosi poen a sioc.'

Mae Rawson yn dechrau mwynhau, yn dechrau araith wrth iddo gerdded o gwmpas y darn o olosg ar ffurf corff dynol, gan chwifio ei bensil fan hyn a fan 'co.

'Wrth i dymheredd y corff godi, Tom, mae'r braster dan yr wyneb, dan yr epidermis, yn dechrau toddi. Meddylia am y chicken donner pan mae'r tân glas ymlaen i'w grilio, a dripian y braster. Fel pob braster anifail sdim rhaid i'r gwres fod yn rhy uchel cyn ei fod yn toddi, ac felly mae peth o'r croen yn pilo i ffwrdd.'

Gyda hyn mae Rawson yn tyrchu'n ddwfn i'w boced ac yn tynnu bag o Haribos allan. 'Wyt ti eisiau losin, Tom?'

Mae'r comedïwr o batholegydd wastad yn gwneud hyn, yn tynnu rhyw stynt hurt pan mae ar ganol dangos rhywbeth gwirioneddol erchyll. Gwrthoda Tom Tom y cynnig, gan ddweud bod ganddo borc pei i'w bwyta unwaith maen nhw wedi cwpla. Mae Rawson yn gweld hyn fel sialens i weld os all e wneud yn hollol siŵr nad yw Tom Tom yn medru mynd yn agos at fwyd tan o leiaf yn hwyrach heno.

'Y llygaid yw'r gwaethaf...'

'O-o,' meddylia Tom. 'Dyma fe'n dod.'

'Gan fod y tisw dros y llygaid yn denau iawn, bydd yn cael ei ddinistrio'n sydyn ac yn llosgi'n eithaf cloi. Bydd pelen y llygad – sy'n llawn hylif, wrth gwrs – yn dechrau berwi yn gyntaf, yna'n byrstio a dim ond wedyn bydd hi'n llosgi. Pa fath o borc pei? Rhywbeth o Melton Mowbray gobeithio... Dyna'r rhai gorau yn fy marn i. Digonedd o fraster a *gelatin*, sef y peth gorau yn eu cylch.

'Os y'ch chi'n cael eich llosgi'n uniongyrchol, gan fflam agored, byddwch yn mynd ar dân fel wic mewn cannwyll. Erbyn i chi gyrraedd y pwynt yna gobeithio'n wir eich bod yn medru gwrthsefyll poen yn hawdd, a chyn hir byddwch yn cwympo'n ddiymadferth, a byth yn dihuno lan.

'Ond os nad yw lwc o'ch plaid, efallai byddwch yn byw'n ddigon hir i weld eich corff yn cwympo'n rhacs, yn toddi ac yn llosgi yn y ffordd fwyaf anghyfleus. Gyda llaw, bydd eich llais yn dal i weithio oherwydd mae bocs y llais...' Chwifia Rawson far o Twix mae newydd ddechrau ei fwyta tua'r man ar y corff lle bu'r bocs llais yn gorwedd unwaith. '... wedi ei orchuddio gan gyhyrau a madruddyn trwchus sy'n ei gadw'n ddiogel, felly os y'ch chi'n dal yn effro byddwch yn dal i fedru sgrechen. Mae'n siŵr fod hynny'n gysur i chi, Tom.'

'Chi'n siŵr?' mae'n gofyn, gan wrthod y pecyn Twix.

Mae Rawson yn ei hwyliau bellach.

'Unwaith bod y croen a'r tisw ar y wyneb wedi llosgi bant bydd y proteinau sy'n eu ffurfio yn dechrau cwcan fel y diawl, a chyn hir byddan nhw'n llosgi. Mae'r organau meddal ar y tu fewn yn cyrraedd y pwynt berwi, ac yna'n chwythu i fyny, ac wrth i'r cyhyrau losgi bant maen nhw'n sychu ac yn gwywo ac yna'n llosgi'n wyllt. O, mae hyn i gyd yn *fascinating*! O'n i wedi anghofio cymaint o hyn, neu efallai heb astudio'r stwff mewn unrhyw fanylder yn y coleg. Cofiwch chi, os nad yw'r tân yn orgynnes, ddim yn rhy ffyrnig, beth fydd ar ôl yw sgeleton gyda pheth tisw wedi ei garboneiddio yn glynu at yr esgyrn. Tamed bach fel yr hyn chi'n cael wrth fwyta coes oen wedi ei rhostio, chi'n gwbod, y darnau bach o gig sy'n anodd eu torri i ffwrdd gyda chyllell? Ond os yw'r fflamau'n fwy, a'r gwres yn uwch, bydd y proteinau sy'n dal y mineralau yn eich esgyrn at ei gilydd yn llosgi, a bydd y cwbl lot yn mynd ar chwâl, a'ch esgyrn yn troi'n ddwst. Chi'n siŵr abwyty'r Twix, cyfle olaf nawr? O wel, 'na ni, *all gone*.'

Mae Rawson yn edrych ar ei nodiadau wrth fwyta.

'Yn yr achos yma mae pob peth dwi wedi rhestru wedi digwydd oherwydd mae'r person yma...'

'Odyn nhw'n gwbod os taw dyn neu fenyw yw e?'

'Drycha di i weld os oes digon ar ôl i'n helpu ni i benderfynu. Dim cweit. Ma rhai ffeithiau y tu hwnt i gyrraedd hyd yn oed yr anhygoel batholegydd Alun Rawson. Fel o'n i'n mynd i weud, mae'r person hwn wedi bod mewn tymheredd uchel iawn, fel, gwedwch bod mewn purfa olew ar dân, neu yng nghanol un o'r ffwrneisi yng ngwaith dur Port Talbot. Rhywbeth lot uwch na thymheredd naturiol, nid coed tân oedd wedi llosgi'r pwr dab. Ond, ma 'na gliw.'

'Diolch byth. O'n i'n dechrau meddwl eich bod chi ond wedi 'ngwahodd i yma i gael swper a siocled.'

Chwarddodd Rawson nerth ei sgyfaint.

'Mae e wedi ei osod ar drei neu hambwrdd, y math o beth byddech yn ei gael mewn ffatri brosesu bwyd, efallai un sy'n prosesu cig, ac mae olion bwyd wedi dod lan ar y spectrometer. Tomato. Rhai perlysiau.'

'Mae'n swnio fel petai rhywun wedi bod yn gwneud lasagne.'

Dechreuodd Rawson chwerthin eto a bron iddo dagu.

'Dwi'n credu bod hyn yn arwydd. Ma rhywun wedi bod yn ofalus iawn wrth symud y corff o ble wnaeth y person farw i ble darganfuwyd y gweddillion. Mae e bron fel tase rhywun yn cyflwyno'r bwyd yn yr un ffordd ag y mae rhywun yn cyflwyno twrci ar y bwrdd ar ddydd Nadolig. Dyma fe, dyma fy ngwaith da, cyfle nawr i chi flasu'r deryn. Ond sdim stwffin. Ond i fod o ddifri am eiliad, dwi'n credu bod hynny wedi bod ym meddwl ta pwy nath hyn. Mae e wedi ei baratoi yn barod i'w stwffio. O ddifri. Falle tro nesa bydd 'na olion saets.'

'Ti'n meddwl bydd 'na dro nesa?'

'Yn sicr.'

'Jyst beth o'n i'n meddwl. Ma hwn yn rhan o batrwm.'

'Ble mae'r porc pei 'na? Dwi'n starfo... Dere,' meddai Rawson, gan roi ei fraich rownd ysgwydd ei ffrind. 'Beth am fynd i'r Farriers am un bach? Mae'r holl sôn am wres wedi codi syched arna i. Gobeitho nad oes barbeciw yn yr ardd...'

9

Pethau'n mynd yn nyts

MAE GWG AR wyneb Tomkins fel petai newydd lyncu llond glased o finegr, y math o olwg byddech yn ei ddisgwyl gweld ar ôl clywed bod rhywun mewn gwisg porthor wedi ceisio lladd llygad-dyst yn yr ysbyty gan chwistrellu syrinj o wenwyn yn syth mewn i'r *jugular*. Tentaclau'r Maffia Albaniaidd yn ymestyn i bob man, a'r llygad-dyst yma'n un fyddai'n medru dweud pethau mawr mewn llys, enwi enwau.

'Mae delio 'da'r math yma o beth yn ddiflas ar y naw. Nid ni ddylai fod yn ceisio gweld pa un o'n staff ein hunain sy'n bwdr, ond mae'n debyg nad oes digon o bobl ar gael yn Internal Affairs i ymchwilio. Y toriadau, wrth gwrs, wastad y toriadau. A tase hynny ddim yn ddigon ry'n ni'n gorfod gweld pa *ddau* aelod o'r Uned sy'n gweithio i'r crwcs neu sydd efallai yn grwcs eu hunain.'

'Mae'r bois tec wedi bod yn edrych ar y camerâu yn yr ysbyty ond roedd rhyw nam ar y camera yn y prif gyntedd felly does 'na'r un siot o ddau ddyn wedi'u gwisgo fel porthorion yn cyrraedd jyst cyn bod rhywun yn ceisio dweud ta-ta i lygad-dyst.'

'Hwpo syrinj mewn iddo fe.'

'Lwcus ei fod e wedi methu'r galon.'

'Mae'n dibynnu ar eich safbwynt. Byddai rhai'n dweud taw'r peth gorau allai fod wedi digwydd yw bod Daniels wedi diweddu lan wedi ei grogi a bod rhywun wedi llwyddo i gael i syrinj i'w iawn le. Mae oedolyn sy'n poenydio plentyn, ei ladd a'i gladdu mewn man diarffordd ac yna'n tywys ei fam a'i dad drwy naw math o uffern drwy wrthod datgelu ble mae'r corff wedi ei gladdu, yn haeddu cael ei drin fel cachgi brwnt.'

'Ond nid ein job ni yw pwyso a mesur y pethau 'ma. Dyna job y llys a'r gyfraith...'

'Sy'n aml yn ddiffygiol. Mae'n dibynnu ambell waith ar ba gyfreithiwr sy'n rhoi'r perfformans gorau.'

'Gwir bob gair. Ond rhaid i ni feddwl yn ddwys am funud. Pwy y'ch chi'n meddwl sydd wedi gwneud hyn?'

'Nid chi neu fi, ma hynny'n bendant os yw'r ddau ohonom yn fodlon derbyn y gallwn ni drystio'n gilydd.'

'Gyda fy mywyd i gyd. Pwy ydych chi'n amau?'

'Scanner a Daniels, heb os.'

'Pam heb os?'

'Ma dwy ffordd o wneud hyn. Naill ai fynd drwy'r rhestr o'ch cyd-weithwyr gan ofyn y cwestiwn a ydyn nhw'n bobl sy'n driw i hanfodion bod yn blisman – yn fodlon aberthu eu hunain dros yr egwyddorion hynny. Os y'n ni'n gwneud hynny alla i weud i sicrwydd y byddai pob un o'r Uned, namyn dau, yn bobl fyddai'n rhoi gwaed a chalon dros eraill. Neu gallen ni ofyn pwy sy'n bihafio fel petai ganddyn nhw gyfrinachau, rhyw gyfrinachau gwaelod y domen, hen bethau sur sy'n corddi eu gwaed ac yn llosgi fel asid.

'Yr ateb i'r ail yw Daniels, sydd ond yn poeni amdano fe ei hunan. Dyna pam dynnodd e mas o'r hen Vice Squad, dan yr enw newydd Human Exploitation, ble roedd yn cadw golwg ar buteindra oherwydd roedd e'n un o gwsmeriaid mwyaf ffyddlon *massage parlours* a phuteindai'r ddinas. Creadur di-asgwrn-cefn sy'n llusgo drwy'r llaid ar waelod y llyn. Chi'n gwybod hyn, syr. Dwi'n gwybod hyn. Yr unig beth sy'n rhyfedd, yn wyrthiol, yw ei fod e'n dal 'ma. Dwi'n siŵr ei fod yn sgamio mwy mewn wythnos na mae rhai ohonon ni'n gweld yn ein gyrfa.'

'Rych chi'n gyfarwydd â *double agent*, rhywun sy'n gweithio i ni a nhw. Efallai taw dyna'r ffordd i ddeall y dyn.'

'Dy'n ni ddim fod i fod i gael y sgwrs yma, y'n ni, syr?'

'Aeth e ddim mor bell yn y gorffennol. Triodd e ladd rhywun, Thomas, ac mae'n rhaid felly hala'r *double agent* o flaen ei well.'

'Ody hynny'n ordor swyddogol, syr?'

'Rhyngddoch chi a fi, os hoeliwch chi fe, cynaeafu'r dystiolaeth, wna i'n siŵr ein bod ni'n gweud ta-ta i'w siort e am amser hir iawn. Bydd barf hir 'da'r diawl erbyn ddaw e mas o'r clinc.'

Edrychodd Tomkins i fyw llygaid Tom Tom, ei wyneb yn fasg o awdurdod.

'Ond dim gair wrth Freeman, reit. Ma hynny'n orchymyn. Ma 'da hi ddigon ar ei phlât.'

'Ry'n ni'n dod mlaen yn dda, syr. Mae hi'n bragmataidd, a minnau'n fympwyol. Double act delight.'

'O, ry'ch chi'n dîm, sdim dwywaith am hynny. Ma'r ffordd ry'ch chi wedi delio gyda'r swnami o drafferthion sydd wedi dod i'ch rhan yn dystiolaeth o hynny. Ma'r holl sylw ry'n ni wedi'i gael rownd y byd yn sgil dal un o fosys y Maffia Albaniaidd wedi dod ag arian newydd i'r coffrau ac mae pob gwleidydd gwerth ei halen yn ciwo lan i gael ei lun gyda'r Prif. Os y'ch chi eisiau bod yn *tough on crime* ma rhaid i chi neud cynhadledd i'r wasg gyda ni. Hec, mae'r Prif Weinidog yn hala tri aelod o'r Cabinet draw i dreulio deuddydd gyda ni i astudio sut ry'n ni'n neud pethau'n wahanol ac yn well na phawb arall.'

'Ym mha ffordd?'

'Peidiwch â thynnu 'nghoes i, wir. Gwahanol. Edrychwch ar eich hunan yn y drych, Thomas, a gofyn y cwestiwn odw i'n wahanol? Alla i ddim meddwl am gop sy'n gweithio fel chi, yn y byd go iawn nac ar y teledu. Nawr mae 'na ddau ohonoch chi. Tom Tom a Freeman. Starsky a Hutch. Holmes a Watson. Er taw fi ddaeth â chi at eich gilydd, dwi'n sylweddoli nawr na alla i eich gwahanu chi. Ry'ch chi'n llawer rhy enwog a fyddai'r Comisiynydd byth yn rhoi ei ganiatâd. Mae hi 'nôl o'r clinig cyn bo hir. Ewch i gwrdd â hi. Gobeitho bod popeth wedi mynd yn iawn.'

Gweddïa Tom fod clyw Emma yn gwella. Roedd hi'n gymaint o gaffaeliad i'r ffôrs, ond nid dyna'r unig reswm roedd e'n dymuno hynny mor daer.

10

Diflaniad

DYW PETER HEGGARTY ddim yn codi'n gynnar, hyd yn oed ar ddiwrnod ysgol, oherwydd mae'n dueddol o aros ar ddi-hun yn hwyr y nos yn chwarae gemau fideo nes bod ei lygaid ar fin cau. Neithiwr bu'n chwarae 'Nier: Awtomata' tan yr oriau mân, gan chwarae dan y blancedi rhag ofn i'w fam neu ei dad ddod i fewn. Felly erbyn iddo godi, mae ei lygaid yn edrych fel rhywun sydd wedi hedfan drwy'r nos ar awyren o JFK.

Lawr llawr paratôdd ei fam ddarn o dost a glasied o laeth i'w mab deg mlwydd oed oedd yn codi'n hwyrach ac yn hwyrach bod dydd ond allai hi ddim gwarafun hynny iddo, dim ar ôl y tro diwethaf pan oedd hi wedi mynd yn ffrae gas iawn. Dywedwyd pethau creulon iawn ar y ddwy ochr a sylweddolodd y gallai niweidio eu perthynas unwaith ac am byth.

'Oréit?' gofynnodd ei mab wrth osod ei ben ôl ar stôl ger y bar brecwast. Llarpiodd y llaeth mewn un llwnc swnllyd.

'Iawn, blodyn. Ti eisiau mwy o laeth?'

Atebodd e ddim.

Edrychodd ei fam allan drwy'r ffenest gan hanner tybio ei bod hi wedi gweld yr union ddyn glanhau'r hewl yna'n sgubo yn union yr un lle ddyddiau'n unig yn ôl. Dringodd y dyn i mewn i fan oedd yn edrych fel fan y Cyngor, yr un lliwiau a geiriau ar yr ochrau ac ar y cefn ond petai rhywun wedi talu sylw manwl byddent wedi nodi bod y llythrennu'n edrych yn amaturaidd. Roedd y dafnau glaw fel marblis swnllyd yn helpu i wneud yn siŵr nad oedd unrhyw un yn talu lot o sylw.

Gadawodd y bachgen y tŷ am hanner awr wedi wyth ond roedd e wedi colli'r bws. Trwy lwc dyma fan y Cyngor yn stopio a chynnig lifft i'r bachgen oherwydd y glaw oedd yn peltio'n waeth. Er bod y crwtyn yn gwybod na ddylai dderbyn lifft gan rywun dieithr gwelodd *console* ar y sêt a dyma fe'n neidio i mewn i'r cab, yn sionc, fel jac y jwmper.

'Ti'n hoffi gemau?' gofynnodd y dyn oedd yn drewi ychydig, ond byddai rhywun yn disgwyl hynny ac yntau'n clirio sbwriel.

'Dwi'n dwli ar chwarae gemau. Ma Mam yn dweud 'mod i'n *obsessed*.'

'Wyt ti wedi chwarae'r 'Geddon Bandit' newydd? Dim ond ddydd Llun gafodd ei ryddhau. Roedd 'Geddon Bandit One' yn *awesome*, ti'n meddwl?'

Dyma'r ffordd mae pyrfyrt yn rhwydo ei ddanteithion. Nid dyn codi sbwriel oedd hwn, yn sbwylo Peter gyda'r gêm ddiweddara, chwe deg punt ar Amazon. Ei enw oedd Max Stephens, dyn y tu hwnt i bob dirnadaeth foesol gyda chalon sy'n ddu gyda gwenwyn. Dyma'r pedoffeil gwaethaf yng Nghymru a'r tro diwetha iddo ymddangos yn y llys, dros un ar ddeg mlynedd yn ôl, roedd e wedi cyffesu ei fod yn euog, ond heb enwi'r plant, na dweud ble'n union roedd e wedi ymosod arnyn nhw, dim ond crechwenu. Ond roedd e mas, yn rhydd i wneud pethau drwg unwaith eto.

'Nid dyma'r ffordd i'r ysgol,' dywedodd Peter, wrth iddo godi un llygad bant o'r gêm a gweld eu bod nhw'n prysur adael y ddinas, wrth i'r fan gyflymu heibio'r stadau diwydiannol di-liw a chroesi'r afon ddwywaith cyn cychwyn am fryn coediog. Er bod Peter eisiau chware mwy o'r gêm dechreuodd deimlo'n ofnus braidd. Ac wrth i'r fan adael y brif hewl a gyrru ar hyd llwybr a adeiladwyd gan y Comisiwn Coedwigaeth rhoddodd y teclyn i lawr a gofyn i'r gyrrwr i ble roedden nhw'n mynd. Crynai ei lais ac roedd ei nerfusrwydd yn cyflym droi'n ofn pur. Yn ei ben gallai glywed corws o adleisiau, sef ei fam yn dweud drosodd a throsodd a throsodd na ddylai dderbyn lifft gan ddyn diarth ar unrhyw achlysur, y geiriau'n taranu fel sŵn biniau metal yn taro yn erbyn ei gilydd.

Ond roedd hi'n rhy hwyr. Roedd e yn y cab gyda dyn oedd yn gwisgo menyg trwchus ac wrth iddo edrych o gwmpas sylweddolodd Peter fod pob arwyneb wedi ei orchuddio â phlastig – y llawr, y llyw, y dashfwrdd, dros y seddi – a dyna'r foment syrthiodd afal i'w lwnc, fel pelen o ofn pur oedd yn bygwth ei fogu yn y fan a'r lle. Ceisiodd ddod o hyd i'w lais ond roedd yr afal wedi cydio'n rhy dynn yn ei lwnc. Doedd e ddim yn gallu meddwl yn glir, ac roedd chwys oer yn dechrau rhaeadru i lawr ei gefn. Gwyddai ei fod mewn trwbwl. Doedd y dyn wrth ei ochr ddim yn ei gydnabod wrth iddo ymbil, 'Plis stopiwch', a throdd y miwsig i lefel fyddarol. 'Chop Suey' gan System of a Down, oedd yn troi'n drac sain i ffilm arswyd. 'Plis, plis, stopiwch!' Edrychodd y dyn yn syth o'i flaen gan anwybyddu ei brae, ond dechreuodd symud y gêrs i lawr yn is, un wrth un, ac arafu wrth ymyl coeden gelyn anferthol ger hen giât rydlyd. Doedd neb yn tramwyo'r ffordd hyn bellach a byddai'n ddegawd eto cyn bod y coed sitka yma'n barod i'w cynaeafu. Doedd dim tebygrwydd y byddai unrhyw un yn clywed y bachgen yn gweiddi, na gweld y pleser dieflig yn y mwgwd o wyneb wrth iddo fynd o gwmpas ei bethau.

Roedd mwy nag un elfen o ddefod yn perthyn i hyn, i'r broses o blesera cyn lladd, y poenydio pendant, y rhwygo croen, y whilmentan ym mherfeddion dyn.

Peter, Peter, Peter, oni fyddai wedi bod yn syniad gwell mynd i'r ysgol heddiw i ddysgu am wyddoniaeth? Ond nid hynny oedd dy ffawd, cariad. Na, ti oedd yr un oedd yn cael trip ysgol ar ben dy hun i'r goedwig dywyll, cariad. Ga i dy alw'n cariad, cariad? Oes ots os dwi'n gwisgo lipstic cyn dy gusanu? A dy gusanu ddwywaith ac yna dy gusanu di drachefn.

11

Pwysau cynyddol

NID YW TOMKINS yn credu ei fod yn rheoli pethau bellach oherwydd prin yw'r diwrnod pan nad oes problem newydd yn dod i'r amlwg. Cyrff yn bygwth llenwi strydoedd y wlad. Gwrachod ar y stepen drws yn llosgi aberth dynol mewn coedwig, fel petaen nhw'n byw ym Mecsico, yn lladd fel yr Aztecs. Bron ei fod yn ofni agor ei e-byst, ac roedd galwad ffôn ar system fewnol y gwaith yn golygu un broblem arall i'w datrys.

Corff yn nrws un o'r siopau ym Mhen-y-bont – o ganlyniad i'r epidemig o sbeis oedd yn difetha bywydau'r digartref oedd wedi dioddef digon yn barod.

Hen foi yn Nantyffyllon yn mynd ar goll wedi crwydro o gartref nyrsio Noddfa a cherdded i mewn i afon Llynfi yn ei byjamas.

Bore dydd Iau yn unig daeth tri achos newydd, gan gynnwys achos ofnadwy o drais domestig ym Maglan lle roedd y gŵr wedi cael ei guro'n ddiymadferth gan nid yn unig ei wraig ond ei blant hefyd, a'r rheini yn eu harddegau. Gan ddefnyddio brics!

Wedyn roedd 'na ddiflaniad plentyn, a gwnaeth yn siŵr fod hwnnw'n cael blaenoriaeth oherwydd cofiai'r holl flynyddoedd yn ôl pan ddiflannai plentyn bob whip-stitsh, cyfnod tywyll iawn, iawn, a diolch fyth eu bod nhw wedi dal y diafol-yn-y-cnawd a'i hala fe bant am amser hir. Stephens. Max Stephens. Tybiai fod amser rhyddhau'r bastad cyn hir: gwnaeth nodyn iddo'i hun i gael gair gyda'r gwasanaeth prawf.

Y trydydd peth gyrhaeddodd ei gyfrifiadur oedd Watch Report am yr Albaniaid, oherwydd byth ers i Freeman a Thomas ddal un o'u pen bandits roedd angen cadw llygad barcud ar holl draffig y negeseuon testun a'r negeseuon ffôn. Mae'n debyg bod GCHQ wedi cyflogi dau ychwanegol i ridyllu drwy negeseuon yn yr Albaneg a'u bod nhw wedi gorfod treulio wythnosau yn sicrhau nad oedd un o'r bobl roedden nhw'n eu cyflogi eisoes â chysylltiadau gyda'r Maffia. Roedd cefndir ariannol a moesoldeb yn anodd i'w fesur mewn unrhyw iaith heb sôn am orfod gwneud hynny mewn Albaneg – iaith oedd mor gymhleth â strwythur anhygoel y Maffia Albaniaidd.

Roedd llif y negeseuon wedi cynyddu ac roedd un o fois MI6 am ddod i'w weld i drafod materion diogelwch. I Tomkins roedd cael y balans rhwng bod yn ofalus ynglŷn â'i staff ac osgoi eu parlysu gan ofn yn anodd. Ond am nawr roedd eisiau troi at achos y plentyn gan wneud yn siŵr bod pawb yn cael y manylion llawn amdano, anfon rhywun i gysuro'r rhieni ac i anfon Uned draw i'r ysgol i gael sgyrsiau bach anffurfiol, rhag ofn bod a wnelo'r diflaniad rywbeth â'r rhieni. Roedd hynny'n digwydd yn llawer rhy aml, fel petai rhywbeth wedi mynd o'i le mewn cymdeithas, pwysau ar y ddau rhiant i weithio oriau hir am arian pitw, neu gysgod Brexit, neu'r ffaith bod clown twp wedi symud i'r Tŷ Gwyn yn Washington.

Trefnodd gyfarfod mewn hanner awr gyda'r staff allweddol, gan anfon rhestr o'r manylion oedd wedi dod i law i'w dosbarthu i 'Staff-all.' Ambell waith roedd un o'r staff sifil yn llwyddo i gyfrannu'n hael at ddatrys achos, megis y tro 'na roedd Reg yn y garej wedi dilyn ei reddf a llwyddo i stopio'r maer rhag cymryd ei fywyd ar y bont grog yng Nghasnewydd. Y maer. Bu hwnnw'n blufyn yng nghap yr heddlu am flwyddyn, ac roedd Reg yn dal i dderbyn cerdyn pen-blwydd ynghyd â chydnabyddiaeth hylifol o ynys Islay gan wybod bod Reg yn hoff o ymlacio gyda malt sengl oedd yn blasu o fawn.

Yn y cyfamser edrychodd Tomkins ar yr adroddiadau dros nos am y rhes o lofruddiaethau. Gwyddai fod pawb yn gweithio ffwl pelt ar yr achosion ond roedd diffyg goleuni ben arall y twnnel, heb sôn am amheuaeth ynglŷn ag oedden nhw'n gwybod ble roedd ceg y twnnel yn y lle cyntaf. Ac wrth iddyn nhw weithio yn y tywyllwch roedd y papurau newydd yn bwydo ar sgrapiau o wybodaeth ffals fel haid o biranhas mewn bowlen pysgodyn aur. Y thema newydd oedd canibaliaeth ac roedd y *Western Mail* wedi llwyddo i gael hyd i 'arbenigwr' ar y testun oedd, mewn gwirionedd, yn ddim byd mwy na chyn-genhadwr oedd wedi treulio blwyddyn ym Mhapua Gini Newydd gyda llwyth oedd yn berwi penglogau'r llwythi eraill ac yn gwneud stiw seremonïol gyda'r ymennydd. Yna, gyda dychymyg amlwg newyddiadurwr oedd ond newydd ddechrau ar y job, ceisiodd briodoli'r hanes yma i'r sefyllfa yng Nghymru, gan wneud potsh go iawn o'r stori ond llwyddo, er hynny, i greu penawdau graffig tu hwnt oedd yn denu sylw ar y rhacs y tu allan i'r garejys ac yn y siopau mawrion. Dyma achos oedd yn hoelio sylw'r cyhoedd, yn rhannol oherwydd ei newydd-deb ond hefyd oherwydd ei erchylltra, gyda nifer o bobl yn honni nad oedd Hollywood – er cymaint y dyfeisgarwch a'r arian – yn medru creu diafol o lofrudd hanner cystal, neu hanner cynddrwg â'r un oedd yn herwgipio'n ymddangosiadol fympwyol yn ne Cymru. Ac yn sgwrio'r perfeddion o'r corff. Ac yna'u coginio, neu eu llosgi'n ulw. Anodd credu, meddyliodd Tomkins, wrth grwydro i lawr i'r toiledau. Roedd e newydd sylweddoli nad oedd wedi cael cyfle i siafio na newid crys ac yntau wedi cysgu yn y swyddfa unwaith yn rhagor. Bron ei fod wedi gofyn am wely soffa bed yn ei swyddfa newydd, wrth i'r trefniadau symud pencadlys fynd yn eu blaenau.

12

Caerdydd, Caerdydd

ROEDD Y DDINAS wedi newid cymaint ers i Tom Tom fyw
yma ddiwethaf yn y 1990au. Ond nawr roedd ganddo le i
fyw yn Thornhill Street ac roedd soffa newydd ar ei ffordd.

Roedd bod ar y bît bryd hynny yn fater o ddod i nabod
pawb ar eich patsh – y bobl ddrwg a'r bobl dda. Cofiai'r hen
glinics yfed i gyd. Y North Star. Y Casablanca. Y Big Windsor.
Yr Avondale. Y New Sealock lle gallech glywed hen forwyr
oedd yn arfer hela morfilod ger Ynysoedd Cape Verde yn
canu caneuon oedd yn drwmlwythog â heli a gorwelion pell
a hiraeth. Ac roedd y môr yn arllwys i mewn i'r ddinas bryd
hynny, y morglawdd heb ei greu, a'r ddwy afon, afon Taf ac afon
Elái, yn nadreddu drwy'r mwd i gyrraedd Môr Hafren. Cofiai
sawr y mwd a chloc araf y teid yn dod i fewn, y llanw'n cario
newyddion o'r Iwerydd ar y cymylau, a'r trai yn dadorchuddio
erwau sgleiniog o fwd oedd yn edrych fel afu newydd ei dorri
â chyllell siarp bwtsiwr.

Ers hynny roedd y ddinas fel petai wedi ysbaddu'r cysylltiad
â'r môr a throi'n gopi slafaidd o ddinas Baltimore yn America,
gyda'i bysys dŵr a'i chychod cyflym, a'r loncwyr yn eu miloedd
yn rhedeg o'r naill ochr o'r bae i'r llall ar draws y morglawdd.

Ond roedd darnau helaeth o'r ddinas wedi newid cymeriad oherwydd fflatiau newydd oedd wedi tyfu fel madarch ymhob man, a'r ardaloedd tlawd oedd heb ddenu cyplau ifanc ag incwm i sbario, wedi troi'n dlotach ac yn dlotach. Dim ond echddoe aeth Tom Tom i'r popty Portiwgeaidd yn y Sblot a bron na allai ogleuo sawr y tlodi yn y stryd lle parciodd ei gar, a phobl heb gysur yn eu hwynebau yn cerdded ar hyd y lle, menywod ifainc gyda thatŵs a llond prams o blant, Pwylwyr yn yfed cwrw Tyskie i lenwi'r oriau hir ar waelod Star Street, yr Ely Boys, yn bell o adref ar batrôl ar eu beiciau, ac yma i ddwyn a chwarae'r diawl. Dylai pob un fod yn yr ysgol, meddyliodd Tom. Byddai plisman ar y bît yn yr hen ddyddiau yn gofalu am y math yma o beth, yn rhybuddio'r crwt cyn mynd at ei fam a gwneud unrhyw beth posibl i osgoi gorfod dweud wrth yr ysgol a chael y crwt i drwbl gyda'r swyddog triwant. Ond nawr, dim ond y CSPOs oedd yn crwydro'r stryd, a hynny dim ond os oedd y tywydd yn ffein, neu os oedd rhywbeth wedi digwydd i roi llond bol o ofn i'r cyhoedd a bod angen presenoldeb glas ar y stryd i dawelu'r nerfau. Fel y cyfnod pan oedd Sykes yn lladd bechgyn ysgol, a neb yn medru ei ddal oherwydd doedd neb wedi meddwl drwgdybio'r prifathro. Ac yntau'r bastad yn ynad heddwch, ac yn fodel o ddinesydd, ac yn ymwneud mewn ffordd mor broffesiynol a llawn cydymdeimlad â rhieni'r bechgyn diflanedig. Ond dyna oedd e, llofrudd milain, a'r bois eu hunain wedi mynd i'r boiler, lle darganfuwyd malurion esgyrn bach.

Roedd ei feddwl wedi crwydro'n bell, a bron iddo fwrw dyn mewn tracsiwt sgarlad oddi ar ei feic, a syndod y gŵr wedyn fod Tom Tom nid yn unig wedi stopio'n ddiogel ond hefyd wedi ymddiheuro yn ddiffuant.

Roedd Tom Tom yn awyddus i alw i weld un o drigolion

mwyaf lliwgar y ddinas a phan gyrhaeddodd y tŷ yn un o'r strydoedd bychain i'r gogledd o Newport Road oedodd cyn gadael y car. Yn ei feddwl gallai weld fersiwn dipyn iau ohono ef ei hun yn cerdded lawr Woodcock Street gan anelu am yr union ddrws ffrynt. Ond roedd hwnnw wedi gweld dyddiau gwell, y paent yn pilio'n rhubanau bach maint mwydod oddi ar y pren. Doedd dim cloch, felly curodd Tom Tom ac aros am dair munud dda cyn bod dyn yn dod i ateb.

Edrychodd ar Tom Tom fel petai ei fam ei hun newydd alw am baned o'i bedd.

'Thomas. Ar ôl yr holl flynyddoedd. O'n i'n meddwl eich bod chi wedi marw. Pam na ddaethoch chi i 'ngweld i dros yr holl flynyddoedd?'

'Odych chi'n mynd i ofyn i fi ddod mewn?'

'Sori. Y sioc yn gwneud i mi golli manyrs. Dewch mewn. Mae'r lle fel tip ond dyna ni. Dwi'n hen ac yn fusgrell a dim diddordeb mewn dim byd bron.'

'Ry'ch chi'n edrych yn ddigon iach. Golwg bert ar eich gwallt, ma hynny'n sicr.'

Cyfeiriai at liw blond y dyn oedd yn ei arwain i gegin lle roedd popeth wedi ei orchuddio gan bapurau, cylchgronau a llyfrau, gyda nifer o'r rheini yn llawn dwst, ac wedi colli'u lliw.

'Dal i ddarllen ffwl pelt, dwi'n gweld.'

'Mae'n lladd amser... Te? Heb la'th. Sgen i ddim lla'th ond mae gen i bot mêl rhywle os wyt ti eisiau rhywbeth melys ynddo fe.'

'Os oes, byddai hynny'n dda.'

Cyn mynd i chwilio am y mêl yn y cwpwrdd nesa at y stof dyma'r hen ddyn yn edrych i fyw llygad Tom Tom cyn gofyn un cwestiwn yn glir ac yn gadarn.

'Beth sy'n bod ar fab sydd ddim yn medru ymweld â'i dad, hy? Yr holl flynyddoedd yma…'

'Dad,' mentrodd Tom Tom cyn torri i lawr i lefain fel petai'n bum mlwydd oed eto. Doedd e ddim am i'w dad ei weld mewn cyflwr gwael oherwydd yr holl oryfed. Heb sôn am y rheswm iddyn nhw gwympo mas flynyddoedd yn ôl. Yr ymladd cyson rhwng tad a mam, ac yntau'n ochri gyda hi, wrth reswm.

Camodd yr hen ddyn ymlaen, i ddechrau codi pont. Camodd Tom Tom tuag ato i wneud yr un peth.

13

Cwrdd â'r bòs

MAE TOMKINS YN mynd i'r caffi lle mae e wedi cael ei swper bob nos ers blynyddoedd ac mae'n archebu'r union fwyd bob tro. Mae'r staff i gyd yn gwybod bod y plisman unig yn dewis yn union yr un peth ac fel yr esboniodd unwaith mae'n gwneud hynny am yr un rheswm ag Einstein, oedd yn berchen ar saith siwt union 'run fath er mwyn peidio gwastraffu amser yn penderfynu beth roedd e'n mynd i wisgo bob bore. Credai y byddai'r gwyddonydd wedi datrys hanner yr achosion oedd ar blât Tomkins am ei fod yn ddyn mor glyfar. Ambell waith nid oedd Tomkins yn credu bod ganddo glem am blismona ond roedd hyn yn gyson â'r teimlad oedd ganddo o fod yn ddiwerth ac yn ddiddim.

Cyrhaeddodd y ffagots, pys a tsips yn union yr un pryd â Tom Tom, ac roedd gweld ei gyd-weithiwr yn sioc bleserus i Tomkins oedd yn dechrau sigo dan bwysau diflastod, methiant a dechrau pwl bach o iselder. Roedd hwnnw'n dod megis ci du bob hyn a hyn ond dim yn ddigon cyson iddo fynd at y doctor.

'Sut mae'r *witch hunt* yn mynd?'

Gwena Tompkins ar y jôc wan.

'Mae 'na bobl bwerus iawn yn rhan o'r achos gwrachyddiaeth 'ma, dwi'n credu. Dwi erioed wedi cael cymaint o drafferth cael gafael mewn gwybodaeth. Mae fel tase gwaharddiad arna i: fod neb fod i rannu stwff 'da fi.'

Cydymdeimla Tom Tom gyda'i fòs oherwydd cofiai achosion pan oedd aelodau o'r ffôrs wedi eu cyhuddo o bob math o fistimanars, gan gynnwys 'colli' sawl bag o dystiolaeth. Achos Lynette White er enghraifft, pan oedd byd o dawelwch a doedd neb yn siarad, fel ceisio torri mewn i gylch y seiri rhyddion, neu, yn wir, y cylch o wrachod oedd ar feddwl Tomkins ddydd a nos.

'Oes 'na rhywbeth alla i neud, syr? Neu efallai gall Marty helpu?'

'Rwyt ti'n gwybod yn iawn na alla i dderbyn unrhyw help wrth y dihiryn cyhyrog, ac mi ddylswn i dy rybuddio di rhag tynnu fe i fewn i unrhyw beth. Ond dwi'n gwybod byddai hynny'n cyrraedd clustiau byddar, ac mae'n un gyfrinach dwi'n fodlon ei chadw, er 'mod i'n gyndyn iawn i wneud. Ac eto, mae 'na amgylchiadau – ac mae'r ddau ohonon ni'n gwybod fod yr amgylchiadau hynny'n brin iawn – ond ma nhw yn digwydd pan mae'n rhaid i ni anghofio'r llawlyfr a'r rheolau a... hyd yn oed y gyfraith er mwyn sicrhau bod y gyfraith yn cael cyfle i weithio.'

Synnai Tom Tom glywed Tomkins yn siarad fel hyn, gan dybio fod hyn yn adlewyrchu'r pwysau oedd arno ar y foment – pwysau cynyddol, beunyddiol, yn dod o bob cyfeiriad. Byddai delio gyda gwrachyddiaeth yn ddigon, heb sôn am blant yn diflannu, a symud y pencadlys i Gaerdydd, a sibrydion pellach y byddai cwtogi ar y nifer o staff yn digwydd yn sgil hynny.

'Ti'n ocê?' gofynnodd Tom Tom, gyda goslef isel yn ei lais.

'Mae pethau'n tyff ar y foment, fodfeddi'n unig o fynd yn drech na fi. Bron 'mod i'n ofni agor e-byst, neu edrych ar neges destun rhag ofn ei fod yn dodi rhywbeth arall ar fy mhlât, a'r plât hwnnw ar fin chwalu'n ddeilchion, alla i weud 'thot ti, Tom.'

'Fel wedais i, oes rhywbeth alla i wneud i helpu?'

'Dwi'n credu bydda i'n hapus dim ond i gael cwmni.'

Cofiai Tom Tom sut roedd Tomkins wedi ynysu ei hunan byth ers i'w wraig farw, gan gladdu ei hunan yn ei waith a byw heb ffrindiau. Cafodd Tom Tom ac yntau noson allan unwaith ac roedd Tom Tom yn amau taw hwn oedd yr unig dro i'w fòs dreulio amser gyda ffrind, ac er ei fod yn gweld ei hunan fel ffrind i Tomkins gwyddai hefyd bod angen i unrhyw ffrindiau weld ei gilydd fwy nag unwaith os oedd y berthynas i fod o unrhyw werth, unrhyw ddyfnder. Ond dyna pam roedd Tom Tom yma, yn syllu ar y botel sos coch ac yn chwilio am y geiriau nesaf. Ond nid oedd y tawelwch yn rhy anodd, gan fod Tomkins wedi hen arfer â hynny yn ystod yr holl nosweithiau dreuliodd ar ei ben ei hun. Dyna oedd yn esbonio ei ysbryd annibynnol, a'i allu i dreulio cymaint o amser yn gweithio. Doedd ganddo neb yn ei fywyd oedd yn mynnu ei fod yn dod gartref, nac yn gwrthwynebu'r syniad ohono'n cysgu yn ei ystafell, ambell waith gyda'i ddesg yn y swyddfa yn glustog galed iddo. Ond oherwydd ei fod yn geffyl gwaith roedd pobl yn rhoi mwy a mwy o waith iddo, gan taw dyna'r rheol ynglŷn â phobl brysur. Roedd ar fin torri ei gefn dan y pwysau, y baich yn drymach oherwydd os oedd e'n gwneud camsyniad, neu'n gwneud un peth esgeulus, gallai rhywun farw o'r herwydd. Roedd hynny'n uffarn o gyfrifoldeb.

'Ti am ddod am ddrinc wedi bwyd?' gofynnodd Tom Tom.

'Ond dwyt ti ddim yn yfed... wyt ti?'

'Dwi ddim yn bwriadu dechrau heno. Ond byddai'n anrhydedd cadw cwmni i ti. Mae'n hen bryd. Byddi di'n teimlo'n well yn y bore, yn enwedig os nad wyt ti'n cofio dim am heno! Dim yw dim.'

Mewn tŷ yn ardal y Rhath y noson honno roedd llofrudd yn gwneud ymchwil ar-lein. Yn gwglo ac yn darllen colofnau papur dyddiol, yn whilmentan am hyn ac yn chwilio am y llall, dyma hi'n adeiladu proffeil o Emma Freeman. Oherwydd hi oedd ei nemesis, a D. I. Freeman oedd ei nemesis hithau.

14

Bwrw geiriau

O'R TU ALLAN nid yw Eddie's Gym yn edrych fel dim byd – cwt brics ar erchwyn stad ddiwydiannol Cynffig rhwng loc-yp 'Leave It With Us' a chwmni weldio B. F. Evans and Sons. Ffenestr gyda griliau rhydlyd a drws gwyrdd sydd heb weld tun o baent ers degawd a mwy, a'r llythyren G wedi hen ddiflannu o arwydd y *gym* gan wneud i hwnnw edrych mor ansicr â'r hoelen unigol sy'n ei ddal yn ei le.

Ond y tu fewn mae'n wledd o destosteron oherwydd mae Marty yn gwneud ymarfer corff yn ei ffordd ddihafal ei hun.

Fel arfer mae'r cawr o ddyn wedi bod yn torri'r rheolau. Mynna Eddie fod pobl yn osgoi bwyta gormod cyn dod i fewn oherwydd mae'n gwybod bod bwyta brecwast llawn cyn dechrau treino yn rhoi straen ar y galon ac felly mae'r ffrei-yp mae Marty newydd ei gael yn anathema i Eddie. Tair selsigen, dau wy, bara saim, shrwmps, ffa pob, tomato a phentwr o dost bara gwyn yn boddi mewn marjarîn. A the – peint cryf o'r stwff fel mae bildars yn yfed, gyda phump llwyaid o siwgr. A chacen i orffen. Mae Marty'n hoffi pwdin gyda'i frecwast.

Er gwaetha'r pwysau trwm yn ei stumog mae Marty'n gwneud yr ymarferion corfforol caled arferol.

I dwymo lan mae'n gwneud 100 hwp-lan wedi eu rhannu'n setiau o ugain ar y tro. Ar ôl ugain mae'n torri chwys ond unwaith mae e mewn i'w rythm mae ei freichiau'n symud o fod yn hollol syth i'r pwynt ble mae ei ên yn gorffwys ar y bar. Wrth wneud hyn mae'n meddwl am ei gariad, Maxine, sy'n disgwyl amdano, yn paratoi ei ail frecwast. Yna'n mae'n disgyn i'r llawr, ac yn gwneud hynny mewn ffordd fwy baletaidd na fyddai rhywun yn ei ddisgwyl ac yna mae'n syth mewn i 200 *push-up*, y frest yn dechrau gan gyffwrdd y llawr ac yna cyhyrau'i freichiau yn codi pwysau ei gorff yn fecanyddol fel jac codi baw.

Yna 200 crynsh, yn dilyn patrwm y Marines, pen ôl ar y llawr, traed yn fflat, croesi'r breichiau wrth y penelin, esgyrn yr ysgwyddau yn cyffwrdd y llawr. Erbyn hyn bydd ei wyneb yn goch a'i gorff yn dripio chwys bron fel petai rhywun wedi troi tap, neu fod ei gorff wedi troi'n gawod. Yna, dim llai na 100 o *burpees*, sef y naid o'r llawr sy'n ymestyn y corff, un o'r pethau gorau oll i gadw'n ffit. Erbyn hyn bydd Marty'n teimlo'r straen a bydd gan amlaf yn cael rhywbeth i'w yfed cyn dechrau gweithio gyda'r pwysau – un dydd yn adeiladu'r cyhyrau deuben, dro arall ar y cyhyrau triphen, neu ar y frest, ac yn ymestyn yn gyson hefyd gan greu rhaeadr o chwys, ond fydd e ddim yn rhoi'r gorau iddi. Dyw Marty byth yn rhoi lan.

Dylai fod yn ddyn ffit, cyhyrog, ond mae'n yfed gormod ac yn bwyta'n rhy dda. Ond dyna'r math o ddyn yw Marty, dyn sy'n gwthio ei hun i'r eithaf. Ond heddiw mae'r holl ymarfer yn rhagarweiniad.

Mae'n anadlu'n ddwfn, cael ei anadl dan reolaeth eto, ac yna'n camu draw i'r ring. Yno, wedi ei glymu gan raff rownd ei ganol i drawst dur yn y to mae'r boi gyda'r atebion. Oherwydd y rhaff sy'n ei gaethiwo nid yw Davey Shiv yn medru disgyn i'r llawr, na rowlio ei hun yn belen fel armadilo neu ddraenog i'w amddiffyn ei hun. Gadawodd Marty ef dros nos ac o'r herwydd mae'r cylch paffio'n wlyb ag iwrin. Ond yn fwy na hynny mae'r llygaid yn fawr ag ofn, ac mae'n crynu a byddai'n gweiddi'n groch oni bai am y darn mawr o dâp sy'n masgio ei wefusau.

'Ocê, byt. Barod am damed bach o wmladd?' Dewisa Marty bâr o fenyg bocsio i'w ddwylo sydd fel rhofiau ac mae'n jocan ei fod yn mynd i'w gwisgo.

Dawnsia Davey'n ffyrnig, yn rhuglo ac yn ceisio dweud rhywbeth ond mae hynny'n anodd pan mae'n gorfod anadlu drwy ei ffroenau, ei ysgyfaint yn pwmpio fel megin ac yntau'n ei chael hi'n anodd cael digon o aer i mewn trwy ei drwyn oherwydd bod gwaed sych yn gacen yn ei ffroen chwith.

Mae Marty yn dechrau clymu'r faneg goch gyntaf ond dim ond gêm yw hyn. Chwarae â meddwl y boi o'i flaen.

'Reit, 'te. Fel galli di ddychmygu, fyddwn ni ddim yn cadw at y Queensbury Rules, ond y Marty Rules. Dwi'n lico hynna. Marty Rules, ocê? Swnio'n dda i fi. Eniwei, bydda i'n dy fwrw di deirgwaith bob rownd ac os wyt ti'n barod i helpu, rho'r atebion cywir, dim rhai shit neu rai ti newydd neud lan, a bydda i'n stopio. Ti ddim yn gadael y lle 'ma am o leia bythefnos oherwydd mae Eddie bant ar ei wyliau yn Marbella a'r lle 'ma'n westy neis, jyst i ti, nes ei fod e'n dod 'nôl. Digon o amser i neud yn siŵr dy fod yn dweud y gwir. Os wyt ti'n gwybod beth yw gwirionedd.'

Tafla'r menyg i ffwrdd yn ddramatig, fel petai angen ychwanegu drama i sefyllfa oedd yn fwy *tense* na'r olygfa yn *Reservoir Dogs* pan mae un o'r lladron banc yn mynd i dorri clust y plisman i ffwrdd. Ei hoff ffilm, hwnna, a Mickey Rourke yn *Year of the Dragon*.

Heb oedi, a heb edrych bron, mae'n taflu ei ddwrn i solar

plexus Davey ac mae'r bysedd yn troi'n belen ddur oherwydd cyflymder a phenderfyniad. Byddai hyn wedi llorio'r dyn, ond oherwydd y rhaff mae'n troi fel doli glwt a'r hyn o'i wyneb sydd i'w weld yn gyrnio'n hyll. Ond tra bod Davey'n dal i sbinio mae pelen ddur arall yn crynsio i mewn i'w asennau, a'r ergyd bron yn ddigon i'w sbinio yntau i'r cyfeiriad arall, yn erbyn y cloc. Nid bod unrhyw gloc ar ei ochr, nac amser o'i blaid, gan fod pwnsh i'w benglog y tro hwn. Mae'n lwcus oherwydd mae Marty wedi ffrwyno ei hunan, dal yn ôl, gan wybod bod bwrw'r talcen yn meddwl y byddai'n rhaid iddo aros i ddyn diymadferth ddod rownd cyn gorffen yr holi. Ac roedd e eisiau mynd â Maxine i Aberafan ar ôl ei ail frecwast. Holi? Dim ond un cwestiwn sydd ganddo mewn gwirionedd.

'Ble mae Peter Heggarty?'

Diflannodd y bachgen fel niwl y bore a doedd neb wedi gweld na chlywed unrhyw beth o werth, er bod cannoedd ar gannoedd wedi siarad â'r heddlu bellach. Nid oedd cyhoeddusrwydd yr heddlu yn fawr o lwyddiant o ran helpu dod o hyd iddo, na denu unrhyw lygad-dyst o werth, er gwaetha'r ffaith fod saith cant o blant yn mynychu Ysgol Blaen Iorwg a'r prysurdeb ben bore wrth i gynifer o'r rhieni geisio maeddu'r traffig er mwyn cyrraedd y gwaith. Ond doedd y crwt ddim wedi cyrraedd yr ysgol.

Roedd Tom Tom yn rhan o dîm estynedig oedd yn cribo rhan helaeth o dde Cymru am *leads* a'r heddlu wedi gwneud yn siŵr nad oedd yn cael gormod o bwysau ar ei ysgwyddau oherwydd iddo ddarganfod corff crwtyn arall yn y gorffennol. Doedd Tomkins ddim am iddo ail-fyw'r hunllefau wnaeth darddu o'r achos hwnnw, pan lwyddwyd i ddatrys y dirgelwch a'r crwtyn druan, Zeke Daniels, yn ddim byd mwy na haen o lwch ac esgyrn mewn bedd bas ar lethr mynydd.

Ddeuddydd ar ôl diflaniad Peter cafodd Tom Tom neges destun oddi wrth Marty, yn dymuno cwrdd ag e mewn man dirgel. Gwaharddwyd Tom Tom rhag cwrdd â Marty ar ôl y smonach diwethaf, gan ddweud wrtho yn ddiflewyn ar dafod bod rhaid i'r DI gadw draw o'r cnaf gwallgo, y cawr boncyrs. Am byth.

Ond ni allai cyfeillgarwch gael ei aberthu ar allor biwrocratiaeth, dim pan mae angen ychydig o help anghonfensiynol ar Tom Tom i ddod â phethau i fwcwl, a phawb yn gwybod bod amser yn brin iawn mewn achosion fel hyn. Ddeuddydd arall, tridiau ar y mwyaf, yn ôl yr ystadegau. Roedd yr heddlu wedi siarad â hanner cant o bobl oedd wedi eu cofrestru'n droseddwyr rhyw ond gwyddai Tom Tom fod rhai oedd yn rhy gyfrwys i fod ar unrhyw restr – a Davey Shiv yn un ohonynt. Ac os oes pyrfyrt yn y fro yn gwybod unrhyw beth defnyddiol parthed diflaniad crwt, yna Davey oedd y pyrfyrt hwnnw. Llysnafedd o ddyn. Sy'n esbonio pam ei fod yn derbyn triniaeth arbennig gan Marty yn y *gym*, sy'n tynnu'r tâp oddi ar ei geg i glywed yr ateb. Sy'n dod yn glir, hyd yn oed gyda chod post a manylion llawn o'r lleoliad wrth i Davey lyncu galwyni o aer a diolch i Dduw a'i fam a'i dad am gael byw.

'Pwy nath gipio'r crwt?'

'Stephens. Max Stephens.'

'Cyfeiriad?'

Mae'n ei roi yn sydyn, gan gynnwys y cod post hyd yn oed.

'Sut wyt ti'n gwybod? O't ti'n rhan o'r peth?'

'Na, buodd e mor ffôl â b... br... rolio... hala negesuon i'n grŵp ni ar y we.'

'A sut mae rhywun yn cysylltu â'r grŵp?'

Mae Davey yn esbonio am y cyfrif ac yn rhoi'r cyfrinair.

'Sawl aelod?'

'Tua pum deg efallai.'

Bingo. Gyda hyn roedd hi'n bosib rhoi'r wybodaeth i Tom Tom, gan adael i bawb yn y grŵp amau pob un arall. Wrth gwrs, byddai'r grŵp yn ceisio claddu pob tystiolaeth ac yn hapus i weld un ohonyn nhw'n cael ei aberthu er mwyn gwneud yn siŵr eu bod nhw'n cael byw yn y cysgodion, yn llechwra'n sinistr.

'Dim gair wrth neb!' yw gorchymyn Marty wrth iddo dorri'r rhaff gan adael i Davey gwympo fel sach i'r llawr.

'Neu tro nesa fydda i ddim mor dyner. Deall, y ffycwit?'

Nodia Davey ei ben.

'Ti eisiau lifft adre?'

Nodia Davey drachefn.

★

Wedi mynd â Davey i'w wâl, sef fflat ddi-nod ar ben stryd ddi-nod yn y rhan hynny o Ben-y-bont lle mae tai a fflatiau'n toddi i mewn i'r erwau o ffatrïoedd Cynffig, mae Marty'n troi am y man cwrdd, a gwên lawn pleser noeth yn lledu ar draws ei wyneb. Gydag un llaw ar yr olwyn mae'n llwyddo i deipio neges i'w gariad sy'n dweud: 'Late. Be ther at wun.' Nid yw sillafu yn un o'i sgiliau pennaf. Ond pwy sydd angen darllen a sgrifennu pan fedrwch chi ddatrys dirgelwch na all Heddlu Cymru gyda'u hugain mil o staff wneud drwy weithio a chwestiynu'n gytûn?

Parciodd Tom Tom ei gar y tu ôl i sgip allan o olwg pawb. Gwyddai bod nabod Marty yn beryglus, yn enwedig nawr fod Tomkins a'r Prif Gwnstabl ar ei gefn.

'Iawn, *compadre*? Ti'n edrych wedi ymlâdd?'

Edrychodd Marty arno mewn penbleth, yn hanner clywed y gair 'ymladd' ond ddim cweit yn siŵr os taw dyna oedd Tom Tom yn feddwl.

Siglodd law y cop yn galed, yn falch dros ben i'w weld oherwydd roeddent yn frodyr gwaed, a hynny'n llythrennol, wedi torri bysedd bawd a gadael i'r cochni gymysgu'n llif.

'Gest ti lwc?'

'Ges i bob peth...' A chynigiodd Marty'r wybodaeth oedd ganddo, ac felly, yr unig beth i'w wneud oedd dod o hyd i esgus i esbonio sut lwyddodd Tom Tom i fynd i grombil y grŵp cyfrin ar-lein.

'Anonymous tip?'

'Na, dim nawr. Mae fy nghyfeillion yn rhy wyliadwrus... angen fy help ond yn mynnu 'mod i'n stico at reolau'r gyfraith 'fyd.'

'A beth am Daniels?'

'Ma gen i syniad amdano fe. Ac mae arna i ofn fod dy enw di'n dod lan yn yr un anadl...'

'O, *goody*. Dwi ddim yn lico'r boi o gwbl. Rho unrhyw esgus i fi aildrefnu ei wyneb.'

Wrth iddyn nhw yrru i ffwrdd does dim un o'r ddau yn gweld car Mondeo glas wedi ei barcio ar ochr arall y stryd, lle mae Simon Hughes yn tynnu lluniau mae'n bwriadu eu cynnwys yn y papur ar ôl gwneud y gwaith caib a rhaw angenrheidiol i hoelio'r stori am y plisman llwyddiannus a'i gyfaill drwg.

15

Am wahoddiad!

MAE EMMA'N GWYBOD na ddylai fod yn gwneud hyn: nid dyma'r ffordd maen nhw'n eich dysgu chi. Nid bod pennod yn y llawlyfr sy'n esbonio'r peth gorau, yr union beth i'w wneud os ydych chi'n cytuno i gwrdd â llofrudd mewn lle diarffordd, heb arf, na bac-yp nac yn wir heb fod rhywun yn gwybod ble ar y ddaear rydych chi wedi mynd. Er ei bod wedi addo i'w phartner na fyddai'n gwneud unrhyw beth mor fyrbwyll eto.

Nid yw'n gyson â'i chymeriad chwaith. By-the-book Freeman, yr un sy'n glynu at y rheolau, er bod hynny'n meddwl nad oes ganddi ryw lawer o le i addasu, i fod yn greadigol mewn sefyllfa. Bod yn cŵl, yn fforensig, dyna'r peth, yn wahanol i Tom Tom, sy'n fwy tebygol o chwythu lan na chadw'n cŵl. I ddweud y gwir, meddylia, nid yw Tom Tom yn y gwaith byth yn cŵl, mae wastad ar ruthr, eisiau gwybod y ffordd gyflyma o gael gwybodaeth, dal y person drwg, a dyw oedi a bod yn amyneddgar ddim yn ei natur. O, byddai'n rhoi'r byd iddo fod yma nawr, ond roedd hwn yn rhywbeth roedd yn rhaid iddi hi wneud ar ei phen ei hun.

"Meet me. UR fave killer."

Daeth y neges mewn ffordd hen ffasiwn, oedd yn gyfrwys ynddo'i hunan. Gallai rhywun ddilyn e-bost yn ôl i gyfrifiadur penodol ond roedd darn o bapur gyda geiriau wedi eu creu allan o lythrennau wedi eu torri mas o bapur dyddiol yn effeithiol fel ffordd o gadw eidentiti'r llythyrwr yn gyfrin. O, byddai'n neud yn siŵr fod y neges yn mynd at y fforensics maes o law, os digwydd iddi fyw drwy heno...

'Clever girl. You come. On self. No other. Jilly die if other. Maybe trade. Maybe kill. Maybe. Maybe.'

Dim llofnod, ond gwyddai bod Tom Tom newydd gael ei alw i weld Tomkins i drafod rhywun o'r enw Jilly, a Daniels a Barclay wedi dechrau anfon llun o ferch ifanc allan i'r byd a'r betws gan eu bod nhw wedi darganfod bod y ferch ar goll yn ddigon cynnar i gael siawns i ddod o hyd iddi. Jilly Edwards. Dyna'r rheswm i Emma fynd ar y siwrne unig hon. Ar hyd llwybr peryglus iawn.

Doedd ganddi ddim syniad yn y byd sut roedd y fenyw wedi dod o hyd iddi na sut roedd yn gwybod ei bod yn gweithio ar yr achos. Doedd Freeman ddim wedi bod yng nghynadleddau'r wasg, nac yn y newyddion, er bod Tom Tom wedi gwneud, ac efallai bod y cysylltiad â hwnnw wedi bod yn ddigon.

Roedd y manylion yn fanwl, hyd yn oed ar y map oedd yn cynnwys y rhifau angenrheidiol i ddod o hyd i'r lle drwy system yr Ordnance Survey. Nid oedd yn gyfarwydd â'r rhan yma o'r patsh o gwbl, ond gallai weld bod yna gilfach drwy goedwig yn dirwyn i ben mewn lle heb na llwybr na ffordd allan ar wahân i'r llwybr cul ddaeth â chi yno yn y lle cyntaf. Lleoliad clasurol ar gyfer trap, ac oni bai ei bod hi'n bihafio fel clown byddai'n hollol wyliadwrus ynglŷn â mentro fel hyn, neu hyd yn oed ystyried mentro i rywle fel hyn. Y cyfan oedd angen ei wneud oedd bod yn y lle iawn a gallai'r ffordd-i-mewn droi'n dim-ffordd-allan yn hawdd iawn.

Gyrrodd ei char, sef car heb drimings arferol car heddlu,

tracyr GPS wedi ei leoli'n dwt ar y *chassis* a chysylltiadau cyfathrebu penigamp. Meddyliodd Freeman beth oedd ganddi yn y cerbyd petai hi'n gorfod amddiffyn ei hun, ac ar wahân i'r jac yn y bŵt i newid teiar doedd ganddi ddim byd mwy o iws na beiro. Eto roedd ganddi sgiliau ymladd, rhai rhydlyd iawn ond eto, gydag ychydig o adrenalin yn cyflymu drwy ei gwythiennau gallai gofio popeth am y ju-jitsu a'r karate a ddysgodd yn yr Academi. Urddwyd hi gyda belt werdd yn y cyntaf ohonynt, felly os na fyddai'r llofrudd yn troi lan gyda chleddyf, neu bistol, roedd ganddi siawns.

Trodd wrth y fynedfa i'r gwaith glo brig a gyrru ymlaen dros dir gwlyb yn llawn brwyn tuag at yr aber. Dan y lleuad roedd yr erwau duon yn sgleinio'n sinistr braidd, fel un garreg fedd enfawr heb enw wedi ei ysgrifo arni. Tawel oedd pentref Trimsaran, ar wahân i griw o bobl ifanc yn lladd amser wrth yr arhosfan bws, yn yfed un o'r seidars pwerus oedd ar gael yn Spar am bris arian poced.

Trodd y car eto gan gymryd hewl gul dros fryn serth a'i ffôn yn dangos taw milltir yn unig oedd ar ôl o'r daith. Milltir yn unig o'i bywyd ar ôl, efallai. Ffo}lineb oedd hyn? Act hunanddinistriol pan oedd yr ego'n rhy fawr i'w lles ei hunan? Teimlai bod yn rhaid iddi wneud hyn. Dim mwy o'r llygoden yn ofni'r gath. Bydded yn gath ei hunan. Shit. Doedd y sgwrs yma yn ei phen ddim yn normal.

Dyma'r lle. Edrychai fel y'i dychmygodd, digon o le i barcio ar gyfer un car. Clwyd syml. Tylluan yn hwtian. Cymylau duon yn incio'r nos uwchben. Penderfynodd beidio â chloi'r car gyda'r allwedd electronig er mwyn osgoi'r sŵn bipio – oedd yn dwp, oherwydd byddai sŵn ei chyrraedd wedi bod yn ddigon o larwm.

Cerddodd yn ei blaen yn benderfynol, gan ddefnyddio

golau'r lloer yn hytrach na'i fflachlamp. Oerodd y tymheredd wrth i'r coed glosio at ei gilydd, a chyrhaeddodd blanhigfa dywyll, lle nodwyddai'r golau'n denau mewn mannau cyn iddi ei golli'n gyfan gwbl. Criciai brigau bach dan droed a chyflymai curiadau ei chalon. Teimlai lygaid ar ei chefn wrth iddi wybod bod y man cwrdd o'i blaen.

Gam wrth gam, a hithau'n gorfod dal gafael mewn brigau, a gwreiddiau'r coed yn bygwth ei baglu, a hyn oll yn ei drysu a'i harafu.

Yna clywodd lais ond nid llais person ond llais yn dod drwy uchelseinydd.

'Stand still. Dead still.'

Taniwyd goleuadau pwerus fel llifoleuadau a wnaeth ei dallu – tystiolaeth o'r ffordd roedd hon yn cynllunio'n ofalus. Teimlai'n noeth ynghanol y gwynder ffyrnig.

Hisiodd y llais yn electronig drachefn.

'Glad you came alone. Now I need you to do two things for me. Get down on all fours and then promise me not to do anything stupid.'

Gwyddai bod rhaid iddi greu perthynas gyda hon i gael unrhyw siawns o fyw er bod rhan arall ohoni'n gwybod hefyd taw rhith oedd y syniad hwnnw. Mae'n mynd i'w chwrcwd, mewn ufudd-dod ffals i orchymyn y llais. Llais menyw. Doedd hon ddim yn poeni am neb ond hi ei hunan. Ond roedd rhywbeth gwahanol iawn ynglŷn â hyn. Doedd hon ddim yn dilyn y patrwm.

Ysai am gael gweld ei hwyneb, cael edrych i mewn i'w llygaid, cael modd i ddeall rhywbeth, jyst rhywbeth. Ond roedd y llais yn dechrau gwawdio, a chwarae gemau.

'Look behind you.'

Doedd Freeman ddim am droi, gan wybod taw tric oedd

hwn. Ond trodd, a gweld rhywbeth yn rhedeg i ffwrdd, fel petai anifail newydd ei ryddhau o drap.

'Gone, all gone. Run clean away,' dywedodd y llais mewn goslef plentynnaidd.

Roedd y llais wedi symud nawr, yn dod allan o sbicyr arall, ymhellach i ffwrdd.

'Emma Freeman. Good cop? Bad cop? Been through life's mincer, haven't you just.'

Aeth ias i lawr asgwrn cefn Freeman ac roedd yn difaru ei henaid nad oedd hi wedi dod ag arf, neu wedi dweud wrth Tom. O pam, pam, pam na ddywedodd wrtho? Byddai wedi gwybod beth i'w wneud. Eto, roedd hi'n gwybod beth i'w wneud. Roedd hi'n enwog am wybod y peth iawn i'w wneud mewn unrhyw sefyllfa. Aeth i chwilio'n ddwfn oddi fewn iddi. Os gêm oedd hyn, roedd yn rhaid bod y fenyw wedi gosod rheolau. Ugain munud, hanner awr efallai os taw pwrpas hyn oedd i greu ofn, llyn oer o ofn diwaelod yng nghalon Freeman. Ac os oedd terfyn ar y gêm, beth fyddai'r arwydd am hynny?

'Ready? I am.'

Doedd Freeman ddim yn barod oherwydd wyddai hi ddim am beth. Cyfrodd i dri dan ei hanadl, nid ei bod hi'n gwybod pam, ond roedd e'n gyfle i esgus bod yn barod.

Yna clywodd y sŵn mwyaf erchyll yn ei bywyd, tâp o'r fideo wnaethpwyd gan derfysgwyr wrth iddynt ddienyddio ei gŵr ar-lein, ond roedd hon, yr ast filain ddigywilydd yma, wedi ychwanegu miwsig opera sebon, ac wedi newid y lefelau sain fel bod clync y cleddyf yn torri drwy'r gwddf yn uwch ac yn fwy gwaedlyd hyd yn oed na'r digwyddiad ei hun. Allai Freeman ddim deall sut allai rhywun wneud hyn. Ond roedd yn bwysig ei bod hi'n gwrthsefyll. Penderfynodd taw dyma oedd yr amser i herio.

Gwyddai taw'r geiriau roedd hi eisiau eu defnyddio oedd, 'I know who you are', ond doedd hynny ddim yn wir, felly taflodd y geiriau yma allan i'r düwch gan fod tawelwch wedi setlo ar ôl hisian a drama'r tâp.

'I know what you are!' gwaeddodd.

'Killer queen, dynamite with a laser beam?' canodd y fenyw yn y cysgodion.

'You're a cook...'

Rhewodd y byd, setlodd braw dros y brain oedd yn clwydo yn y goedwig pin, trodd y lleuad yn belen iâ.

Stryglodd perchennog y llais i gadw ei thymer.

'I... am... not... a... cook. I am a chef.'

Gwyddai Freeman taw hi oedd yn ennill ar y foment oherwydd roedd hi wedi llwyddo i gael y llofrudd i gadarnhau ffaith bwysig amdani. Felly, hwnnw oedd y cliw, ac roedd yr amser wedi dod i adael i'r fenyw yma stiwio. Trodd ei fflachlamp ymlaen a dechrau rhedeg yn ôl tua'r car ond roedd y coed yn drwchus, yn wal o ddail a brigau o'i blaen, tan iddi lwyddo i weld bwlch ar gyfer y trac wrth i'r llais weiddi'n groch, 'Stop the bitch' ac roedd rhywun ar ei hôl ar orchymyn y *chef* ac roedd yn rhaid, rhaid, rhaid i Freeman redeg nerth ei thraed.

Y tu ôl iddi, clywai'r llais yn mynd yn fwy a mwy gwallgo ond nid oedd heb rym, a sgitran graean dan draed mawr trwm, lathenni'n unig y tu ôl iddi bellach. Ond roedd gan Freeman ei rythm, y rhythm sicr sy'n dod o rywle pan mae rhywun yn gwybod y gallai pethau fod ar fin dod i ben. Mae'n cyflymu, ac mae sŵn y bŵts yn cwympo'n ôl. Ond wedyn mae'n baglu a chwip o frigyn yn slasio ei boch fel cleddyf main. Mae'r anadl allan ohoni, ac mae rhywbeth wedi digwydd i'w choes wrth iddi gwympo. Mae'r bŵts yn closio. Un, dau, tri. Meddwl. Meddwl.

Rholia Freeman oddi ar y llwybr ac wrth fynd i'w chwrcwd yn y drain mae ei bysedd yn chwilio am rywbeth handi. Mae'n byseddu cangen fel pastwn tew ac yn dal ei gafael ynddi'n dynn. Un, dau, tri. Mae angen amseru'r trawiad yn berffaith, taro'r coesau yn galed ac yn sicr. Teimla'r penderfyniad yng nghyhyrau ei bysedd a'i breichiau'n troi'n ddur, yn troi'n weiars tyn.

Mae'r camau'n drwm ac mae'n amseru'r weithred yn berffaith. Mae'r dyn yn cwympo ac yn ielpan yr un pryd tra bod Freeman yn codi'n drafferthus ac yn dechrau rhedeg yn glir, yn ceisio rhedeg y boen i ffwrdd. Ac yn y pellter mae'n gweld sglein y car ac yn diolch i bob duw posib ei bod hi wedi gadael y drws ar agor, efallai'r unig weithred y noson honno oedd ddim yn ffôl a stiwpid a direswm.

Gyrrodd yn ofalus, ond doedd ei choes chwith ddim yn medru trin y brêc yn effeithiol. Trodd y ffôn ymlaen gan ffonio'r unig rif oedd arni angen ei ddeialu. Mae'n gwybod y bydd Tom yn gandryll, ond dyw hi ddim am ffonio HQ gan wybod bydd hyd yn oed mwy o drwbwl os bydd hi'n cyffesu i'r hyn mae hi wedi ei wneud. Mae hi'n dechrau ymddwyn fel Tom Tom, yn torri rheolau. Pwysau, pwysau ar bawb. The rot sets in, fel maen nhw'n dweud.

16

Boogie nights

RHYFEDDA EMMA AT y manylder yn ei breuddwydion a ddaw'n nosweithiol, yn dilyn sŵn erchyll y tâp yn y goedwig a'r cysylltiad newydd rhwng llais Terry a'r ofn anhygoel deimlodd yno ym mhresenoldeb y llofrudd. Y *chef* o lofrudd. Sy'n colli'r gêm ar y foment. Freeman 15, llofrudd 0. Oherwydd mae'r wybodaeth newydd am Poppaline a'i chwaer yn newid popeth: teimla'n siŵr o hynny, nawr eu bod nhw'n edrych am fenyw yn y diwydiant arlwyo yn ne Cymru. Byddai hi'n siŵr o fod eisiau dial am hynny, felly roedd hyd yn oed mwy o frys i'w dal.

Gan amlaf breuddwydia Freeman am Terry yn ystod ei gyfnod yn y Llynges ond fyddai hi byth yn breuddwydio am ei gyfnod yn yr heddlu oherwydd nid oedd yn dweud dim am hynny. Dim ond ar ôl ei lofruddiaeth ar-lein mae hi wedi dechrau dod i ddeall yn union pa mor beryglus oedd y gwaith a wnaeth, o dreiddio i fewn i rwydweithiau o derfysgwyr arfog oedd am ddod â Prosiect Gorllewin i ben a pheri i Gymru, ynghyd â phob man arall, fod yn rhan o'r Caliphate. Ar ôl gadael y Llynges trafododd ei ddyddiau mewn llefydd megis Irac gyda hi mewn cymaint o fanylder nes ei bod hi'n medru gweld y cronometr ar ei arddwrn yn glir, yn gwybod enwau pob un o'i gyd-ddeifwyr, yn teimlo'r pwysau'n cynyddu wrth i'w gorff blymio'n araf.

Cofiai ei gŵr ddyddiau anodd ar y naw, pan mai'r nadredd-môr oedd y pethau lleiaf peryglus...

Yn y freuddwyd gwisga Terry wisg turboprene fel ail groen.

Llithra i ddŵr twym y môr. Mae'r haul fel boiler yn Umm Qasr, lle mae heli'r harbwr yn ddwfn a digonedd o ddŵr oerach dan yr wyneb.

Ymuna yn y freuddwyd â thîm o dri deifiwr o Awstralia sydd i wneud yn union yr un job, i glirio ffrwydbeli. Nid yw'n waith diogel, ond gyda'r arwydd penodol maen nhw'n dechrau nofio i lawr, pedwarawd o forloi yn hollti'r dŵr.

Mae'r dŵr fel trydydd croen, neu ddwfe wedi ei wneud o ledr meddal, sy'n lapio pob deifiwr. Ac mae'r môr yn anifail byw. Gwyddai Terry hyn. Gall fod yn wyllt ar brydiau ac yn llwyr, llwyr amhosibl i'w ddofi.

Erbyn hyn mae disgyrchiant, a phwysau'r corff heb sôn am symudiadau gofalus y deifwyr, yn eu tynnu i lawr ac i lawr ymhellach. Hwn yw'r darn hawdd. Mae Terry yn anadlu'n araf, gan ddefnyddio'r patrwm syml ddysgodd yn y coleg. Rheoli'r anadl oedd yr allwedd, fel y tanlinellodd y swyddog hyfforddi. Rheoli'r anadl yn ffordd o reoli'ch hunan, gan leddfu ofn. Roedd y gelyn yma'n dod ar ffurf pelenni metal yn hongian dan wyneb y dŵr yn unig harbwr Irac ac roedd yn rhaid cael hyd iddynt a dadwneud y system ffrwydro.

Roedd e wedi clywed bod yr Iancs yn defnyddio morloi go iawn, nid Navy Seals ond *seals* byw, y mamaliaid slic yn llwyddo i ddod o hyd i ffrwydryn tanddwr mewn llefydd lletchwith ac am unwaith roedd yn dueddol o gredu'r stori. Cofiai weld yr anifeiliaid yn perfformio yn y syrcas pan oedd yn grwtyn a doedd dim dwywaith eu bod yn famaliaid clyfar ar y naw. Eto i gyd roedd yn syniad i ryfeddu ato ac roedd darn mawr ohono oedd ddim am wybod beth oedd y morlo yn ei wneud ar ôl dod o hyd i'r belen farwol. Nid ei osod ar ei drwyn, roedd hynny'n sicr.

Yng nghornel ei lygad mae'n gweld pelen fach o fetal yn drifftio tuag ato drwy len denau o wymon, ac mae'n ceisio symud o'r ffordd heb gorddi'r dyfroedd. Mae'r peli bach yn medru chwythu ar besychiad, neu gynffon pysgodyn yn fflachio'n rhy sydyn. Ca-bwm!

Er gwaetha'r adrenalin oedd yn cwrso drwy ei wythiennau roedd yn anodd canolbwyntio'n llawn. Gallai dŵr dwfn effeithio ar ddyn yn y fath fodd. Erbyn hyn roedd yn gadael y golau, llinell o arian fel sglein malwen yn tyfu'n llai cyn tyfu'n ddim. Diolch fyth am hyfforddiant hen ffash y Llynges. Nabod y gelyn a'i nabod yn dda.

Roedd dau fath o ffrwydron wedi eu plannu yn nyfroedd hallt Umm Qasr. Gallai'r LUGM fod mewn amgueddfa, y math o beth oedd yn arnofio ar wyneb y dŵr gan gario 200 pwys o ffrwydron, yn llechwra yn y tonnau gan aros i gwch neu long gyffwrdd am eiliad cyn cael ei chwythu'n rhacs jibidêrs.

Byddai storïau felly yn tanlinellu dewrder ei gŵr a byddai'r breuddwydion amdano yn llawn delweddau o'r fath – peli haearn yn y dŵr, morloi, peryglon tanddwr.

Mae Emma'n dihuno'n chwys, wedi gadael ei chorff a'i gwely a'r byd am ugain munud a byw mewn ffilm neu atgof – atgof ffals neu freuddwyd realistig tu hwnt. Mae hi'n gorfod codi a mynd i ferwi'r tegell ac wrth aros i'r dŵr ferwi mae'n ceisio dyfalu pam nawr, pam y llif cyson yma o ddelweddau ac atgofion am y dyn? Ai oherwydd ei bod yn ffarwelio ag ef, gyda'r atgofion ohono a'i theimladau amdano, er mwyn gwneud lle i Tom Tom?

Gallai hynny fod yn wir, fel y gallai hefyd fod yn ganlyniad i'r holl oriau roedd hi wedi bod yn pori dros y ffeiliau, ac yn hanner mynd o'i cho' wrth geisio gweld patrwm, cliw, ateb yn yr holl ddarnau bach, y cyfweliadau wedi eu trawsgrifio gan bobl heb ddiddordeb yn y geiriau oherwydd gweithwyr shifft oedden nhw, am weld y cloc yn dangos eu bod nhw wedi gwneud eu hwyth awr a'i bod hi'n amser bygro bant am adre.

Tu allan i'w fflat mae cwpwl yn ffraeo'n wyllt ac yn tasgu enwau hyll yn ôl a blaen fel grenadau. Am eiliad mae'n ystyried cerdded i lawr i gael gair â nhw, eu tawelu ddigon i sicrhau cwsg i'r fenyw drws nesaf sy'n fam sengl gyda thri o blant bach. Roedd hi a Terry wedi sôn am gael plant ac wedi sylweddoli y byddai un ohonynt yn gorfod rhoi'r gorau i weithio, ac ystyfnigrwydd y ddau, neu efallai eu hoffter at y gwaith yn golygu na allai un o'r ddau wir ystyried gadael yr heddlu, neu gyfnewid antur am gewynnau gwlyb.

Eisteddodd Freeman ar ei hoff gadair a sipian y te camomeil yn araf. Teimlai'n od o gynnes yn y fflat, fel petai ei chorff yn dal yn y môr yn y Dwyrain Canol, ei chroen wedi ei orchuddio gan ail groen gwisg danddwr Terry.

Daw neges destun wrth Tom, sy'n gofyn a ydy hi ar ddi-hun, yr hen gwestiwn stiwpid hwnnw, ond mae'n ateb gan ddweud ei bod hi'n cysgu'n sownd ac yna'n ychwanegu emoji o wyneb yn wincio.

Mae'n gwahodd Tom Tom i ddod draw ac yn gofyn iddo ddod â photel o win da, sy'n dipyn o sialens i ddyn sy'n credu bod pobl yn dal i yfed Blue Nun. Nid gwin oedd tipl Tom Tom, a gwyddai ei bod yn gwneud pethau'n anodd iddo efallai drwy ofyn iddo fynd i'r silffoedd alcohol yn yr archfarchnad ond roedd hi am ddathlu, neu jyst bod yn ei gwmni. Roedd rhyw gneuen o chwant yn tyfu oddi mewn iddi, efallai'n adwaith i'r cyffro diweddar. Ond nid pawb oedd yn cael eu taflu at ei gilydd fel Freeman a Tom Tom, dan amgylchiadau mor afreal â delio gyda dau warchae, aelodau dieflig y Maffia Albaniaidd, heb sôn am orfod inffiltreiddio cylch cyfrin o bobl oedd yn betio ar gŵn yn ymladd. A sawl mis oedd ers hynny? Chwech? Allai cyfarwyddwr ffilm yn Hollywood ddim llwyddo i wneud i chi gredu bod cymaint â hynny'n medru digwydd i James Bond neu Vin Diesel mewn cyn lleied o amser.

Amcangyfrifodd y byddai'n cymryd hanner awr i Tom gyrraedd felly aeth Emma i gael cawod fach gloi, a'r dŵr fel trydan oer ar ei chroen oedd yn teimlo'n fyw. Defnyddiodd ei hoff siampŵ ac wrth i'r dŵr redeg trodd y miwsig lan yn uchel, stwff gan Prince roedd Tom Tom wedi ei gyflwyno iddi hi ar drip yn y car unwaith. Carai'r nodau falsetto â'r gwaith gitâr. Doedd hi erioed wedi talu sylw i fiwsig poblogaidd o'r blaen, a hithau'n styc yn y bedwaredd ganrif ar ddeg, yn ôl Tom. Hen rocer oedd e, ond un oedd yn cadw lan gyda miwsig cyfoes, gan osgoi rap – ar wahân i Kendrick Lamarr. Cytunai'r ddau ei fod e'n affwysol o ddychmygus, mor ddyfeisgar â Brian Wilson, yn ôl Tom, ac mor greadigol â Debussy, yn ôl Freeman.

Rhaid oedd iddi chwerthin pan atebodd y drws i Tom oherwydd roedd ymagweddiad ei gorff yn ei hatgoffa o'r crwt drws nesaf ddaeth draw i'w thŷ pan oedd hi tua wyth mlwydd oed i ofyn a fyddai hi'n lico mynd am dro. Am dro! Gwisgai'r crwt ei ddillad gorau a phrin ei fod e'n medru edrych i'w llygaid. A dyna sut roedd Tom Tom, y ditectif oedd wedi bod yn arwr ar dudalennau blaen y papurau, yn sefyll yn anghyfforddus o'i blaen, a thusw o flodau yn ei ddwylo. Daliai'r rheini fel petai'r petalau yn wenwynig, neu fel petai am eu cuddio, neu ei fod yn ansicr o sut yn union gyrhaeddodd y carnasiwns ei ddwylo yn y lle cyntaf. Cuddiai potel o win dan ei gesail ac roedd y wên ar ei wyneb yn hanner pleser, hanner ansicrwydd.

'Helô.'

'Helô, Tom. Blodau hyfryd.'

Diflannodd ei embaras ychydig a chamodd i mewn wrth iddi gymryd y blodau a'r gwin a nodio i gyfeiriad y gegin, lle roedd dau wydryn ar y ford yn barod. Arllwysodd y gwin gwyn hyfryd, gyda Tom yn esbonio taw'r dyn yn y siop oedd wedi ei argymell a cheisiodd gofio'i holl nodweddion. Tokai sych o Hwngari, oedd yn anarferol, gydag arlliw o... Stryglodd Tom i gofio'r gair... *greengage*? Ie, dyna ni, *greengage*, er nad oedd gan Tom unrhyw syniad beth oedd hwnnw.

'So, beth sydd wedi bod yn mynd ymlaen? Ti'n edrych fel tase gen ti rywbeth pwysig i weud...'

A dyma Freeman yn esbonio am y neges destun a'r daith i'r llecyn unig yn y goedwig a'r hyn ddigwyddodd yno. Roedd hi'n amlwg ar bigau wrth gofio am y gadwyn o ddigwyddiadau ac ail-fyw'r dychryn a'r arswyd anhygoel unwaith eto. Cofiodd adrodd geiriau'r llofrudd yn union fel y'u dywedwyd, gan oedi rhywfaint cyn sôn am y cwestiwn ysbrydoledig am fod yn *cook* a'r ymateb haerllug am fod yn *chef*.

Eisteddai Tom yno'n gegrwth, yn blasu dim o'r *greengage* wrth i Freeman agosáu at ddiweddglo ei stori.

'Ffyc, Emma, dwi ddim yn siŵr os dylwn i deimlo'n grac a gweiddi arnot ti am fod mor anghyfrifol a di-hid, am yr ail waith, neu jyst dweud 'briliant' drosodd a throsodd. Ond briliant! Rwyt ti wedi rhoi'r llofrudd i ni ar blât, sori, doedd hynny ddim yn jôc bwrpasol. Dwi'n teimlo'n siomedig 'mod i erioed wedi amau dy reddf taw menyw oedd hon. Ond, bygyr, Emma wnest ti ddodi dy hun yn y perygl mwyaf. Addo na wnei di ddim byd byrbwyll, na, gwneud dim byd o gwbl, heb adael i mi wybod yn gyntaf.'

'Alla i ddim gwneud hynny. Dwi wedi dysgu wrthot ti bod gweithio'n annibynnol yn ffordd arbennig o weithio o fewn tîm.'

'Touché. Ond dim stynts fel'na eto plis.'

Yfodd y ddau beth o'r gwin gyda Tom yn prosesu'r stori syfrdanol am anturiaethau Emma, ac yn teimlo'r rhyddhad rhyfeddaf ei bod hi yma. Ei bod hi gydag e.

Estynnodd i'w chofleidio a wnaeth hi ddim ymdrech i ymwrthod, ond yn hytrach suddo i'w freichiau fel petai'n deifio drwy ddŵr cynnes a doedd hi ddim am fod yn unrhyw le arall yn y byd y foment honno.

'Dwi mor falch bod ti yma,' meddai Freeman.

Doedd Tom Tom ddim yn gwybod beth i'w wneud, nid oedd yn gamstiar ar sefyllfaoedd fel hyn, yn enwedig oherwydd ei fod yn teimlo bod rhywbeth yn digwydd, y blaned yn shifftio ychydig bach oddi ar ei hechel, rhyw newid llwyr yn nhrefn pethau.

Tynnodd y ddau yn glosiach, tynnu i mewn i'w gilydd a dyma Freeman yn rhoi cusan hynod o dyner ar war Tom, a hynny'n arwydd, yn ganiatâd iddo yntau symud ei wefusau tuag at ei gwefusau hi a glynodd y ddau bâr at ei gilydd, gan ddechrau llithro a sugno. Roedd Tom yn diolch ei bod hi'n fyw ac wedi rhedeg allan o'r lle tywyll hwnnw ac Emma yn stryglo gyda'r tensiwn rhwng yr atgof am Terry a'r ffaith mai gwefusau dyn arall oedd yma nawr. Roedd gollwng Terry yn rhan o groesawu anwes Tom, ac yn ei chusan hi roedd mymryn o wên o rywle'n ddwfn tu mewn iddi yn cael ei sianelu i'w hwyneb, i'w bochau ac i'r gusan hir, oedd yn tyfu'n fwy nwydus. Roedd Tom wedi dechrau cusanu ei chlustiau a'i chorff, yn dymuno mwy, a'i gorff yn dechrau cynhyrfu.

Heb ddweud gair gafaelodd yn llaw Tom a'i arwain i'r ystafell wely. Trodd y ddau eu cefnau ar ei gilydd wrth ddiosg dillad gyda Tom Tom yn gwybod nad yw'n ddyn yn ei brifiant, y blynyddoedd o yfed trwm wedi creu rhimyn o fraster o gwmpas ei gorff, heb sôn am y bronnau lagyr a'r gwythiennau wedi'u chwythu fan hyn a fan acw. Slipiodd Emma dan y dwfe yn hapus, mor gyfan gwbl wahanol i'r noson o'r blaen.

Maen nhw'n dechrau o'r un man ag yr oedden nhw, Tom Tom yn cnoi clustiau Emma a hithau'n rolio tuag ato fel petai am i'w cyrff doddi'n un, a Tom yn gwthio'i hun yn ei herbyn. Pan mae'n symud i sugno ei bronnau mae ei thethi'n drwchus, yn sefyll yn browd ac mae mwynhad yn y rhythm o sugno, y rhythm sy'n dechrau tyfu rhwng y ddau, wrth i'w cyrff nyddu ac ymgyffwrdd.

Dyw Tom ddim yn cofio'n iawn sut i garu; mae wedi bod mor hir ers y cyfnod pan oedd yn meddwi a phopeth yn niwl a phethau'n digwydd ar lefel anifeilaidd, elfennol, heb emosiwn. Gwyddai Emma fod hyn yn iawn, yn hanfodol, yn rhan o rywbeth y byddai'n ei ddisgrifio fel ffawd. Eto roedd neithiwr yn teimlo fel rhywbeth oedd yn gorfod digwydd, hithau'n cwrdd â'i nemesis ac felly pam ddim dilyn hynny gyda chwrdd â chariad, cariad oedd yn dechrau anadlu'n gynt, a'i fryd ar fod rhwng ei choesau. Roedd yn anwesu ei gefn, yn gwasgu ei ysgwyddau gyda'i dwylo, yn wahoddiad iddo a dyma hi'n cynhesu, yn teimlo'i hangen yn cynyddu, rhythm fel fiolinau ym miwsig Stravinsky, yn adeiladu'n bwerus. Ond daeth Tom Tom yn rhy gyflym, o fewn munud, a dechrau ymddiheuro'n syth. Daliodd Emma ei ben a'i wasgu'n dynn a'i anwesu gyda'i geiriau, ond dechreuodd Tom Tom lefain gyda rhyddhad rhywiol ac oherwydd bod Emma bron â chael ei lladd y noson gynt ac mae hi mor anhygoel o fyw oddi tano, ei bronnau fel clustog ac yntau'n teimlo fel babi, neu ddyn canol oed yn diosg baich y blynyddoedd. Teimlodd Emma yn ei gusanu eto'n nwydus ac mae un peth yn arwain at y llall. Erbyn oriau mân y bore maen nhw'n gariadon profiadol a bydd y ddau'n dihuno i fore newydd, a bydd y golau yn fwy llachar.

17

Y cylch yn cwrdd

Nid yw'n ddiogel i drefnu hel y gwrachod at ei gilydd mewn unrhyw ffordd gonfensiynol, a ta p'un, fyddai neb yn disgwyl i wrachod gyfathrebu â'i gilydd mewn ffordd arferol. Yn y byd go iawn maen nhw'n bobl bwysig. Mae angen iddynt fynd o dan y radar, yn enwedig ar ôl i'r heddlu ddarganfod y corff wedi eu defod ddiwethaf, ac felly maen nhw wedi datblygu system annisgwyl o gydgysylltu. Bydd pitsa Margarita yn cael ei anfon i bawb union 24 awr cyn y cyfarfod, a bydd y cwmni sy'n delifro yn cael ei dalu ag arian parod ymlaen llaw gan ddyn sydd wedi cael cynnig hanner can punt am gymryd amlen yn llawn arian lawr i fwyty Pizza Sicilia – sy'n briodol iawn gan ystyried cysylltiad yr ynys honno â'r Maffia. Ond nid y Maffia yw'r rhain yn y gwisgoedd syber, ond aelodau o'r sefydliad, sy'n hoff o wisgo lan a throi at yr ochr dywyll.

Maen nhw wedi clywed bod Tomkins ar eu holau, ac mae'n rhaid iddynt symud yn gyflym, a bod yn hynod o ofalus.

Yn ystod y ddefod, mae'r dynion – oherwydd dim ond dynion sy'n cael bod yn aelodau o'r cylch – yn symud yn araf gan ddilyn y cloc, un cam i'r dde, oedi, yna cam arall. Mae eu mygydau'n sinistr, y llygaid yn slitiau creulon a'r tyllau ar gyfer y geg yn debyg i wên greulon Dr Mengele neu ryw ddiafol dynol fel hwnnw. Yn y canol saif y prif offeiriad, neu wrach, yn bwrw memrwn ar wyneb drwm bychan gydag asgwrn, y rhythm yn sicr ac yn gyson. Mae deunaw ohonynt i gyd, a phob un yn bwerus yn ei waith bob dydd, allan yn y gymdeithas, ond mae'r mygydau yn egalitaraidd, yn dod â phawb i'r un lefel.

Mae'r bît yn arafu ac yn arafu nes dod i stop ac mae'r rhai yn y prosesiwn yn rhewi yn yr unfan ac yna'n troi i wynebu calon y cylch lle mae'r prif wrach yn siarad drwy ddyfais sy'n newid ei lais, ei drin i swnio'n fetalig, yn robotaidd, ac wrth gwrs nid yw'n bosib gweld y gwefusau'n symud oherwydd y masg. Ond mae'r llais yn glir, yn bwerus, un sy'n disgwyl i bobl blygu, i foesymgrymu'n feddyliol gyda phob sillaf.

'Mae gan bawb ei ddyletswydd. I'w deulu, i'w wlad, i'r rhai sydd wedi tyngu llw i wasanaethu. Felly hefyd minnau, sy'n sefyll ger eich bron a dweud taw un o fy nyletswyddau pennaf yw i gadw ein brawdoliaeth yn ddiogel. A'r ffordd i wneud hynny yw cadw popeth yn gyfrin. Ond mae 'na fygythiad nawr, ar ôl i un o uchel swyddogion yr heddlu ddarganfod y corff, sy'n peryglu'n bodolaeth. Dwi'n gwybod bod un ohonoch chi'n gwybod rhywfaint am weithredoedd yr heddlu, gawn ni ddim dweud mwy na hynny ond... os oes unrhyw beth allwch chi'i wneud i, wel, i wneud i'r broblem yma ddiflannu, wel, bydd y frawdoliaeth yn ddiolchgar iawn. Ac fel mae pob un ohonoch yn gwybod rydyn ni'n diolch i bobl mewn ffyrdd arbennig, a dyw'r dyn treth byth yn gwybod.'

Swniai'r chwerthin yn rhyfedd iawn wrth iddo gael ei fygu gan y mygydau, nes eu bod nhw'n swnio fel pobl ar long yn suddo dan y tonnau.

'Ydy hynny'n glir?'

Yn lle cynnig ateb ar lafar cerddodd un o'r dynion ymlaen

heb yngan air a thynnu croes allan o'i boced a'i dal o'i flaen fel arwydd o ufudd-dod. Nid croes Gristnogol mo hon, ond yn hytrach croes oedd yn edrych fel petai wedi cael ei thoddi mewn tân.

'Da gweld bod gan un o'r llewod yn ein plith y math o ddewrder a phendantrwydd sydd ei angen. Diolch i chi, frawd. Mae'n beth da gwybod bod y frawdoliaeth yn medru amddiffyn ei hun heb orfod gofyn am gymorth o'r tu allan i'r cylch. Ond gawn ni fod yn hollol sicr. Mae angen cael gwared ar y Mr Tomkins yma, gwneud yn siŵr na fydd e'n gofyn unrhyw gwestiwn o nawr tan Ddydd y Farn. Felly'r hyn sydd ei angen yw marwolaeth *bendant* ac fel bod pob un ohonom yn rhan o'r penderfyniad ar y cyd ga i ofyn y cwestiwn yn glir i bob un ohonoch? Pwy sydd o blaid lladd Tomkins?'

Gyda hynny cododd pob un ei groes ddieflig o'i flaen gan gamu ymlaen, nes bod blaenau'r croesau yn cyffwrdd o amgylch y dyn yn y canol, ac yntau'n mwmian pethau fel 'Da iawn' a 'Gogoneddus benderfyniad' wrth i bawb nid yn unig gefnogi'r syniad ond hefyd sicrhau petai unrhyw un yn penderfynu gadael byddent yn gwneud hynny gan wybod y byddai aelodau'r cylch ar eu holau. Roedd hynny'n waeth na chael y cops ar eu holau.

Roedd tentaclau'r cylch yn ymestyn yn bell, ac yn treiddio'n ddwfn. Yn y cylch roedd ustus heddwch gyda deugain mlynedd o brofiad, plisman profiadol, cyfreithiwr ag enw da am gadw bobl ddrwg allan o'r carchar, perchennog nifer o dai yng Nghaerdydd a Chasnewydd, a chyn-gadfridog oedd yn bridio ceffylau drudfawr i'w gwerthu i bobl hynod gyfoethog yn y Dwyrain Canol. Safai yntau nesaf at un o wleidyddion amlyca'r genedl oedd wedi cyrraedd y statws hwnnw oherwydd gwerth y nodiadau o ddiolch roedd e wedi'u derbyn gan aelodau'r cylch. Llwyddodd y perchennog tai i gael caniatâd i adeiladu dwy fil o dai ar warchodfa natur ar gyrion Casnewydd a'r tir hwnnw yn dipyn rhatach na ddylai fod oherwydd bod aelod arall o'r cylch yn bennaeth Awdurdod Prisio Tir Cymru.

Yn anadlu'n drwm y tu ôl i'w fasg yntau roedd cadeirydd bwrdd iechyd oedd wedi sefydlu naw cwmni ffug ac yn medru anfonebu am ocsijen ac offer glanhau ar gyfer tair ar ddeg o ysbytai mawrion a hyd yn oed gwasanaeth nyrsus ffug dan ofal asiantaeth roedd ei wraig yn ei rhedeg. Da o beth, ar gyfer nifer o gynlluniau aelodau'r cylch, oedd bod dirprwy brif swyddog Adran Gynllunio Dinas Caerdydd yn sefyll yn eu plith. A phennaeth newydd Awdurdod Iechyd Cymru. Ond doedd yr un ohonyn nhw yn gwybod pwy oedd pwy, dim ond y dyn y y canol. Roedd ganddo sgiliau digamsyniol wrth lwgrwobrwyo, na fyddai neb yn medru darganfod, sef mynnu ffafr gan rywun am bris teg ond yna'n rhoi llond twll o ofn i'r person hwnnw er mwyn sicrhau na fyddai'n dweud siw na miw wrth yr un bod byw.

Pan mae'r cylch wedi chwalu mae'r prif wrach yn cerdded ar hyd llwybr hir sy'n sgleinio fel ôl malwen yng ngolau'r lleuad ar gyfer ei ail gyfarfod cyfrin y noson honno. Tra bod aelodau'r cylch yn tybio taw'r wrach yn y canol sy'n rheoli pethau, mae e'n gwybod ei fod megis lifar yn gwneud i'r peiriant weithio ond nid fe yw'r un sydd wedi ei adeiladu nac yn berchen arno. Ond pan mae rhywun yn gweld beth mae aelodau'r cylch wedi'i wneud a'i weld drwy'r slitiau yn eu mygydau – yr aberthu, yr ager yn codi oddi ar bentwr o berfeddion dynol sydd newydd fwrw'r pridd – wel byddai hynny'n werth crocbris i rywun sy'n gwybod sut i droi gwybodaeth yn fygythiad. Nid bod y dyn sy'n sefyll mewn cot law ddrudfawr yn smocio ar erchwyn llannerch unig yn mynd i werthu'r wybodaeth, na bradychu ei gyfeillion pwerus ond mae'r ffaith ei fod yn gwybod, a taw fe'n unig sydd yn gwybod, yn arf mor bwerus â bom, yn medru chwythu bywyd rhywun yn gyrbibion mewn eiliad. Un e-bost i'r person iawn a byddai hwn a hwn yn mynd dan glo yn syth. Dim un aelod o'r teulu yn dod i ymweld, oherwydd pwy sydd am gyfaddef ei fod yn perthyn i dyst i weithgareddau ofnadwy.

Mae'r prif wrach yn cwrdd â'r dyn yn y cysgodion.

'Iawn?'

'Iawn. Pawb wedi mynd?'

''Nôl i normal, os oes y fath beth mewn cylch o aelodau damniedig.'

'Damniedig? Sut? Byddwn i'n dweud breintiedig nid damniedig. Sawl drws sy'n agor oherwydd eich bod yn aelod o'r cylch? Pa fath o ffafrau sydd ar gael? Beth yw gwerth ariannol bod yn aelod? Ydych chi wedi clywed am y cerdyn du, y cerdyn chwedlonol hwnnw sy'n caniatáu i rywun fynd i bartïon yr uber cyfoethog ar draws y byd? Rio. Mustique. Davos. Mae'r clwb yma yr un peth, mae'n egscliwsif iawn.'

'Mae gennych job imi?'

'O, oes, job a hanner.'

'Lladd?'

'Lladd. A llosgi. Oherwydd dwi am i chi fwynhau'ch gwaith…'

18

Ysbïo

DYFALU WNAETH PC Stephen Bailey pam ei fod wedi cael galwad i weld DCI Tomkins, fod a wnelo hyn rywbeth â phan oedd e'n gwarchod y cylch dieflig, lle roedd rhyw fath o ddefod wedi bod. Ond roedd e wedi cynnig pob sgrapyn o wybodaeth oedd ganddo'r tro hwnnw, gan gyffesu hefyd nad oedd e'n cofio rhif y fan wen ymddangosodd ddwy waith wrth iddo sefyll yno ynghanol nunlle, yn gwneud dim byd ond cadw golwg ar hewl anghysbell, droellog. Cofiai sut roedd y gwynt yn sisial drwy'r mieri, gan wneud iddo deimlo'n nerfus, yn ddigon i godi cryd. Nid ei fod yn credu mewn bwganod, nac mewn gwrachod ond roedd y tir anial hwn, gyda chorstir yn llawn dŵr asid a chorachod o goed wedi'u crymanu gan wyntoedd a oedd yn helpu'r dychymyg i ffrwydro'n rhemp, yn addurniadau ar gyfer byd o ofn. Gallai pethau gwael iawn ddigwydd mewn llefydd fel hyn.

Mae cynnwrf yn y pencadlys, ar ganol llanast clirio ac addasu hen siop James Howell, oherwydd mae pla o ymladd â chyllyll wedi lledu yn ne Cymru, a'r llofruddiaethau'n pentyrru – dau yng Nghasnewydd, pedwar yng Nghaerdydd ac un gŵr yn ei bedwar degau yn gorwedd yn yr uned ddwys yn Ysbyty Treforus ar ôl iddo geisio tawelu ffeit yn Townhill, Abertawe. Anodd oedd plismona gyda hyn oll yn digwydd ac roedd yn straen a hanner ar adnoddau. Mae Bailey'n gorfod gwisgo siaced Kevlar wrth gerdded y strydoedd, lle mae ymosodiadau gyda chyllyll wedi digwydd yn barod – a rhaid iddynt gerdded nid mewn parau ond fesul tri bellach. Rhaid i Tomkins fynd i gyfarfod ynglŷn â hyn yn yr hen bencadlys, lle mae pethau'n fwy o siop siafins hyd yn oed. Pen-y-bont i Gaerdydd, yna'n ôl – dyna fydd hi am sbel, decini.

Cwch gwenyn oedd yr hen le yn gyffredinol, gyda phawb yn dechrau paratoi i adael. Gallai'r ffôrs safio ffortiwn drwy symud cyn bod les newydd yn dechrau, a'r cyfryngau'n amcangyfrif y gallent roi miloedd yn fwy o blismyn ar y stryd yn sgil yr arbedion. Ac roedd gwir angen hynny, nawr bod y pla o drywanu gyda chyllyll wedi lledaenu o Lundain i ddinasoedd Cymru, heb sôn am gyflwr bregus yr economi a chyllideb yr heddlu dan bwysau cynyddol. A'r llofruddiaethau. A'r plant yn cael eu cipio oddi ar y stryd. Diolch byth eu bod wedi dod o hyd i Peter bach cyn i rywbeth gwael, y tu hwnt i ddirnad dyn, ddigwydd iddo. Y tro hwn byddai Max Stephens yn y carchar hyd nes iddo drigo yno.

Cyllyll. Mewn un diwrnod yn unig roedd tri dyn ifanc wedi eu lladd yn ne Llundain gan gangiau'n cynnwys hyd at ddwsin o fois ifanc, a phob un o'r rheini'n arfog, o dan effaith cyffuriau neu alcohol, yn teimlo'n grac â'r byd, ac yn methu'n deg â ffrwyno'r anhapusrwydd am y diffygion yn eu bywydau, yn enwedig diffyg arian. Roedd y rapwyr yn eu clustiau yn canu am arian, a cheir cyflym, a menywod a bywyd oedd yn ddiarth i bob un ohonynt, er eu bod yn gwisgo digon o bling i gystadlu â Tutankhamun ac yn gwario hynny o bres oedd ganddynt ar ddillad *designer* a threinyrs-costio-ffortiwn nes eu bod yn edrych fel llwyth egsotig oedd yn addoli cyfalafiaeth ac yn byw yn Bed Sty neu Compton, LA, nid yn Brynmenyn neu Rhisga. A'r inc i gyd! Pob aelod o bob gang yn arddangos tatŵs – portreadau o'u plant neu eu hunain ar gefn eu coesau, enwau cariadon ar eu breichiau, delweddau cymhleth yn ymwneud â bod yn driw i glybiau pêl-droed, cymeriadau o ffilmiau Marvel, neu banoramas Gothig yn llawn slumod a phenglogau ac ambell gastell hyd yn oed. Roedd hyn yn wahanol iawn i'r anffodusion di-waith, digyfeiriad a diobaith, oedd yn treulio'u bywydau'n dwyn ceir, smocio sbliffs, ymladd, rhegi, yfed, dwyn eiddo, smocio mwy o sbliffs ac yn drwgdybio pawb y tu allan i'r gang. Gwyddai Bailey hyn i gyd oherwydd dyna oedd ei arbenigedd, gan ei fod wedi bod yn astudio'r gangiau er mwyn helpu datblygu strategaeth newydd i ddelio â throseddau cyllyll.

Eisteddodd Bailey y tu allan i swyddfa Tomkins am hanner awr gan glywed lleisiau'n codi'n uwch ac yn uwch y tu fewn, rhyw ddadl ffyrnig yn datblygu. Ond roedd y drws yn rhy drwchus i glywed geiriau'n glir, ond roedd yn anodd cysoni'r rhuo â'r dyn addfwyn roedd Bailey wedi cwrdd wrth warchod y cylch. Eto roedd tensiynau newydd ymhobman, ymhob twll a chwr a chornel o gymdeithas. Edrychodd ar ei ffôn i weld a oedd hi'n mynd i fod yn dywydd seiclo dros y penwythnos. Dyna oedd ei ffordd o ddelio gyda baich ei waith, y teimlad nad oedd yn was ffyddlon i gyfraith a threfn. O'r diwedd agorwyd y drws, ond roedd y dyn arall, y llais arall, wedi diflannu drwy ddrws arall.

'Flin eich cadw chi,' meddai Tomkins gan estyn ei law. Edrychodd fel petai wedi colli'r ddadl gyda pwy bynnag oedd yn ei ystafell. Allai Bailey ddim dychmygu cwympo mas gyda chyd-weithiwr yn y fath ffordd.

'Alla i ddim cynnig coffi neu de oherwydd mae'r tegell wedi

ei bacio ac mae'r cantîn ar gau oherwydd llygod. Mae'n nyts 'ma ar y foment...'

Ar y gair rhuthrodd menyw i fewn, yn tasgu geiriau.

'Ma nhw wedi dod o hyd i ddeunydd wrth y cylch, syr.'

Ddeuddydd yn ôl mynnodd Tomkins anfon dau dîm o fforensics i ailedrych ar y cylch ac roedden nhw wedi bod yn gweithio yno am wythnos gyfan bellach, heb ddim i'w adrodd 'nôl ar ddiwedd bob dydd. Tan heddiw. Mae'n debyg eu bod nhw wedi dod o hyd i le parcio ar gyfer tri char, bron ddwy filltir o'r cylch ei hun, gyda llwybr caregog yn cysylltu'r ddau. Ond roedd y lle parcio yn fonansa, mae'n debyg. Dyna oedd byrdwn neges PC Schimdt, oedd yn gwenu o wybod bod newyddion da yn dal yn bosib hyd yn oed nawr, pan oedd y byd yn cwympo'n rhacs.

'Reit 'te Bailey, beth am i ni siarad yn y car?'

'Dwi fod 'nôl i weithio shifft, syr...'

'Ma hynny wedi ei sortio. Ges i air 'da pennaeth y sgwod yn gynharach. Ma angen dy help arna i.'

Doedd gan y PC druan ddim amser i bendroni oherwydd roedd Tomkins ar ras tua'r drws yn barod, a char yn disgwyl amdano ymhlith y fflyd o faniau symud a'r pandemoniwm o gerbydau eraill, ynghyd â phobl yn cario bocsys a hyd yn oed un lleidr oedd newydd gael ei ddal yn dwyn beic modur yn llwyddo i gerdded mas o'r lle heb i neb ofyn dim oherwydd y dryswch a'r prysurdeb a'r cynnwrf. Roedden nhw ar eu ffordd yn ôl i'r cylch dieflig lle roedd Bailey wedi sefyll am ddyddiau, wythnosau ynghynt, ac wedi methu nodi rhifau fan ddaeth ar hyd y lôn unig. Ond ni ddywedwyd dim am y methiant yma. Dim gair.

'Bu hyd at chwech, falle saith o bobl yn y ddefod, a phob un yn nabod ein llofrudd wrth ei enw go iawn. Wel, dyna'r ddamcaniaeth o leiaf. Ond beth sy'n fwy atyniadol fel theori yw bod rhai wedi gweld y lladd, wedi gofyn am fod yno.'

'Sut y'n ni'n gwbod hyn am ddyn sydd wedi marw?'

'Ry'n ni wedi cael gwybodaeth. Wrth rywun mor uchel mewn cymdeithas fel 'mod i ddim yn cal gwybod pwy yw e.'

'Y teulu brenhinol efallai?'

'Rwyt ti'n dweud hynny gyda thafod mewn boch, ond mae'n bosib. Dyma'r ddamcaniaeth. Roedd y criw yma'n nabod ei gilydd yn barod, ar lefel broffesiynol neu oherwydd eu bod yn rhannu'r hobi dieflig yma.'

'Gwisgo lan a watsio pobl yn marw, y math hynny o hobi.'

'Mae'r Seiri Rhyddion yn un lle i edrych, oherwydd maen nhw'n gyfrin, er eu bod nhw'n ceisio bod yn fwy agored, ac maen nhw'n cael eu trefnu'n aml yn ôl eu gwaith. Felly gewch chi Lodge ar gyfer barnwyr, un arall ar gyfer yr heddlu, ffordd o dynnu pobl at ei gilydd i helpu un arall. Ac mae'n debyg bod strwythur y peth yn meddwl bod Dug Caeredin ei hunan ddim yn agos at fod ar dop y goeden. Mae 'na nifer o bobl eraill sy'n fwy dylanwadol. Mae 33 gradd o seiri rhyddion ac mae'n debyg bod y Tywysog Phillip rhywle o gwmpas yr ugeinfed gradd. Pwy a ŵyr pwy sy'n uwch nag e!'

'Oes ganddyn nhw bŵer, syr?'

'Mae ganddyn nhw ddylanwad yn bendant.'

Erbyn hyn roedd y ddau wedi cyrraedd y man parcio ac roedd golwg hapus iawn ar wynebau'r bois oedd ar eu pengliniau'n chwilio ac yn gyflym iawn gwelodd Tomkins olion sigarennau, a fyddai'n meddwl DNA o'r poer oedd wedi sychu yno.

'Ody Harry Tyres wedi cyrraedd eto?'

Roedd Harry Parker yn arbenigwr ar deiars, ac yn medru dyfalu gymaint am geir dim ond iddo weld printiau teiar mewn mwd, neu bridd meddal. Dywedwyd un stori amdano ei fod wedi llwyddo i weithio mas lliw Citroen Cactus o weld y printiau – y lliw, gredwch chi fyth! Ond dyfalu oedd Harry, ffliwc o ateb i gwestiwn hurt.

Cerddai Harry yn synfyfyriol o gwmpas y lle, gan fesur hyn a'r llall, a gwthio darn bach o bren lolipop i'r pridd i fesur dyfnder y marciau.

'Howdy, Tomkins. Clywed bo' chi'n edrych am y Wicked Witch of the East a'i chyfeillion.'

'Shwt wyt ti, Harry? Heb dy weld am sbel hir. Oes gen ti rywbeth defnyddiol i'w rannu, heblaw gags gwan?'

'Pump car, dau o'r rheini'n 4 X 4, sef un Discovery ac un Range Rover. Dau gar arall, cerbydau dipyn llai ac un…'

Camodd Harry ymlaen er mwyn sibrwd yr wybodaeth, ond mynnodd Tomkins ei fod yn siarad o flaen Bailey.

'Dyma'r peth… ac un car heddlu.'

'Iesu! Odych chi'n siŵr?'

'Ry'n ni'n tago pob teiar dyddiau 'ma, yn yr un ffordd ag y'n ni'n rhoi rhif i bob un ar y to. Mae'n gwneud pethau'n haws os oes damwain neu rywbeth.'

'Felly gallwch chi weud yn union pwy oedd yn gyrru'r car 'ma. Iesu gwyn, mae hyn yn anhygoel! Mae'r byd wedi mynd yn gyfan gwbl blydi nyts. Faint o amser fydd hyn yn cymryd… i gael yr wybodaeth?'

'O, pum munud ar ôl cyrraedd y ddesg.'

'Allwch chi ffonio fi'n syth?'

'Wrth gwrs.'

'A Harry, allwch chi wneud yn siŵr fod hyn yn gyfrinachol? Dwi ddim yn lico gofyn hyn ond…'

'Mae cawod o gachu ar fin cwmpo yn rhywle agos iawn, dybia i.'

Winciodd Harry cyn cerdded bant.

'Nawr 'te, Bailey, dwi am esbonio ambell beth i chi. Fydd enw'r gyrrwr ddim yn newyddion i mi oherwydd dwi wedi bod yn amau'n hir. Daniels. A fe yw'r rheswm dwi am i chi ymuno â ni. Dwi am i chi weithio gydag e ac adrodd yn ôl yn syth i fi.'

Gwawriodd dealltwriaeth.

'*Undercover*, chi'n feddwl, ysbïo ar un o fy nghyd-weithwyr.'

'Yn union. Dim ond chi a fi fydd yn gwybod.'

'Ac os ga i 'nal bydda i'n gorfod gwadu popeth. Fel yn ffilms James Bond.'

'Gwd boi. Ry'ch chi'n dysgu'n gyflym. Meddyliwch am y peth. Rhowch ateb i mi yn y bore.'

'Ody Daniels yn beryglus?'

'Dyw e ddim ar ein hochr ni, weda i gymaint â hynny. Ond ydy, mae'n beryglus iawn. Felly meddyliwch yn galed cyn rhoi ateb. Er taw "ie" yw'r ateb cywir.'

19

Seren dywyll

O S OEDD NERFUSRWYDD yn debyg i losgfynydd gallai Bailey ffrwydro'n gwmwl o fwg a thân yn ddigon i orchuddio'r haul. Byddai dechrau swydd newydd, gan adael iwnifform ar ôl, yn ddigon o newid, ond roedd ymuno â'r sgwad yma o dditectifs gyda'r dasg arbennig gyfrin oedd ganddo, yn bwysau mawr iawn ar ysgwyddau ifanc. Ychydig ddyddiau yn ôl roedd mewn *briefing* ar gyfer plismona Brwydr y Bandiau ym Mharc Ynys Angharad ym Mhontypridd, a'r sialens o geisio cadw trefn ar dorf enfawr yn llawn alcohol a chyffuriau heb orfod arestio pobl ac ymyrryd â hwyl y digwyddiad yn teimlo'n hynod *mundane*. A nawr? Nawr roedd e'n snitsh, yn gweithio gyda copar o'r enw Daniels er mwyn cadw llygad arno, ac adrodd yn ôl yn uniongyrchol i Tomkins, oedd yn teimlo fel troedio tir peryglus ar y naw, fel camu mas ar iâ tenau ar lyn ganol gaeaf. Pan gerddodd i mewn i'r swyddfa y peth cyntaf nododd oedd gwynt llosgi o'r llawr nesaf cyn iddo hefyd sylweddoli taw fe oedd seren y sioe a phawb yn disgwyl ffrae wrth iddo gyflwyno'i hunan i'w bartner newydd am y tro cyntaf.

'Bailey?' gofynnodd Daniels, heb godi ei ben, fel petai cwrteisi yn anodd iddo, yn rhy drwm. Roedd gan Daniels enw am fod yn swrth ac yn lletchwith, felly nid oedd yr ymddygiad yma'n annisgwyl ond roedd ei eiriau nesaf yn sicr yn gwneud i Bailey deimlo'n od.

'Ditectif ydw i, nid *wet nurse*, felly paid disgwyl gofyn hyn a hyn i fi drwy'r amser a gobeithio sugno'r holl flynyddoedd o brofiad sydd yn yr esgyrn yma fel rhyw ffycin fampeir ac wedyn symud mlaen, a chamu'n uwch na minnau yn y ffôrs oherwydd bod gen ti radd o rywle swanci fel Oxford neu Cambridge...'

'Ab-er-yst-wyth,' meddai Bailey, ei lais yn crynu'r sillafau'n rhydd o'r gadwyn.

'Sdim ots 'da fi,' atebodd Daniels, yn swrth fel cadno â draenen yn ei bawen. 'Dwi ddim yn becso dam p'un ffycin coleg ti wedi... beth yw'r gair... mynychu. Gwranda, Sunshine, does gen i ddim gradd na ffyc ôl, ond ma gen i syniad sut mae pethau'n gwitho ar y stryd a phwy yw'r bois drwg a phwy yw'r rhai gwaeth. Bydd hynna'n rhywbeth fydd yn rhaid i ti ddysgu'r *hard way*, nid drwy gael Daniels i ddweud 'thot ti. Wnes i ddim gofyn am bartner newydd ond mae'n arferol i weithio mewn pâr, felly galli di ddod mas 'da fi ond i ti gadw dy geg ar gau'n dynn a gadael i *pro* fel fi wneud pethau yn y ffordd mae *pro* yn gorfod gwneud. *Capice?*'

Mae Bailey wedi bod yn sefyll yn stond yn ystod y bregeth filain, heriol hon, ond mae'n deall digon i wybod bod yn rhaid iddo herio'r ffycwit yma nawr neu mi fyddai'n troi'n fat llawr dan ei draed o hyn ymlaen. Rhaid iddo ddweud rhywbeth i newid y balans pŵer ychydig bach. Felly cliriodd ei lwnc cyn edrych i fyw llygaid Daniels a dweud:

'Sgen i ddim dy ofn di mwy na sydd gen i ofn baw ci.'

'Dewr, whare teg! Dewr a stiwpid yn yr un anadl.'

'Er mwyn ymuno â'r Uned a chael dyrchafiad ma'n rhaid gweithio 'da rhywun, a ti yw'r partner ges i. Dwi ddim am fod mewn iwnifform am byth felly os taw gwitho 'da ti yw'r gost am hynny fe wna i gnoi 'nhafod, a chloi fy ffroenau i gael gwared ar y drewdod.'

Edrychodd Bailey ar Daniels, y sgwarnog yn llygadu'r blaidd, yn wyliadwrus o bob symudiad, y llygaid piniau duon yn cadw golwg ar y gwddf yn symud, yn barod i osgoi'r dannedd cryfion, clamp yr ên. Barclay yn gwylio Daniels, yn aros am y gwenwyn. Y gyllell yn troi.

Ond roedd Daniels yn prosesu haerllugrwydd y crwt. Bu cyfnod pan fyddai'r fath o her yn ei lorio, bron, oherwydd roedd 'na gyfnod pan oedd yn ddyn bonheddig, yn egwyddorol, cyn ei fod yn cael ei hudo i chwennych arian a mwy o arian fel gwyfyn i olau lamp. Plod ifanc, newydd adael ei iwnifform, fel mae babi'n gadael ei gewynnau, yn ei herio fe, Daniels.

Cerddodd DI Freeman heibio, gan godi llaw ar y ddau. Oedodd Daniels cyn siarad, yna poerodd y geiriau nesaf yn filain dawel.

'Dyna dy gadair, a dyna dy ddesg. Ond ga i ddweud hyn – bydda'n ofalus iawn o nawr ymlaen. Watsia dy gefn achos ma rhywun slei yn gallu slipo'r gyllell. Paid dringo rhywbeth uchel rhag ofn i rywun roi hwp bach i ti. Ac os wyt ti'n meddwl odw i'n clywed plisman yn fy mygwth, wel, ydw yw'r ateb. Watsia mas, lili wen fach. Reit 'te, ma 'da ni waith i neud prynhawn 'ma, drws i ddrws rownd llefydd bwyta. Dyma hanner y rhestr i ti. Yn anffodus dwi'n mynd i orfod dechrau gyda'r Riverside Chinese, oherwydd ma' nhw yn fy adnabod i fan'na, a dwi'n ffond o ginio hir, pedwar neu bump cwrs, a chwpwl o Tsing Tsaos oer i olchi pethau lawr, ac ar ôl hynny, cip bach yn y car. Felly os na wna i fy siâr, efallai galli di wneud fy rhan i hefyd. Hapus i fod yn gweithio gyda ti, bartner... hyd yn oed os bydd y bartneriaeth yn un fyr, dros dro. Pam fi sy'n gorfod gweithio gyda'r ffycwits i gyd?'

Edrychodd ar Bailey fel petai am ei weld yn disgyn o fan uchel. Yn aros am y glec. Corff yn bwrw concrit fel sach blastig yn llawn dŵr.

'Alli di ddreifo'r car, Plod? Dwi'n mynd i fod yn yfed.'

Edrychodd Barclay ar gefn Daniels yn diflannu a wyddai ddim yn union beth fyddai wedi'i wneud petai ganddo gyllell hir yn ei law ar yr union eiliad honno.

20

Ymchwiliadau

EI GÌG CYNTAF fel ditectif ac mae Bailey yn dechrau gyda thri o'r colegau lle maen nhw'n dysgu sgiliau coginio. Mae rhywun wedi sgrifennu nodyn ynglŷn â'r cwestiynau sylfaenol mae'n rhaid iddo ofyn, gan ei fod yn chwilio am ddau beth – person sydd wedi diflannu, a rhywun allai gael ei gynnwys ar restr o bobl dan amheuaeth. Nid yw cadw'r ddau ar wahân yn hawdd yn ei feddwl, a theimla fel ffŵl. Heb ei iwnifform mae'n teimlo fel petai wedi colli awdurdod, ac mae'r ffaith ei fod yn gorfod esbonio ei fod yn yr heddlu, yn hytrach na bod yr iwnifform yn bloeddio'r ffaith, yn deimlad rhyfedd.

Yn y coleg trydyddol mae'r dyn yn y dderbynfa mor ecseited ynglŷn â'r ffaith bod ditectif wedi troi lan nes ei fod yn methu siarad yn glir gyda rhywun yn swyddfa'r pennaeth. Nid oes rhaid i Bailey ddisgwyl yn hir gan fod gŵr ifanc yn brasgamu i mewn ac yn cynnig ei law, gan esbonio taw fe yw ysgrifennydd y pennaeth, Dr Blunkett, sydd ar ei ffordd lan o ddarlith. Cynigia Ifan Evans baned o goffi i Bailey a dechrau gofyn cwestiwn ar ôl cwestiwn ond mae'n amlwg fod pob ateb yn ei siomi. Mae'r ditectif ar ei job gyntaf, felly does ganddo ddim llu o straeon difyr i'w hadrodd ac mae'r ffaith ei fod yn ymddangos bron yn swil ddim yn cyd-fynd â'r syniad sydd gan Evans o dditectif. Nid yw'r creadur o'i flaen mor ecsentrig â Holmes, nac mor tyff ag un o greadigaethau Raymond Chandler. Yn wir, creda Evans y gallai wneud gwell job o smalio bod yn dditectif ei hunan. Mae ei siaced yn rhy, wel, yn rhy gyffredin, falle o M&S, sydd dim yn edrychiad da. Rhywbeth lledr fyddai orau, gyda choler i'w droi i fyny yn erbyn y gwynt wrth gynnau sigarét. Mae Evans yn llyncu ffilmiau a llyfrau trosedd.

'A beth am eich cyfnod mewn iwnifform? Weithioch chi ar unrhyw lofruddiaethau?'

Dechreuodd Bailey adrodd stori, yr unig stori ddiddorol oedd ganddo, er ei bod yn fwy na digon i ddiwallu angen yr ysgrifennydd ifanc am hanes y gallai ei ailadrodd yn y City Arms ar ei ffordd adref heno.

'O'n i yng nghanol fy nghyfnod prawf pan es i ac un arall i ateb galwad frys yn Resolfen. Roedd menyw wedi ffonio i ddweud bod dyn yn bygwth lladd ei wraig yn y tŷ drws nesaf ond un, ac yn awgrymu bod hanes o drais ar yr aelwyd. Saethon ni i lawr hewl Heads of the Valleys a fi oedd yn gyrru ac er ein bod ni'n glwm i reolau'r hewl, fel pawb arall, mae 'na amgylchiadau pan mae angen gyrru fel cath i gythraul. Roedd yr adrenalin yn llifo, alla i ddweud 'thoch chi. Roedd Abson, y plisman oedd gyda fi, wedi cau ei lygaid am ei fod e'n teimlo'n sic. Ond pan y'ch chi'n gyrru dros gan milltir yr awr mae'r pellter rhwng Hirwaun a Resolfen yn toddi, yn ddim byd. Roedd y fenyw ffoniodd y 999 yn sefyll tu allan i'r tŷ lle roedd y trwbl, ynghyd â dwy neu dair o'i chymdogion ofnus. Roedd sŵn sgrechian ofnadwy, a synau pethau'n cael eu taflu, a dyma Abson yn cerdded yn syth at y drws ffrynt a minnau'n ei ddilyn. Dyma Abson yn hemo'n galed ar y drws a gweiddi, "Heddlu!" ond wnaeth e ddim iot o wahaniaeth. Felly, dyma ni'n penderfynu torri gwydr y drws ffrynt er mwyn cyrraedd y latsh, ac wrth i ni agor y drws dyma gi gwyllt, Staffi cyhyrog, yn bwrw Abson i'r llawr ac yn dechrau ei gnoi yn ffyrnig o gwmpas ei stumog. Wel, bu'n rhaid i fi roi *taser* ar gefn penglog y ci gan weddïo na fyddwn i'n rhoi sioc i Abson hefyd. Ond doedd dim amser i boeni gormod oherwydd roedd dyn wedi dod i ben y grisiau gyda golwg hollol boncyrs yn ei lygaid a *machete* yn ei law! *Machete*! Ac yn y llaw arall roedd rhywbeth oedd yn edrych fel wig. "Be ffyc ti wedi neud i Rex?" gofynnodd y boi, gan gamu i lawr y grisiau gyda'r *machete*'n dynn yn ei law, ac yn gwneud symudiadau bach heriol, fel tase fe'n torri ei ffordd yn araf tuag ata i. Erbyn hyn roedd Abson wedi dechrau gwichian mewn poen ac yn ceisio symud o dan bwysau'r ci, a'r ffycin ci, maddeuwch fy iaith, yn edrych yn fwy marw na diymadferth. Ond doedd gen i ddim amser i wneud dim am y ci na fy nghyfaill oherwydd roedd y dyn yn sefyll mor agos i fi ag y'ch chi ar y foment, a'i *machete* yn anwesu fy ngwddf, bron yn dyner, ond hefyd yn y ffordd fwyaf maleisus allwch chi ddychmygu. Dyma beth ddwedodd e…

"Nawr 'te, *shitbag*, beth sy'n digwydd i gachgi o gop sy'n dod mewn i gartref rhywun ac yn lladd ei ffycin gi? Oes gen ti unrhyw syniad sut dwi'n teimlo ar y foment? Ma whant arna i dorri dy ben di bant ond dwi'n gwybod bod y cops erill ddim yn bell, felly wna i weud 'thot ti beth dwi'n fodlon neud. Cerdda di mas a llusgo'r darn arall o gach 'ma mas 'da ti a falle wna i adael i ti neud hynny gyda dy ben yn dal ar dy ysgwyddau. Ocê, ffyc off!"

'Ond o'n i'n methu, oherwydd roedd rhywun arall yn tŷ, felly dyma fi'n dweud wrtho fe, "Alla i ddim neud hynny, syr. Oes rhywun arall yn y tŷ, ac angen help?" a chyda hynny dyma fe'n gwawrio arna i beth oedd y dyn yn dal yn ei law arall. Sgalp. A gwallt yn glynu wrth groen oedd yn dew 'da gwaed a dyma fe'n ateb fy nghwestiwn drwy adael i'r *machete* gwympo mewn *slow motion* a chodi'r sgalp gwaedlyd gyda'i law chwith a'i ddal e lan yn browd tase fe'n dangos troffi hela.'

Mae'r ditectif newydd yn mwynhau adrodd y stori, gyda'i gynulleidfa un dyn wedi ei swyno'n llwyr gan y geiriau.

'Ond wnaeth y dyn ddim dweud gair arall oherwydd dyma fe'n dechrau llefain, ac wedyn yn dechrau udo, gyda sŵn annaearol yn llenwi'r cyntedd bach. Cyrhaeddodd y bac-yp, a thri boi yn rhedeg a gwthio'r dyn i'r llawr tra bod un ohonyn nhw'n camu lan y grisiau i fod y llygad-dyst cyntaf i'r gyflafan. Roedd y dyn wedi mynd yn hollol nyts gyda'r *machete* ac roedd y patholegydd wedi cyfrif ei bod hi wedi cael ei thrywanu tri deg un o weithiau a'r llygad-dyst cyntaf wedi gorfod gadael gwaith am fisoedd ac yn dioddef PTSD ac yn cael therapi. Y peth rhyfedd oedd fy mod i wedi cael cyfle i adael y tŷ ond wnes i ddim, ac es i lan llofft i weld drostaf fy hunan. Tra bod y paramedics yn trin Abson, roedd plisman tew yn adrodd, "Mae'n rhy hwyr" drosodd a throsodd fel tiwn gron. Roedd y wraig wedi dechrau gweld rhywun arall ac roedd rhaid i'r gŵr wneud yn siŵr nad oedd hi'n ei weld e byth 'to. Ac erbyn hynny roedd dyn yn rhoi ci marw mewn i fag rwber er mwyn cludo'r corff o'r lle heb ffys ac o'r diwedd dyma fi'n cerdded i'r ystafell wely. Roedd y papur wal yn binc, fel petai newydd gael ei beintio gyda gwaed, fel darn o gelf modern. A weda i 'thoch chi, Mr Evans, dim ond un gair oedd yn esbonio beth roedd e wedi'i wneud. Bwtsiera. Roedd Gary Phipps, 3, Penwddig Road, Resolfen wedi bwtsiera ei wraig, ei thorri'n ddarnau mân fel mins. A bydd yn edifar nes ei anadl olaf.'

Edrychai Evans yn gegrwth ar y plisman ifanc oherwydd roedd e wedi darllen am yr achos hwn, a gweld yr adroddiadau ar y teledu gyda menyw o *Wales Today* yn sefyll y tu allan i'r tŷ gyda meicroffon yn ei llaw a thâp rhybudd yr heddlu yn fflapan yn y gwynt y tu ôl iddi ond dim ond fersiwn wedi ei saniteiddio roedd y cyfryngau'n cyflwyno o'r stori hon.

'Shwt wnaethoch chi ddelio 'da hynny? Dwi ddim yn credu gallwn i gysgu'r nos 'se rhywbeth fel'na'n digwydd i fi.'

''Nes i ddim cysgu'n dda am fisoedd, ac mae e'n dal i 'nhrwblu i o bryd i'w gilydd. Mae e'r math o bictiwr sy'n anodd colli o'ch pen. Roedd hi'n fam i ddau o blant a'r rheini wedi gweld pethau ofnadwy, mae'n debyg, am flynyddoedd, gwasanaethau cymdeithasol yn ymwybodol o bethau ond bod y fam a'r tad yn dda iawn am guddio'r gwir, yn esbonio'r cleisiau, neu absenoldeb y plant o'r ysgol.'

'Gafodd e sbel hir yn y carchar, yn do?'

'Digon hir. A dyw bywyd yn y carchar ddim yn garedig i rywun sydd wedi niweidio plant, neu guro menyw. Dim ond paedoffiliaid sy'n ei chael hi'n waeth o fewn y pedair wal. Bydd Phipps yn byw mewn ofn, hyd yn oed yn ei gell, oherwydd bydd pobl yn medru trefnu pwy sy'n dod i rhannu'r gell ag e, a gwneud yn siŵr bod pethau ofnadwy yn y basen fwyd o'i flaen e amser brecwast. A gwae iddo fynd i'r gawod oherwydd man a man iddo gael tatŵ enfawr 'Sex Toy' ar ei dalcen. Dyna fydd e i bawb – tegan ar gyfer y seicos sydd heb gael rhyw ers misoedd, ac eraill yn ei ddyrnu'n galed oherwydd bod eu bywydau nhw'n fwy ffycd-yp, tra bydd ambell un yn fwy systematig, ac yn ei fwrw tri deg un o weithiau, sef y nifer o weithiau drywanodd e'i wraig. Mae'n dweud yn y Beibl, llygad am lygad. Bydd Phipps wedyn yn dewis gwella yn y ward fach yng nghefn y carchar, lle dyw ei blant byth yn ymweld ag e, lle does neb o gwbl yn ymweld, nac yn dymuno'n dda iddo. Do, gafodd e sbel hir yn y carchar. Mae e yno o hyd.'

21

Mynyddoedd diarffordd

N ID YW TRIGOLION y pentrefi diarffordd wedi gweld prosesiwn cyffelyb yn eu bywydau. Car crand ar ôl car crand yn sgrialu ar hyd hewlydd cul a charegog, sydd gan amlaf yn cael eu llenwi gan eifr yn naddu'r ochrau ar eu ffordd i lawr i'r dyffrynnoedd. Maen nhw'n gwybod i beidio ag edrych yn rhy ofalus, i droi hanner boch, ond sdim lot o ddim byd yn digwydd mewn llefydd megis Melove a Ujanik. Felly mae hanner syllu ar y ras wyllt yma o geir drud yn well na gwylio ffilm mewn sinema, yn enwedig i bobl sydd erioed wedi gweld sinema, ac ambell un o'r hen fugeiliaid sydd heb weld car o'r blaen, dim ond clywed si am y fath beth. Gellid byw yn y lle hwn heb weld arwydd o'r ugeinfed ganrif, ar wahân i ddryll.

Eu cyrchfan yw pentref Kodovjat yng nghysgod Mynydd Tomorr, lle mae Pennaeth y Maffia Albaniaidd, y Shqiptare, yn disgwyl amdanynt mewn caban pren hynafol sydd wedi bod yn y teulu ers cyn dyfodiad brain. Ceir crand a hanner. Toyota Land Cruisers newydd sbon, wedi cyrraedd ar long o'r Eidal ddyddiau'n ôl, Mercs duon, yn refio'n wyllt wrth droi naw deg gradd ar y graean, a'r gyrwyr yn gweddïo wrth ddal yn dynn yn y llyw. A Range Rovers, dewis y mwyafrif o aelodau Maffia

Albania, sy'n gyrru dros draciau mynyddig, ar ras i wneud yn siŵr eu bod nhw yno mewn pryd, oherwydd maen nhw wedi cael gorchymyn, nid gwahoddiad.

Mae Pennaeth y Teuluoedd Oll yn gynddeiriog. Mor gynddeiriog, yn wir, fel bod si ei fod wedi saethu ei hoff gi ar ddamwain, neu mewn pwl o ddicter meddw. Ond y bore yma mae'n cysgu, yn cysgu fel arth yn ogof ei ystafell wely, ugain gŵr arfog yn ei amddiffyn, er taw'r peth mwyaf niweidiol a pheryglus iddo yw ef ei hun ac ni all neb ei warchod rhag hynny. Dyn gwyllt ar y naw yw Flamur Sallaku ac roedd hanes ei fywyd yn chwedlonol, yn wir yn swnio'n well na hen chwedlau da fel yr un am y *faqebardhë*, yr ysbrydion prysur â'u hwynebau gwynion yn codi ofn ar bawb. Ond nid Flamur. Doedd arno ddim ofn fel nad oedd ganddo ddim cydymdeimlad. Calon oer oedd ganddo ac roedd yn bwydo ar greulondeb fel yr oedd trigolion prifddinas Tirana yn bwydo ar gebábs.

Parciwyd y ceir cyntaf mewn rhes anniben ar lethr a arweiniai i lawr at berllan deg ac oherwydd eu bod nhw i gyd yn digwydd bod yn geir du edrychent fel ciwed o chwilod yn chwilio am fwyd. Roedd pobl wedi dechrau tanio dryllau yn barod a phlant o ryw furddun gerllaw yn brysur yn casglu sacheidiau bychain o fwledi gwag yn drysor. Er gwaetha'r stŵr roedd y Pennaeth yn cysgu ar ôl ei morio hi'r noson gynt a doedd dim disgwyl i unrhyw beth ffurfiol ddigwydd nes bod y dyn yn llusgo ei hun o'i wâl ac ar ôl i'r barbeciw orffen.

Prysurai'r cogyddion o gwmpas llecyn o dir agored yn derbyn bwndeli o bren gan fugeiliaid oedd wedi troi'n dorwyr coed am lond dwrn o arian parod yr un. Codasant fframweithiau haearn traddodiadol i hongian y cig ac roedd pob aelod o bob teulu nid yn unig wedi dod ag offrwm o lo neu ddafad neu afr ifanc ond hefyd digonedd o berlysiau fel lafant a choriander a saffrwm ynghyd â llond trol o lysiau megis pupur a tsili ac wylys.

Ac wrth gwrs roedd bŵt pob car yn llawn stwff i'w yfed – cesys a chesys o gwrw da o ddinas Korça ac ugain math a mwy o raki wedi ei wneud o geirios, ffrwyth y forwydden, a'r teithwyr oedd wedi dod i lawr o'r gogledd pell wedi cludo eu fersiwn hwythau o'r ddiod ffyrnig wedi'i wneud o gnau Ffrengig. Daethant â phlatiau a gwydrau a phebyll, heb sôn am ddigon o ynnau i gadw byddin Syria i fynd am flwyddyn. Ac fel pob digwyddiad cymdeithasol ar y tir uchel roedd rat-tat-tat y saethu'n mynd ymlaen drwy'r dydd, mor gyffredin â pheswch.

Cyn hir llenwodd y dyffryn â mwg porffor coed tân a dynion yn cerdded fan hyn a fan 'co yn chwilio am aelodau'r llwyth i'w croesawu gydag arddeliad â llwncdestun arall o raki, yn enwedig y Raki Rrushi oedd yn hynod o gryf ac felly yn hynod boblogaidd mewn cynhadledd o ddynion drwg, treisgar ar erchwyn un o ardaloedd mwyaf anial gwlad oedd yn enwog am ei llefydd gweigion. Llifai'r ddiod gadarn fel afon a dim rhyfedd bod un dyn meddw wedi saethu dyn meddw arall o fewn awr i'r ddau gyrraedd y lle. Ei saethu'n gelain nes bod rhaid hala am drefnwr angladdau a chael *whip round* er mwyn cydymdeimlo â'i wraig a rhoi modd i'w chwech o blant fyw yn gysurus byth bythoedd.

Dyna sut roedd pethau'n gweithio – y teulu'n edrych ar ôl y teulu hyd yn oed os oedd un aelod wedi taro bwled yn nhalcen aelod arall wrth geisio saethu at y nen. Byddai'r wybren yn ddigon o darged eang, ond nid i rywun oedd wedi cael llond bol o Raki Rrushi. Byddai rhai dynion oedd wedi dysgu Saesneg yn hoff o'r bathiad Rack and Ruin ar gyfer y drinc cenedlaethol, ac yn chwerthin yn braf o weld pobl yn cwympo'n syth ar eu hwynebau, yn rhy chwil hyd yn oed i ddodi eu breichiau mas wrth fynd i'r llawr. Siarad a chanu caneuon megis 'Qënke veshun me të bardha' gyda phawb yn ymuno yn y gytgan, "Ro, ro, rym. Gyda ro, ro, ridl, didl, ro, ro, rym. Ro, ro, didl, ridl, ro, ro, rym" a chyfnewid straeon am lwyddiannau'r busnes o fod yn aelodau o'r Maffia, y Shqiptare, sef y corff tor cyfraith mwyaf, a'r un mwyaf llwyddiannus, yn y byd. Ond roedd rhywbeth wedi mynd o'i le – roedd pawb wedi clywed fersiwn, neu hanner stori o'r hyn oedd wedi digwydd yng Nghymru a dyfalai nifer fod a wnelo'r confensiwn pen-mynydd hwn rywbeth â'r cargo enfawr o gocên wnaeth gwympo i ddwylo'r cops. Roedd un o'u bois gorau hefyd ar goll, gydag Interpol ar ei ôl.

Yr arwydd cyntaf bod y Pennaeth ar ei draed oedd pan symudodd ei osgordd bersonol o ddynion diogelwch rhwng y byrddau a'r tanau agored i wneud lle iddo gerdded mas. Roedd urddas a rhwysg ac elfen o seremoni yn bwysig ar bob achlysur er bod Flamur yn cael ei weld yn actio mwy a mwy fel unben, neu rywun nad oedd yn ei iawn bwyll.

Wrth i Flamur gerdded allan o'r caban gallech glywed pin yn cwympo, oni bai am yr holl ddynion yn rhoi eu harfau ar lawr yn reddfol fel petai'n glawio metal, a bwledi'n cael eu gwagio o siambrau'r gynnau.

Nid penteulu'n unig ydoedd, ond pennaeth rhwydwaith cyfrin a hynod bwerus oedd yn ymestyn i bob cwr a chornel, o Tel Aviv i Guangdong. Talai'r Maffia am wasanaethau gwybodaeth yr heddluoedd o Awstralia i Awstria, ac roedd gweithwyr wedi eu plannu'n ddwfn yn y math o lefydd na fyddai'r un enaid byw yn disgwyl gweld ysbiwyr tebyg

– pencadlys y CIA yn Langley, Virginia, calon y Pentagon, un neu ddau o snitshys yn bron pob asiantaeth dollau neu wylwyr y glannau. Roedd hyd yn oed archesgob yn y Fatican yn derbyn pum mil o ddoleri'r mis i rannu manylion am symud arian yn electronig fel bod siawns gyda'r Maffia Albaniaidd i hacio i mewn a chymryd peth o'r hufen oddi ar ben y llaeth. Heb fod neb yn gwybod. Dyna fantais delio â system oedd mor gyfrin â'r Maffia ei hun. Y Catholigion a'u pethau!

'Frodyr...' meddai'r Pennaeth wrth iddo gamu i ben bryncyn oedd yn rhoi digon o uchder iddo weld pob dim. 'Mae'r amser wedi dod i ddial am yr hyn ddigwyddodd ym mis Ionawr. Mae pobl wedi bod yn ein gwawdio, yn awgrymu bod ein teyrnasiaeth wedi dod i ben. Dwi'n gwybod yn iawn fod yr achos yng Nghymru wedi dechrau pob math o *turf wars* ar eich patshys chi eich hunain, gyda phobl yn meddwl eu bod nhw'n medru cymryd mantais o wendid maen nhw wedi llwyddo i'w ddychmygu. Felly mae angen talu'r pwyth yn ôl a dwi wedi trefnu bod y camau cyntaf yn cael eu cymryd o fewn y dyddiau nesaf. Dim ond fi a llond llaw o ddynion sy'n gwybod beth yw'r cynllun, ac mae rheswm da am hynny ond... dwi eisiau i chi i gyd ddyfeisio rhyw anrheg fach ar gyfer y diawliaid yng Nghymru sydd wedi bod mor hy neu mor stiwpid â'n herio. Ni yw'r Teulu a does neb yn pardduo enw'r Teulu heb dalu'r pris.'

Trodd hynny mas i fod yn giw ar gyfer ffiwsilâd o danio, y gynnau'n codi'n syth i'r awyr er parch i'r penteulu.

'Byddwch yn bowld a byddwch ddyfeisgar. Dwi am i ni droi'r wlad yn esiampl i weddill y byd o'r hyn sy'n medru digwydd os oes rhywun yn meiddio meddwl am un funud ei fod yn glyfrach neu'n gryfach na ni. Beth sy'n digwydd i rywun fel yna? Mi fyddwn yn dawnsio ar ei galon fydd yn dal i bwmpo ar ôl cael ei rhwygo allan o'i frest. A bydd ei gi yn hongian ar raff, wedi cyfarth am y tro olaf. A bydd ei blant yn dioddef mwy na gall geiriau ei gyfleu.'

Y tro hwn mae'r bwledi'n digwydd saethu i'r awyr pan mae haid o frain yn hedfan drosodd ac mae ffrwydriad o blu ac yna gawod o adar yn glanio, fel golygfa mewn cartŵn.

'Nawr 'te, bwyta ac yfed a dathlu ein cryfder ac os oes unrhyw un eisiau brân i swper rhowch hi i un o'r cwcs ac fe gaiff ei blingo mewn chwinc. Mwynhewch, yfwch ac yfwch mwy.'

Gyda hynny mae'n troi ar ei sawdl ac yn ystumio y dylai dau ddyn ei ddilyn yn ôl i'r caban. Unwaith iddyn nhw gyrraedd yno mae'n gwneud rhywbeth anarferol, sef peidio â chynnig drinc – arwydd bod rhywbeth pwysig ar waith. Mae'r ddau ddyn wedi gadael Cymru ac wedi teithio yma oherwydd gorchymyn arbennig. "Dewch i ddewis rhwng marwolaeth rhywun arall neu eich marwolaeth chi eich hunan." Neges glir iawn.

'Steddwch,' meddai Flamur, gan bwyntio at ddwy sgiw hynafol sy'n dathlu canrifoedd o ddefnydd.

'Dwi am ddechrau gyda'r plisman, Tomas Tomas.' Mae'n ynganu'r enw gyda dwy "a" hir sydd megis yn mynd ymlaen am byth. 'Dwi am iddo ddioddef ond ddim mewn ffordd gonfensiynol. Mae angen iddo ddioddef yn y ffordd waethaf posib. Oes ganddo deulu?'

'Chwaer. Ac mae ganddi hi fechgyn. Mae'n hoff iawn ohonyn nhw i gyd.'

'Ac ry'n ni'n gwbod ble maen nhw'n byw?'

'Ma 'da ni rhywun wedi parcio lawr y stryd lle maen nhw'n byw ar y foment, jyst rhag ofn.'

'Da. Braf gweld rhywun un cam ar y blaen.'

'Rhywun arall?'

'Mae ei bartner, Freeman.'

'Dwi am aros cyn ei thrafod hi. Mae angen rhywbeth hyd yn oed yn fwy arbennig iddi hi. Eto, efallai mai hi yw'r ffordd i niweidio Tomas orau, wn i ddim. Oes 'na bobl eraill yn ei fywyd?'

'Mae'n agos iawn at ei fòs, y ddau ohonyn nhw'n rhywfaint o *loners*. Tomkins yw'r enw.'

'Beth am i ni ymchwilio mwy i'w fywyd e?'

'A sut y'ch chi'n awgrymu hyn, Bennaeth, ar bob peth?'

'Mae gennym rywun ar y tu fewn, sy'n gweithio gyda Thomas, neu Tomas fel y'ch chi'n ei alw fe.'

Er bod y ddau ddyn yn byw yng Nghymru ac yn ceisio cadw lan gyda phopeth oedd yn digwydd yno, mae hyn yn newyddion i'r ddau. Hyd yn oed o fewn y Teulu roedd y pwerau'n medru syfrdanu rhywun. Dyn ar y tec yn gweithio yn yr un Uned â Thomas Thomas.

'Beth am i chi feddwl am gynllun a gadael i mi wneud yr alwad? Gallaf awdurdodi mwy o arian na chi'ch dau gyda'ch gilydd. Beth yw gwerth cael pen y plisman ar blât, neu ei weld yn dioddef o nawr tan ddydd ei farwolaeth? Hanner miliwn? Mwy? Dwi eisiau i rywun wneud rhywbeth sy'n mynd i wneud iddo golli cwsg am byth. Nid jyst rhyw ymosodiad sy'n ei roi e ar drip ond rhywbeth gyda steil a dychymyg a dyfeisgarwch, chi'n deall fi?'

Mae'r ddau yn nodio, gan wybod bod yr hyn mae'r penteulu yn dymuno yw'r hyn roedd Al Qaeda wastad yn disgrifio fel 'spectacular'. Rhywbeth ag ôl cynllunio manwl ac effaith mwy na'r weithred ei hun. Ac roedd y Pennaeth am drefnu hyn ei hunan. Nid oedd hynny'n digwydd yn aml. Wedi meddwl nid oedd y math yma o beth yn digwydd byth. Roedd y dial yma ar ben y rhestr. Gweithred ddial fythgofiadwy.

Diflanna'r Pennaeth i wneud galwad ffôn. Nid oedd un llofrudd fyth yn ddigon. Byddai'n cyflogi un arall.

22

Amlosgfa

"Daeth adroddiadau i law bod pencadlys newydd Heddlu Cymru ar dân..."
Post Prynhawn, BBC Radio Cymru

BRWYDR RHWNG DŴR a thân, dyn a natur, ynni gwyllt a blinder y corff, pan mae'r injans a'r criwiau o ddynion tân yn ceisio dofi'r fflamau dros gyfnod o bedair, pump, chwech awr, yn brwydro drwy'r nos. Ac maen nhw'n llwyddo yn y pen draw, ac yn cadw'r bwystfil carlamus rhag lledu na neidio o lawr i lawr gan ddinistrio'r pencadlys newydd yn gyfan gwbl. Roedd amcangyfrif pris y difrod yn y cannoedd o filoedd o bunnau, a'r papurau lleol yn cario stori fod yr yswiriant newydd heb ddechrau eto, a llefarydd ar ran yr heddlu yn gwadu hynny, er nad oedd yn medru arddangos y ddogfennaeth angenrheidiol.

Ond o'r diwedd, bron ar doriad gwawr, dyma nhw'n datgan yn swyddogol bod y tân dan reolaeth, a chriwiau'n dechrau ar y gwaith o chwilio am dystiolaeth ynglŷn â sut dechreuodd y tân. Oherwydd bod y roster swyddogol o bobl oedd yn yr adeilad yn cyfateb i'r nifer o bobl oedd wedi eu cyfri yn y man ymgynnull doedd neb yn disgwyl y sioc o ddarganfod corff ar yr ail lawr. O fewn munudau roedd y Prif Gwnstabl yn siarad â'r Goruchwylydd John Thomas, *a.k.a.* Stalin, yn esbonio diweddglo trasig stori'r tân. A Stalin yn sefyll yno fel delw, ac yn fud, wrth i ias feddiannu ei asgwrn cefn, a rhewi ei wythiennau.

'Shwt stad sydd ar y corff?'

'Dyw e heb losgi gymaint â hynny. Mae'r bois yn clirio'r ardal ar y foment. Ond...'

Sylweddolodd Stalin fod rhywbeth mawr o'i le.

'Ma Squad Leader yn awgrymu bod angen i rai o'ch bois fforensig chi ddod lan.'

'Pam felly?'

Cyndyn oedd y Prif Gwnstabl i ateb, y geiriau fel peli rwber yn ei geg, yn mygu pob lleferydd.

'Mae'n bosib na farwodd y person yma yn y tân.'

'Harten, chi'n feddwl? Rhywbeth fel'na?'

'Llofruddiaeth.'

Hongiai'r gair yno fel melltith, yn drwm, yn ddigon trwm i dynnu'r byd i lawr, i sugno'r cymylau o'r wybren. Roedd pethau'n troi'n gyflafan. Gwaed yn llenwi afon Taf.

'Llofruddiaeth?' Mae ceg Stalin yn sych, ac mae'n ei chael hi'n anodd siarad. Mae wedi bod yn noson hir, ac yntau'n gorfod sefyll i'r ochr i edrych ar y brodyr a'r chwiorydd yn y gwasanaethau brys, yn eu siwtiau trymion a'r masgiau anadlu yn morgruga o gwmpas yn diffodd fflamau. Ond nawr roedd e'n gorfod delio â rhywbeth na freuddwydiai orfod delio ag e yn ei fyw. Os oedden nhw'n iawn, wrth gwrs.

'Dan, dere â fforensics draw. Nawr. Y foment hon. Na, paid gofyn pam. Jyst hala nhw nawr.'

'Ga i fynd i mewn gyda nhw pan mae nhw'n cyrraedd? Ugain munud, medden nhw.'

'Wrth gwrs. Ti eisiau i mi drefnu coffi?'

'Coffin efallai.' Hiwmor du y gwasanaethau brys.

'Ma hwn yn mynd i fod yn amlwg iawn yn y *memoirs*. Be nesa? Pla o frogaod? Terfysgwyr yn y Bont-faen?'

'Byth. Ma Cowbridge yn yr Unoccupied Territories.'

Adroddai'r sgwrs yma'n huawdl am y ddau a'u profiad helaeth: dyma ddau oedd wedi gweld a phrofi popeth. Tan heno, a'r pos ofnadwy yma. Ym mêr ei esgyrn teimlai Stalin ei fod yn medru rhoi enw i'r corff cyn sicred â gosod label ar fys mawr ei droed dde yn y morg. Tomkins oedd yno, doedd dim dwywaith am hynny.

Cofiodd y tro diwethaf iddo siarad ag ef, pan ypsetodd y dyn yn fawr. Nid oedd wynebu'r ffaith honno yn hawdd ar unrhyw achlysur ond roedd Stalin wedi bod yn hynod o lym, yn llym fel Stalin, sef y rheswm am ei lysenw ar y ffôrs, ynglŷn â gwastraffu amser ar yr achos o wrachyddiaeth pan oedd cymaint o bethau eraill yn digwydd. Roedd GCHQ wedi clywed tipyn o sgwrsio ymhlith yr Albaniaid, a'r gair 'Wales' yn dod lan yn gyson, bron fel petai'n enw mewn cod oedd yn gyfystyr ag enw Tirana, eu prifddinas. Ac roedd llofrudd yn dal i browlio'r ddinas a neb â'r syniad cyntaf ble i edrych, heblaw holi pob menyw oedd yn gweithio yn y diwydiant arlwyo mewn ardal gyda 1,500 o lefydd bwyta, heb sôn am y fans yn gwerthu byrgyrs a'r colegau lle roedd posib astudio coginio. Gallai hanner y ffôrs fod mas yn chwilio.

Nes bod Freeman yn cael gwahoddiad i fynd i gwrdd â hi! Wnaeth hynny newid pethau er doedd neb yn deall pam fod y llofrudd wedi gwneud hynny.

Eto, roedd hi'n edrych fel petai'r cops yn colli gafael ar y wlad, a chyfraith a threfn yn rhith. Gyda'r holl bethau yma'n corddi gwaed Stalin dyma fe'n gweiddi ar Tomkins ei fod e'n hollol iwsles, ac o'r golwg ar y dyn, ei wep yn wyn fel blawd: roedd hyn wedi hollti'r dyn, ei ddarnio. Yn dilyn y digwyddiad hwn roedd Tomkins wedi gofyn am amser i ffwrdd o'r gwaith, oedd yn ddealladwy ar ôl y cyfnod nyts pan oedd bron pob peth allai fynd o'i le wedi mynd o'i le. Roedd e mewn lle eitha tywyll ond nid oedd yn disgwyl iddo ddechrau crynu a bygwth llefain. Mwy o jeli nag o ddyn. A sut allai Stalin esbonio ei fod wedi gorfod darllen y reiat act iddo, oherwydd bod y Prif Gwnstabl wedi mynnu taw gwastraff amser oedd yr hela gwrachod gan ofyn i Stalin ddargyfeirio ymdrechion i ryw bwrpas gwell a phositif? Er bod corff wedi ei ddarganfod yn y tân arall. Ond heb enw, felly roedd rhaid, rhaid, rhaid canolbwyntio ar y cyrff gydag enwau, er mwyn eu teuluoedd oedd yn boddi mewn galar. Beth os taw hynny oedd wedi arwain at ei farwolaeth? Oedodd cyn datblygu'r syniad ymhellach oherwydd gallai weld ei fod wedi newid y ddamcaniaeth i un oedd yn ei siwtio'n well – bod Tomkins wedi lladd ei hun yn hytrach na chael ei ladd. Doedd dim byd yn bendant tan i'r fforensics gyrraedd. Gyda hynny dyma Rawson a Cheatham yn dod, fel dybl act, gan ddechrau gwisgo'u siwtiau gwynion a menyg wrth gyfarch Stalin, a'r ddau, fel Cheech a Chong, yn medru gweld bod rhywbeth anghyffredin yn mynd ymlaen, y tu hwnt i'r ffaith fod y pencadlys wedi mynd ar dân dridiau'n unig cyn yr agoriad swyddogol.

'Beth sy'n bod?' gofynnodd Rawson, oedd ddim yn enwog am ei sensitifrwydd na bod yn ddiplomyddol.

'Ail lawr. Mae 'na gorff. Ac mae'n bosib ei fod wedi ei ladd?'

'Marw yn y tân, chi'n feddwl?'

'Na, ei lofruddio.'

Pan ddaw Rawson yn ôl mae ei wyneb wedi newid, yr agwedd ffwrdd â hi wedi ei hen heglu hi. Gyda phwrpas yn ei gerddediad cerddodd at Thomas a chynnig ei law mewn cydymdeimlad.

'Ma arna i ofn taw Tomkins sydd yno. A bod rhywun wedi torri ei wddf, cyn dechrau'r tân yn fwriadol ddwedwn i.'

'Shit,' sibrydodd Stalin dan ei anadl. 'Pwy fyddai'n...'

Ni lwyddodd i gyrraedd diwedd y frawddeg wrth i emosiwn ac euogrwydd – yr hen goctel pwerus hwnnw – effeithio ar ei anadlu, ac ysgwyd cawell ei frest fel petai'n ceisio disodli ei galon.

Daeth breichiau Rawson yn annisgwyl i'w gofleidio a dyna pryd cyrhaeddodd Tom Tom. Am unwaith doedd Tom Tom ddim yn medru darllen y sefyllfa.

'Beth sy'n bod, syr?' gofynnodd, gan synnu i weld Stalin yn y fath stad. Credai pawb fod y dyn wedi cael *emotional bypass*, yn enwedig o gofio sut wnaeth e ddelio â Harries, aelod ifanc o'r sgwod a daflodd ei hunan o flaen trên yng Nghaerffili. Bu mor oeraidd wrth dorri'r newyddion i'w wraig ifanc, feichiog fel ei bod hi wedi rhoi cwyn swyddogol yn ei erbyn, a derbyn ymddiheuriad cyhoeddus. Ymresymai nifer bod angen yr oerni hwnnw arno er mwyn iddo fod mor tyff, mor ddigwestiwn ynglŷn â'i awdurdod ei hunan. Ond nid dyn caled, hunan-sicr oedd yn siglo'n grynedig o'i flaen.

I ateb y cwestiwn dechreuodd Rawson ei dywys i fan lle allai weld y corff heb ymyrryd arno, gan esbonio'n glir beth i'w ddisgwyl. Pob cam lan y grisiau yn para canrif, roedd Rawson yn annaturiol o dawel. Fel camu i fedd. Ond cliciodd y switsh proffesiynoldeb ymlaen pan gerddodd y ddau tuag at y corff.

Llyncodd Tom Tom dri llond ysgyfaint o aer cyn mynd i'w gwrcwd.

'O'r tu ôl?'

'Darn o weiar, dwi'n tybio.'

'Ac roedd y person wedi llwyddo i sefyll tu ôl iddo heb unrhyw drafferth.'

'Inside job.'

'Felly mae'n edrych.'

Edrychodd y patholegydd a'r plisman ar y corff o'u blaenau.

'Yn ddiweddar iawn?'

'O, greda i ei fod e wedi marw jyst cyn i'r tân ddechrau. Efallai bod cysylltiad.'

Erbyn hyn roedd y Prif Swyddog Tân yno, felly roedd cyfle i gadarnau'r hyn yr oedd Rawson yn dyfalu.

'O edrych yn sydyn, ody'r tân wedi ei gynnau'n fwriadol?'

'Dyw hyn ddim yn swyddogol ond ffycin hel, ody. I losgi tystiolaeth, i gael gwared o'r corff hefyd. Gallwch weld bod rhywbeth fel papur a chardfwrdd wedi llosgi'n bentwr llwch lliw llwyd ysgafn yn fan hyn. Chi'n gweld? Dyma ble ddechreuodd y tân, ond symudodd y fflamau i ffwrdd o'r corff. Dyna oedd ei gamsyniad cyntaf.'

'A'r ail?'

'Lladd rhywun oedd yn agos i Tom Tom. Mi fyddi di'n dal y diawl 'ma, yn byddi?'

'Wna i ddim cysgu tan fod y boi'n dod o flaen ei well.'

'Oes angen mynd â hyn drwy'r llysoedd?'

'Falle ddim. Ma hyn yn bersonol.'

'Reit, gawn ni weld beth allwn ni ffindo.'

A chyda llygaid craff, dyma fe'n plygu i edrych, a gweld tusw bach o ffeibrau dillad oedd wedi'u snagio ar hoelen fach. Rhyfeddai Tom Tom bod Rawson wedi nodi'r rhain mor gyflym, a'r ffordd ddiffwdan roedd Rawson yn defnyddio *tweezers* i rhoi'r ffeibrau mewn bag plastig cyn ei labeli'n drylwyr. Dyddiad, amser, lleoliad, llofnod.

Bu'r Prif Swyddog Tân a'i brif fforensics yntau yn tynnu lluniau ac yn trafod cwrs y tân tra bod Rawson a Tom Tom yn cynaeafu gwybodaeth a thystiolaeth i'w taflu mewn i'r pot, er mwyn ceisio ail-greu digwyddiadau'r noson gynt. Llenwai meddwl Tom Tom â delweddau o Tomkins. Dyn swil ar y naw ac efallai taw Tom Tom oedd ei ffrind agosaf yn y byd, er nad oedden nhw erioed wedi treulio mwy na dwy neu dair noson gyda'i gilydd a gallech gyfrif y nifer o weithiau roedden nhw wedi mynd am baned o goffi ar lai na bysedd dwy law. Dyn hyfryd oedd wedi heneiddio dan bwysau gwaith, dyn oedd yn cymryd ei gyfrifoldebau o ddifrif. Efallai gormod o ddifrif, oherwydd roedd wedi bod i ffwrdd o'r gwaith ddwywaith yn y misoedd diwethaf oherwydd effeithiau *duodenal ulcer* ac roedd e byth a hefyd yn llyncu tabledi i leddfu poenau yn ei stumog. Ond pwy fyddai'n lladd dyn fel hwn? I beth? I ba bwrpas?

Dyn dan bwysau cynyddol. Bu'r misoedd diwethaf yn hynod o ran y llif o broblemau annisgwyl, a'r teimlad nad oedd datrys un yn mynd i neud lot mwy na chreu'r gofod angenrheidiol i broblem arall gymryd ei lle. Un peth ar ôl y llall, mewn cyfres heb ddiwedd. Dyna oedd wedi rhoi'r pwysau ar Tomkins, ac roedd pawb am wneud eu gorau glas i'w helpu, tynnu gyda'i gilydd fel tîm, gweithio yn fwy diwyd byth, gweld eu hunain yn gweithio er mwyn dod â gwên brin i wyneb y bòs. Doedd hynny ond yn digwydd tua unwaith y flwyddyn pan fyddai boi drwg yn mynd bant am hir oes yn y carchar. Gweld rhyw seicopath ar ei ffordd allan o gymdeithas wâr am weddill ei oes – dyna oedd ffynhonnell gwir hapusrwydd i Tomkins. Ond nawr roedd yn gorwedd ar y llawr gyda sgarff o waed sych o gwmpas ei wddf, a llwch dros groen ei wyneb, a'i bresenoldeb celain ar y llawr fel petai'r bòs yn ymbil ar Tom Tom, 'Plis wnei di ddal y boi wnaeth hyn?'

Heb sylweddoli dyma Tom Tom yn ateb yn uchel, 'Wythnos, syr. Wythnos, dwi'n addo.'

A chyda hynny mae'n gofyn am ddarllen nodiadau Rawson, ond nid yw'n medru deall y llawysgrifen, felly mae Rawson yn darllen y manylion iddo'n uchel cyn bod y ddau'n cytuno pan fyddai'r ffotograffydd swyddogol yn gorffen ei waith y byddai'n dderbyniol iddyn nhw symud y corff i'r morg.

Ar y ffordd i lawr y grisiau maen nhw'n cwrdd â rhai o fois yr Uned, sy'n eu cyfarch yn fud, wedi eu siglo hyd at fantell y blaned o glywed y newyddion. Tomkins. Wedi ei ladd. Roedd y byd fel arbrawf gwyllt heb neb yn gwybod i ba bwrpas roedd y pethau hurt yma'n digwydd. Efallai i ddisodli trefn, neu ladd trefn.

'Ti'n dod?' gofynnodd Rawson.

'Ti'n dechrau'n syth?'

'Mae dedlein. Wythnos, glywais i ti'n dweud. Wel, mae angen gorffen mewn pump diwrnod.'

'Pam?'

'Mae pen-blwydd y wraig dydd Sadwrn.'

23

Dyrchafiad

CAFODD EMMA FREEMAN alwad annisgwyl i weld y Prif Gwnstabl ar y diwrnod cyn angladd Tomkins, lle roedd y staff oedd yn llwyddo i weithio yn sgerbwd llosg y pencadlys yn gwisgo du ac yn stryglo oherwydd natur ddwbl y drasiedi. Roedd nifer o'r staff heb hyd yn oed ddadbacio neu setlo i fewn yn iawn eto.

'A, DI Freeman, dewch i fewn. Ga i gydymdeimlo â chi yn gyntaf, er ein bod ni i gyd yn mynd o gwmpas yn cydymdeimlo â'n gilydd mewn dryswch. Trist iawn, trist iawn. Steddwch. Gymerwch chi baned? Mae gen i beiriant bach sy'n gwneud *espresso* cryf. Na? Wel, wna i fynd yn syth iddi. Bydd angen rhywun i gymryd lle Tomkins ac er ei fod e'n teimlo fel gweithred oeraidd mae angen i ni ddechrau gwneud y trefniadau angenrheidiol yn syth oherwydd mae cymaint yn digwydd. Felly, a fyddech chi'n fodlon cymryd yr awenau? Dros dro am nawr, wrth gwrs, a byddai angen mynd drwy broses ffurfiol nes ymlaen o hysbysebu'r swydd, ond mi fyddech mewn lle da wrth wneud cais am swydd ry'ch chi'n ei gwneud yn barod.'

'Syr?'

'Ie?'

'Dwi ddim yn siŵr 'mod i eisiau'r job. Ond, yn bwysicach na hynny, mae 'na lot o bobl well na fi.'

'Peidiwch â dweud Thomas Thomas oherwydd dyw e ddim y math o berson sy'n medru arwain. Mae'n dditectif heb ei ail, gyda'r gorau yn hanes y ffôrs, ond mae ei ffordd o weithio yn, wel, chi'n gwybod cystal â fi nad yw'n gweithio yn y ffordd fwyaf orthodocs.'

'Dyw hynny ddim yn deg, syr. Yr unig reswm dyw Insbector Thomas ddim yn uwch yn y system yw oherwydd ei fod yn fodlon siarad yn blwmp ac yn blaen, gan ddweud pethau dyw rhai pobl ddim eisiau clywed.'

'Ond nid dyma'r rheswm wnes i ofyn i chi ddod i 'ngweld i, nid i drafod Thomas ond i ofyn i chi gamu i'r adwy am ychydig. Ydych chi'n meddwl y gallwch chi ysgwyddo'r cyfrifoldebau newydd yn ogystal â'ch gwaith arferol?'

'Mae'n bwysau dychrynllyd. Mi fydd y Masterchef yn lladd eto cyn hir a nawr mae Tomkins wedi ei ladd. Mae pobl yn chwerthin ar ein pennau ni.'

'Dyddiau duon, mae'n sicr yn edrych fel hynny. Sut alla i ddwyn perswâd arnoch chi i ysgwyddo'r baich yma, DI Freeman? Mae gan bawb barch mawr tuag atoch chi.'

'A dwi'n ddiolchgar iawn am hynny ond mae 'na bobl sydd wedi bod yma'n hirach ac wedi cyfrannu mwy ac sy'n well arweinwyr...'

'Ond eich henw chi sy'n dod lan pan y'n ni'n edrych ar faterion fel gallu, sgiliau arwain ac, wrth gwrs, chi yw'r un sydd wedi cael hyfforddiant arbennig mewn materion megis delio gyda gwarchae. Ac mae'r sgiliau hynny wedi amlygu eu hunain, mewn sefyllfa go iawn, gyda gwarchae go iawn yn ddiweddar.'

'Ond mae rhai o'r heddweision sydd wedi bod yma'n hir yn

casáu pobl sy'n dod o'r coleg fel fi, yn credu ein bod ni'n edrych lawr ein trwynau arnyn nhw.'

'Dyw'r sgwrs yma ddim yn symud yn ei blaen fel hyn, os ga i ddweud. Felly dyma ofyn i chi yn swyddogol – dwi am i chi gymryd drosodd: a ydych chi'n fodlon?'

Roedd golwg oer wedi llithro i lygaid ei bòs, a sylweddolodd Freeman ei bod ym mhresenoldeb y *bad cop* chwedlonol a wiw iddi wrthod hwn, oherwydd roedd hi'n gwybod nad oedd ganddi ddewis, mewn gwirionedd.

'Iawn syr, mi wna i.'

Dim ymateb. Edrychodd ar y llygaid oedd fel peli iâ dan aeliau didostur.

'Mi wna i, syr, gyda phleser.'

Sylweddolodd nad oedd hyn wedi bod yn hawdd iddo. Dyma ddyn oedd wastad wedi parchu menywod a sicrhau bod mwy o fenywod ar gyfartaledd ymhlith yr uchel-swyddogion yma nag mewn unrhyw heddlu arall yn Mhrydain. Gwyddai hefyd fod yr holl ymdrechion glew i newid yr hinsawdd siofinistaidd wedi methu, a bod yr heddlu fel cymdeithas yn gyffredinol yn annheg, a bod yr annhegwch hwnnw'n mynd i gymryd blynyddoedd i ddiflannu, neu o leiaf newid. Edrychodd Freeman ar y dyn o'i blaen yn ffwmblan am eiriau, er gwaetha'i awdurdod a'i brofiad helaeth.

'Iawn, diolch. Wna i drefnu cyfarfod staff diwedd y prynhawn, er mwyn dweud wrth bawb. Dwi'n hynod, hynod ddiolchgar a dwi'n derbyn nad yw hyn wedi bod yn benderfyniad hawdd, ac efallai fy mod wedi bod ychydig yn llawdrwm ac mae'n ddrwg gen i am hynny. Ond mae'ch angen chi, Freeman. Mae'r olwynion wedi dod oddi ar y wagen a dwi ddim yn siŵr os oes gennym wagen bellach hyd yn oed. Shambls yw popeth, ac mae'n rhaid i ni ddal pwy bynnag laddodd Tomkins ar fyrder, o fewn y 24 awr nesaf os fedrwn ni, er mwyn cyfiawnder ac i godi ysbryd, ac mae angen datrys y llofruddiaethau eraill wrth gwrs, a dal y rhai sydd wedi dechrau'r tân yn y pencadlys yma hefyd.'

'Unrhyw gliwiau gan y gwasanaeth tân, syr?'

'O, ry'n ni'n eitha sicr bod hyn yn rhywun ar y tu fewn oherwydd ry'n ni'n gwybod bod un deg wyth person ar y llawr ble dechreuodd y tân. A galla i weud wrthoch chi bod pob un, namyn un, yn bobl gallwn i drystio gyda fy mywyd.'

'A'r un, syr?'

'Gawn ni weud bod yr un hwnnw yn hysbys i'r heddlu. A ni yw'r heddlu. Ac mae'r rhwyd yn cau amdano. Yn araf. Yn sicr. Ond heb unrhyw amheuaeth mae'n cau.'

24

Angladda

CYMYLAU LLIW INC dros y rhesi cerrig beddau marmor. Dail yn crynu yn y gwrych o goed poplys o gwmpas y fynwent. Llechi to'r capel preifat yng nghanol y fynwent yn sgleinio'n arian wrth i olau gwan yr haul fentro drwy ddüwch y nen.

Safai'r rhengoedd o blismyn yn y glaw, pob un yn ei lifrai gorau, sglein ar eu hesgidiau ac yn sefyll yn gefnstiff fel petaen nhw yn y fyddin. Gwyddai pawb am y dyn hwn, y gwas cyhoeddus, diflino oedd wedi aberthu ei fywyd, neu golli ei fywyd wrth wasanaethu. Plisman da, roedd pawb yn gwybod hynny, ond hefyd yn ddyn da, ac yn cadw ato'i hun.

Ddeuddydd cyn yr angladd roedd Stalin wedi gofyn i Freeman annerch y gynulleidfa yn yr amlosgfa er ei bod hi wedi dweud taw Tom Tom ddylai wneud hynny oherwydd roedden nhw'n agosach, ac yn ffrindiau da. Atebodd y Prif Gwnstabl fod Tomkins wedi gwneud trefniadau ar gyfer ei angladd ei hunan yn dilyn yr helynt gyda'r Albaniaid, oherwydd ei fod yn ffyddiog y byddai'r rheini'n dial arnyn nhw i gyd. A gofynnodd amdani hi i annerch y gynulleidfa.

Rhyfeddai Freeman o glywed hyn, oherwydd roedd hi wedi bod yn poeni beth allai ddigwydd yn sgil ei dyrchafiad, a'r enwogrwydd ddaeth yn sgil herio a maeddu'r sefydliad mwyaf pwerus ym myd tor cyfraith. Ambell waith byddai'n clywed sŵn cerddediad y tu ôl iddi yn y nos ac yn amau bod rhywun yno ar ordors rhywun o Tirana. Un waith, roedd hi'n gyrru adref ac roedd car wedi ei dilyn am filltiroedd lawer, a hithau'n cadw llygad barcud arno. Roedd yn cadw'n ôl pan oedd cyfle, yn gyrru o'i blaen hi ambell waith ac yn un lle yn troi i'r cyfeiriad arall gan wybod bod ffordd i ddod rownd eto. Beth oedd yn odiach fyth oedd y ffaith ei bod hi wedi penderfynu peidio dweud 'run gair am hyn wrth neb, dim hyd yn oed Tom Tom oherwydd roedd rhan ohoni'n tybio ei bod hi'n paranoid, er bod ei chrebwyll fel plismones yn dweud y dylai sôn. Ond oherwydd ei diogelwch personol a sicrhau diogelwch Tom Tom a phawb arall o'i chwmpas, ni allai. Roedd hi wedi meddwl sôn wrth Tomkins ond gwyddai y byddai hynny'n arwain at broses ac efallai gwarchodaeth ddydd a nos. Cafodd hi'r pleser o ddod i adnabod Tomkins rywfaint, ac roedd Tom Tom yn amlwg yn uchel ei barch tuag at yr 'hen ddyn', fel y galwai ef, er nad oedd e gymaint â hynny'n hŷn na Tom Tom, ac efallai yr edrychai'n fwy iach oherwydd doedd y bòs ddim wedi treulio degawdau bwygilydd ar y lysh fel Tom Tom. Bu'n help mawr iddi wrth lunio'i haraith hefyd. Geiriau ystyrlon i ffarwelio â phlisman da. Yn y gynulleidfa, roedd meddwl sawl un ar y sefyllfa bresennol ac yn gofyn iddyn nhw'u hunain os taw nhw fyddai'n cael eu lladd nesaf? Teimlai ambell blisman fel targed, yn sicr.

25

Cyrff yn lluosi

MAE DANIELS A Bailey yn eistedd gyferbyn â'i gilydd wrth eu desgiau pan mae neges destun yn cyrraedd ac mae Bailey wrth ei fodd bod ei gynllun, sydd fel rhywbeth allan o gomic i fechgyn, wedi gweithio. Mae symlder y cynllun yn syfrdan.

Mae wedi gosod darn o gwm cnoi dan gornel ffrâm y drych sydd yn addurno'r wal y tu ôl i Daniels sy'n caniatáu iddo weld sgrin ffôn Daniels; nid yn glir iawn, ac nid i'r fath raddau ei fod yn medru darllen neges ond mae wedi dysgu sut i gymryd un neu ddau gipolwg sydyn sy'n gadael iddo nodi'r rhif, neu ran o'r rhif. Diolch byth bod Daniels yn defnyddio teip mawr ar ei ffôn: mae ganddo lygaid gwan ond nid yw am wisgo sbectol gan fod sbectol yn arwydd o wendid, neu'n arwydd o fod wedi cael addysg, sydd hefyd yn wendid, yn ei farn ef.

Dyw Bailey ddim yn gwybod a yw hyn yn wastraff amser pur ond gan nad yw Tomkins wedi rhoi mwy o gyfarwyddyd iddo sut yn union i gadw llygad ar Daniels mae'n gorfod gwneud ei orau, dyfeisio ffyrdd o ddeall beth mae'r diawl yn ei wneud. Annaturiol, dieflig: oherwydd mae e'n ddiawl, sdim dwywaith am hynny. Nid yw'n gwybod sut i ymddwyn yn iawn mewn llefydd cyhoeddus, yn gwatwar pobl sy'n gweini mewn llefydd coffi, ac yn dweud pethau hiliol yn amlach na heb, ac mor gyfan gwbl ddilornus o Bailey nes ei fod yn amau ei hunan yn gyson. Felly roedd gwneud pethau mor fyrbwyll ac amatur â cheisio darllen negeseuon Daniels fel hyn yn teimlo'n stiwpid iawn. Byddai Daniels yn dweud ei fod yn foron am drio'r fath stỳnt, cyn ei ladd mewn gwaed oer. Wedi'r cwbl, byddai'r heddlu yn medru darllen pob e-bost a neges destun yn hanes Daniels ond roedd Bailey yn gwybod bod yr ymchwil yma'n hollol answyddogol. Mympwy Tomkins oedd ar waith, ac roedd yn rhaid i Bailey fod yn fympwyol yn yr un modd, gan ysbïo fel amatur pur. Byddai'n gwneud y gwaith yma er cof am y dyn addfwyn, Tomkins. Prin ei fod yn ei adnabod ond nawr roedd wedi bod i'w angladd.

Pan welodd Bailey y cod gwlad annisgwyl cafodd gymaint o sioc fel na lwyddodd i godi ei ben eto ac erbyn hynny roedd Daniels wedi clirio'r neges yn ei gyfanrwydd. +351. Cerddodd Bailey o'i ddesg gan fynd am y tŷ bach ac unwaith roedd e'n saff o fewn ciwbicl dyma fe'n defnyddio'i ffôn ei hun i weld pa wlad oedd y cod. Pan welodd taw rhywun o Albania oedd wedi negesu llamodd ei galon ac roedd e mor nerfus pan aeth yn ôl i'w sedd fel na welodd bod rhywun wedi tynnu'r darn o gwm cnoi oddi ar ffrâm y drych.

'Reit, boi, ti am fynd i ddeg lle bwyta arall? Dal y llofrudd yma cyn bod corff arall ar hyd y lle?' awgrymodd Daniels gan gynnig gwên beryglus i'r plisman ifanc. 'Ry'n ni bron hanner ffordd drwy'r rhestr ac mae'n siŵr gen i erbyn y diwedd mi fyddi di wedi dysgu hanner y pethau mae'n rhaid i dditectif eu meistroli – bwyta'n gyson ac yn ddelfrydol am ddim oherwydd ambell waith bydd *stake out* yn hir a bydd angen cyflenwad da o bopeth. Gyda stêc go iawn. Beth yw'r gwahaniaeth rhwng Ditectif Insbector a throli Tesco? Allwch chi ddim cael gymaint o fwyd i mewn i droli Tesco.'

I Daniels roedd y math yma o *banter* bron fel cyfeillgarwch ond roedd Bailey yn gwybod bod yn rhaid iddo fod yn wyliadwrus, yn enwedig nawr ei fod yn gwybod ei fod yn cysylltu ag Albania. Roedd y Maffia wedi bygwth dial droeon, ac oherwydd hyn roedd Tom Tom a Freeman wedi cael cynnig eu gwarchod 24/7 am wythnosau, nes bod pethau'n edrych fel petaen nhw wedi tawelu. Ond, mewn gwirionedd, doedd pethau byth yn tawelu yn achos yr Albaniaid. Byddai hen grachen o'r unfed ganrif ar ddeg, rhyw ffrwgwd rhwng dau deulu ganrifoedd yn ôl, yn ddigon o reswm hyd yn oed y dydd heddiw i aelod o un teulu ladd aelod o deulu arall. Mewn gwaed oer. Baril dryll yn erbyn talcen.

Dyw Bailey ddim yn sylweddoli bod Daniels yn gwneud yn siŵr eu bod nhw'n gadael y pencadlys ar wahân, fel na fyddai pobl yn eu cysylltu fel pâr. Mae gan Daniels enw fel *lone wolf* ta p'un, a fyddai neb yn credu ei fod wedi bod yn craco jôcs yn gynharach yng nghwmni'r plisman newydd i'r adran. Petaen nhw'n digwydd cynnal cystadleuaeth i ddewis y plisman mwyaf surbwch yn y wlad byddai Daniels yn ennill heb unrhyw amheuaeth.

Cynigiodd Daniels yrru'r car ac oherwydd bod Bailey yn anghyfarwydd â threfn yr adran ni sylweddolodd nad car yr heddlu oedd hwn. Yn fwy na hynny nid car Daniels oedd hwn chwaith, ond car oedd wedi cael ei ddwyn a'i gymryd i bownd yr heddlu, lle roedd Figgis, y plisman oedd yn gofalu am y lle, wedi derbyn llwgrwobr hael oddi wrth Daniels am yr allweddi ac am gadw'n dawel. Gwyddai Daniels am hoffter Figgis o fechgyn bach, roedd ganddo dystiolaeth, felly gallai ddibynnu ar Figgis i gadw'n dawel fel mynach Trappist sydd wedi tyngu llw i beidio ag yngan gair.

Aethant heibio'r stadiwm pêl-droed a stad siopa Lecwydd

cyn ei throi hi am Groes Cwrlwys. Ar yr wyneb roedd Daniels mewn hwyliau da, ac roedd yn rhaffu jôcs anweddus un ar ôl y llall fel petai'n trio dysgu rwtîn stand-yp. Nid oedd yn hawdd i Bailey hyd yn oed esgus chwerthin, oherwydd roedd pob jôc yn greulon am bobl dduon, pobl anabl a phobl hoyw ond llwyddodd i wneud rhyw sŵn piffian chwerthin oedd yn ddigon i ysgogi mwy o erchylltra o enau Daniels. Roedd hefyd yn gyrru'n rhy gyflym ac yn gwbl ddi-hid. Ar y cylchdro yng Nghroes Cwrlwys saethodd o flaen car arall gan orfodi hwnnw i fwrw'r breciau'n galed a phan ganodd hwnnw gorn y car rhoddodd Daniels ei fys canol yn yr awyr – oedd ddim yn Llawlyfr yr Heddlu, os cofiai Bailey yn iawn.

Erbyn iddynt wibio i lawr y tyle tuag at y Barri mae Daniels yn ei lawn hwyliau, ac wedi dechrau chwarae miwsig yn uchel, band metal trwm debyg i AC/DC, ac mae Bailey yn cuddio'r ffaith nad yw e'n hoff o roc o'r fath. Ond mae e hefyd yn dechrau becso, oherwydd does yr un lle bwyta ar eu rhestr nhw yn yr ardal yma. Nid yw'n siŵr a ddylai ddweud rhywbeth neu gadw'n dawel ond mae'r ffaith fod Daniels yn canu nerth ei ben ac yn mwynhau gyrru i rythm y gitâr fas a'r drymiau undonog yn tawelu ei nerfau ychydig bach. Maen nhw'r troi am bentref Sili ac yn tynnu i mewn i gilfan lle does 'run car arall o gwmpas.

'Jyst mas am bisiad.'

Tra bod Daniels yn diflannu i fonyn clawdd, y tu ôl i fin sbwriel, mae car yn dod i stop a heb oedi dim mae dyn yn cerdded lan i ffenest y car ac yn gofyn oes ganddo dân ar gyfer y sigâr dew mae'n chwifio o flaen ei wyneb. Mae ei acen yn drwm, ond nid yw Bailey yn effro i'r posibilrwydd taw acen Albaniaidd yw hon, gan ei fod yn ffureta am leitar y car. Petai'n fwy profiadol byddai wedi gwneud y cysylltiad yn syth gyda'r cod ffôn nododd yn gynharach ond doedd ganddo mo'r wybodaeth bod y Maffia yn hollbwerus, ac yn sicr nid oedd y gŵr ifanc yn gwybod nad Daniels oedd yr unig gop brwnt oedd yn eu helpu nhw yng Nghymru. Ambell waith byddai'r Albaniaid yn cael un cop i ysbïo ar gop arall, jyst i gadw pawb ar eu traed. Daniels oedd y cysylltiad canolog. Daniels sy'n cerdded i'w gar sydd wedi ei adael yno'r noson gynt.

Heb iddo sylwi mae cyfaill i'r dyn gyda'r sigâr wedi cerdded draw i ochr arall y car a phan mae hwnnw'n dal gafael yng ngarddwrn Bailey wrth iddo gynnig tân mae'r llall yn agor y drws ac yn ceisio ei lusgo allan. Byddai wedi llwyddo i ddianc efallai, gan ei fod yn foi ifanc, ffit oedd yn codi pwysau ond fe chwistrellwyd hylif i'w lygaid gan wneud iddyn nhw losgi'n boenus yn syth. Wrth i hynny ddigwydd dyma'i gyfaill yn llwyddo i'w lusgo allan o'r car, edrych o'i gwmpas i bob cyfeiriad yn gyflym, edrych drachefn ar ei gyfaill wnaeth roi un nòd bendant fel arwydd i danio gwn, unwaith yn unig, ergyd yn syth i ganol y benglog. Nid oedodd y ddau, dim edrych yn ôl o gwbl cyn llamu i'r car a gyrru i ffwrdd. Wrth iddynt wneud dyma nhw'n gweld Daniels yn gyrru heibio, yn mynd i'r cyfeiriad arall. Cododd ei fys bawd ac mae'r dyn sydd bellach yn smocio'i sigâr yn nodio. *Job done.*

Bydd Daniels yn derbyn swm sylweddol o arian am ei waith, heb sôn am chwyddo coffrau cywilyddus y ddau asasin hefyd. Cyn hir, yn wir, bydd Daniels yn ystyried ymddeol ac yn dechrau chwilio am rywle i fyw yn yr haul: ar y rhestr mae Barbados neu Tobago neu Ynysoedd y Seychelles. Dychmygai ei hun yn camu i donnau cynnes, dan awyr las ac yn trochi yno cyn aros am goctel cynta'r dydd.

Mor ddisymwth mae dyn yn medru colli ei fywyd. Mor

ddigywilydd mae llofrudd yn medru tanio'i ddryll. Mewn nentig fechan o waed mae bywyd yn llifo i'r pridd.

★

Yn ystafell newyddion yr *Echo* mae'r golygydd yn chwilio am gyfle i redeg stori am Thomas Thomas a'i ffrind gwallgo Marty ond mae cymaint o bethau'n digwydd fel nad oes modd gwneud hyn. Mae de Cymru'r troi'n rhyw fath o fynwent, cyn sicred ag angau, sydd ar ei ffordd i ni i gyd, ond yn rhy sydyn i rai, ac yn gwbl annisgwyl i eraill. Fel i Daniels, sy'n cyrraedd adref heb sylweddoli bod y dyn saethodd Bailey yn ei ddilyn. I wneud yn siŵr nad oedd unrhyw beth i'w gysylltu â'r Teulu, maen nhw wedi gorchymyn bod Daniels yn diflannu mewn ffordd na fydd posibilrwydd i unrhyw un ddarganfod ei gorff. Felly bydd yn cael ei gladdu mewn concrit ar waelod pont newydd. Heno, o bosib. Oherwydd mae'r *hit man* yma'n dda. Baileys a Daniels mewn ychydig oriau'n unig. Gwaith da. Sgubo'r byw i ffwrdd fel chwyn.

26

Mr Du

MAE'R DAU DDYN yn cwrdd yn y maes parcio y tu ôl i'r Red Dragon Centre, sy'n enwog ymhlith gwerthwyr cyffuriau am fod yn lle diogel i wneud dêl. Mae'r man mewn smotyn du o ran camerâu diogelwch, ac mor enwog am hyn nes ei fod yn rhyfedd nad oes unrhyw un wedi gosod camera yno yn unswydd i ddal bois mewn Mercs gyda'u ffenestri wedi eu tinto sy'n gwerthu pob math o drugareddau i sgramblo'ch ymennydd.

Dyw'r dynion ddim yn siarad rhyw lawer, dim ond ambell grynt o enau dyn sy'n amlwg ddim yn hidio dim am beth mae pobl yn ei feddwl ohono. Dyn y cysgodion. Mr Du, un o'r asasins mwyaf profiadol yn Ewrop sydd wedi derbyn crocbris am deithio draw i Gymru o un o'i fflatiau ar y cyfandir: mae e wastad yn symud o gwmpas, byth yn aros yn yr un lle oherwydd gall rhywun fel fe fyth bod yn rhy ofalus, oherwydd mae pris ar ei ben, digon o brisiau i agor archfarchnad hel eneidiau. Y dyn yma yn ei ddillad du a'i het wlân ddu a'i *shades* duon yw'r un wnaeth foddi Gary Olgarov mewn sinc yng ngwesty'r Dorchester a llwyddo i roi'r bai ar rywun arall, Steve Fenwick, a aeth i'r carchar am weddill ei oes.

Mr Du oedd wedi llofruddio Jennifer Green, a hithau mewn cell mewn gorsaf heddlu ar y pryd. Nid unrhyw orsaf heddlu chwaith, ond Paddington Green, lle maen nhw'n cadw terfysgwyr a phobl hynod beryglus. Ond sleifiodd Mr Du i fewn, a sleifio allan hefyd, a doedd y bois fforensig yn medru gwneud dim byd mwy na chrafu eu pennau nes bod adroddiad tocsicoleg yn dweud nad oedd hanes o ddefnyddio'r math yma o wenwyn, a bod pob bys yn pwyntio at rywbeth gafodd ei greu mewn labordy yn Shikhany yng nghanolbarth Rwsia. Yr un labordy lle maen nhw'n gwneud *novichok* a theganau llofruddiol eraill, ond bod hwn yn gwbl newydd, hyd yn oed ar lefel foleciwlar.

Ond nid dyna'r dull o ladd mae Mr Du yn ei ffafrio gan amlaf, o na. Ffafria ef wneud i'r farwolaeth edrych fel damwain ryfedd, y math o ddigwyddiad sydd fel yr ystadegyn ei bod hi'n fwy tebygol i biano gwympo allan o'r cymylau ar eich pen na marw mewn awyren. Dyna'r math o beth roedd Mr Du yn hoffi ei wneud, sef trefnu rhywbeth cyffelyb, anhygoel. Cafodd un o'r oligarciaid Rwsiaidd mwyaf pwerus ei fwyta gan y teigr gwyn roedd yn ei gadw yn ei sw breifat ar lethr mynydd ym Mhatagonia. Llithrodd Mr Du i mewn i dŷ'r anifail gyda'r nos a rhyddhau bollt pob drws, heblaw dau.

A dyma'r dyn roedd Maffia Albania wedi'i anfon i ladd Tom Tom, a gwneud hynny yn y ffordd fwyaf poenus a chyhoeddus. Er mwyn poenydio Freeman. Ond hi oedd y targed mewn gwirionedd. Er mwyn difetha ei bywyd hi roedden nhw am gael gwared ar Tom Tom mewn gofod cyhoeddus ac roedd y cyfarfod ar ben mynydd wedi bwydo ambell syniad ynglŷn â ble ond nid sut. Roedd rhai ohonyn nhw wedi bod yn ymchwilio i Gymru ac wedi bod yn chwerthin ar rai o'r pethau oedd yn boblogaidd yno. Rygbi. Yr Eisteddfod. Ond dim pêl-droed. Gwyddent fod tîm Albania yn rhy wan i chwarae yn erbyn tîm Ryan Giggs felly gwell oedd cadw'n dawel ar y testun hwnnw. Doedd ennill Cwpan y Balkans yn 1946 a Thwrnament Rhyngwladol Rothmans yn Malta yn 2000 ddim yn gosod y tîm cenedlaethol ar restr y cewri pêl-droed. Felly roedden nhw am i'r asasin pum can doler yr awr ladd Tom Tom yn un o adeiladau eiconig y wlad. Roedd digon o ddewis. Cestyll mawr. Y Senedd. Canolfan y Mileniwm. Roedd ambell un yn hoffi golwg y lle cymaint fel eu bod yn hanner ystyried mynd yno ar eu gwyliau nes iddynt gofio eu bod newydd gomisiynu'r hit mwyaf cyhoeddus a bod hyn yn mynd i rhoi siglad i'r wlad hyd at ei gwreiddiau glo. Ond roedd y Ganolfan yn edrych fel lle da i drefnu llofruddiaeth, meddyliodd mwy nag un.

Mae Mr Du yn yfed coffi Twrcaidd cryf wrth smocio sigarét, yr un ffag yr wythnos mae'n caniatáu iddo'i hunan, oherwydd er fod ei gorff yn deml, mae'n beth da i hagru'r deml o bryd i'w gilydd rhag ofn i'r deml honno droi'n lle rhy sanctaidd, rhy bwysig, rhy gysegredig. Mae e mewn cyflwr tip top, yn ymarfer bob dydd, yn rhedeg marathons fel mae rhai pobl yn jogio rownd y parc, ac yn medru codi pum deg gwaith ei bwysau ei hun. Mae cymaint o bethau annaturiol am y peiriant dynol yma sydd byth yn blino, ac nad oes angen mwy na dwy awr o gwsg arno bob nos. Y ffaith ei fod wedi lladd dros hanner cant o bobl, a hynny'n bell o unrhyw faes y gad, a neb wedi dod yn agos at wybod taw fe oedd wedi bod wrthi, gyda'i arfau newydd a'i ddyfeisgarwch di-ben-draw.

Wrth sipian y coffi, y blas yn ddu, sur, bron yn hyll, mae'n cofio'r hit gorau, yr un tyngedfennol wnaeth ddechrau ei yrfa i bob pwrpas.

Cofia pa mor bwysig oedd yr elfen o ddial yn erbyn yr offeiriad – y dyn boliog oedd yn drewi o gymysgedd o Old

Spice a sebon carbolig oedd wedi ei dreisio pan oedd yn ddeng mlwydd oed, a chamddefnyddio'i bŵer dros blentyn nad oedd byth yn mynd i ennyn maddeuant, dim ond dicter.

Cronnodd y dicter y tu fewn i Mr Du am flynyddoedd nes bod ei fòs yn y siop nwyddau trydan lle gweithiai ar y pryd wedi ei wahodd am ddrinc un noson pan ofynnodd gwestiynau iddo mewn ffordd oedd yn awgrymu ei fod yn gwybod yr atebion yn barod, cwestiynau am yr offeiriad a beth oedd e wedi'i wneud a phryd. Erbyn y pedwerydd brandi eirin roedd hi'n amlwg i Mr Du fod y dyn yma wedi cael ei gam-drin hefyd, oherwydd roedd yn disgrifio'r cymysgedd o arogleuon fyddai'n ddigon i godi cyfog arno o'u cofio nhw nawr – gwres y croen, yr anadl sur yn cyffwrdd ei war, y bysedd tew yn chwilio, chwilio, a'r anadl yna eto fel mochyn yn mogu.

Awgrymodd y dyn fod nifer o bobl yn dymuno gweld yr offeiriad yn farw, a rhoddodd amlen ar y bwrdd, gan awgrymu'n glir na ddylai ei hagor yng ngŵydd y cyhoedd. Ar ôl i'r dyn adael i fynd i'r tŷ bach dyma Mr Du yn agor yr amlen a gweld ei fod yn dew ag arian papur. Ni chymerodd yn hir iddo sylweddoli fod hyn yn dâl am ladd yr offeiriad. Nid oedd unrhyw rwystr moesol i'w gadw rhag gwneud. Pan ddaeth y boi yn ôl dyma ysgwyd dwylo, a Mr Du yn addo byddai'r offeiriad wedi mynd i uffern erbyn diwedd yr wythnos ganlynol.

Yn ffodus i Mr Du nid oedd yr offeiriad wedi ymddeol, felly roedd ei batrwm gwaith yn hen gyfarwydd, wedi ei drefnu o gwmpas prif sesiynau beunyddiol ac wythnosol yr eglwys, ac yntau ond yn gorfod gwneud ambell offeren erbyn hyn, gan ei fod yn hen ac yn fusgrell. Ac un o'r pethau hyn oedd gwrando ar gyffes, oedd yn gyfle euraidd i asasin wneud ei waith. Ond nid darpar asasin cyffredin mo hwn – os oedd y fath beth ag asasin cyffredin.

Cododd yn gynnar er mwyn bod y cyntaf mewn i'r eglwys ar gyfer yr awr gyffes, oedd yn dechrau am naw. Roedd yn dymuno gweld ei brae, ei darged am y dydd, yn cyrraedd, er mwyn mwynhau'r wybodaeth nad oedd y sgymbag yn mynd i fyw tan amser cinio.

Ddeuddydd ynghynt roedd wedi astudio'r lle yn fanwl, gan guddio spicyr bach mewn lle na fyddai neb yn ei ddarganfod. Byddai hwn yn caniatáu iddo gyflwyno ei gyffes o bell, gyda'r offeiriad yn credu bod rhywun yn eistedd yr ochr arall iddo tra byddai Mr Du yn cerdded yn hamddenol o gwmpas yr eglwys, wedi gosod arwydd y tu allan i'r prif ddrysau yn dweud bod gwaith adnewyddu angenrheidiol yn digwydd rhwng naw a deg, cyn cau'r drysau gyda chlo roedd wedi ei brynu'n bwrpasol. Dyn â rhew o gwmpas ei galon.

'Maddeuwch imi, oherwydd rydw i wedi pechu.'

Rhyfeddai Mr Du at ansawdd ei lais drwy'r spicyr, wrth iddo siarad i mewn i feicroffon bach oedd yn glynu i'w lapel. O, roedd yn mynd i fwynhau hyn, y gêm fach greulon, yn enwedig nawr ei fod wedi defnyddio ail glo i gloi'r offeiriad diawl yn ei focs. Bocs marwolaeth. Arch solet, coffin pren o dan fwa to yr eglwys grand.

Dechreuodd adrodd y stori wrth gerdded yn hamddenol o gwmpas y bastad yn ei gell, ei goffin cyn-ei-amser.

'Rwy'n cofio unwaith bod yn hapus iawn, yn fwy hapus na alla i esbonio. Byddai bob dydd yn hir, a doedd Mam ddim yn becso os o'n i mas gyda ffrindiau ond i mi fod 'nôl yn y tŷ erbyn iddi nosi. Bydden ni'n mynd i bob man a chwarae heb reolau nac ymyrraeth ac roedd hyd yn oed bod yn yr ysgol yn hwyl oherwydd roedd sawl athro da, mwy o'r rheini'n wir na'r rhai gwael. O, na fyddai'r dyddiad da hynny wedi para am byth. Ond doedd pethau ddim cystal ar ddyddiau Sul pan oeddwn i'n mynd i'r eglwys, a Mam a Dad yn browd iawn o'u bachgen bach oherwydd ei fod wedi cael ei ddewis ar gyfer y côr ac wedyn i weithio wrth yr allor, a oedd yn anrhydedd ar gyfer dim ond dau, dri neu bedwar o fechgyn ar y mwyaf.

'Ai dim ond y bechgyn pert oedd yn cael eu dewis i weithio wrth yr allor, neu'r rhai mwyaf gofidus, y bechgyn fyddai'n rhy ofnus i ddweud bw na ba am unrhyw beth wrth eu rhieni, yn enwedig am yr offeiriad? Fe oedd cynrychiolydd Duw ar y ddaear, neu ryw fersiwn ceiniog a dimau o'r Pab ei hun. Roedd e'n siarad Lladin, yn ddyn dysgedig, nid fel rhyw weinidog capel bach pathetig yn Cwm-sgwt. Beth oedd y criteria wrth ddewis, tybed? Y gwan? Y golygus? Yr anabl? Sdim ots nawr, mae'r rheini i gyd yn gwestiynau rhethregol, yn trafod dyddiau mor bell yn ôl fel bod rhai wedi anghofio'r manylion, ond mae pawb yn cofio'r boen.'

Clywodd Mr Du y drws yn ratlo, ac yn ratlo drachefn yn galetach wrth i'r panig godi ac wrth i'r tad, y "tad" er mwyn dyn, ddeall pwy oedd yn siarad. Roedd Mr Du bellach yn agor cynhwysydd petrol pum litr ac yn dechrau sblosio a sblasio'r cynnwys o gwmpas y blwch cyffes, gan wneud yn siŵr fod y drws a'r nenfwd fechan yn diferu. Roedd yn dechrau sgrechian, yn dechrau gwingo ac ymbil yn daer am ei fywyd ac am faddeuant wrth i'r cyfog godi, wrth i'r tonnau o gasolin lenwi ei ffroenau.

Ond mae Mr Du am gynnig pregeth yn y lle cysygredig hwn. Mae wedi bod yn storio'r geiriau ers amser hir ac yn dechrau mwynhau'r profiad o boenydio'r dyn oedd wedi gwneud cymaint o loes iddo, ac o bosib yn gyfrifol am ei osod ar y llwybr damniedig hwn drwy fywyd – o fyw gyda marwolaeth, a sicrhau angau am symiau o arian oedd bob tro yn ddigon i bara am weddill ei oes. Ond fe *oedd* gweddill oes, fe oedd y dyn gyda'r cryman yn dod drwy'r niwl a'r glaw i ddod â phob breuddwyd, hapusrwydd, cyfathrach a pherthynas i ben. Unwaith ac am byth.

Bellach roedd cyfaill y Pab Gregory neu bwy bynnag oedd y pab, yn bwrw ar y drws ac yn sgrechian yn uwch ac yn uwch gan ddweud nad oedd e erioed wedi cyffwrdd mewn un cwrlyn ar ben bachgen bach. Ond roedd rhywbeth ynglŷn â'r ffordd ddywedodd e hynny oedd yn awgrymu taw dyma'n union roedd e wedi'i wneud, mwytho gwallt, cyffwrdd pennau a... Dechreuodd Mr Du deimlo cryndod yn sigo ei asgwrn cefn o gofio bysedd y bwystfil yn crwydro, yr anadl ofnadwy, y rhuo mochynnaidd. Ac yna'r losin, yr Everton Mints roedd e'n eu cynnig wrth i chi dynnu'ch trowsus i fyny ac yn eich gorfodi i'w cymryd nhw fel petai wedi talu wedyn, a bod hynny'n rhan o ryw gytundeb, fel Robert Johnson yn meistroli chwarae'r *blues* wedi iddo gwrdd â'r diafol ar y groesffordd ganol nos. Ych a fi.

Treisiwyd Mr Du bum gwaith gan y bastard ac o'r herwydd roedd ganddo bum litr o betrol, ac wrth iddo wagio'r diferion ymfflamychol olaf o'r cynhwysydd dechreuodd deimlo'n benysgafn. A dyma athrylith ei gynllun. Gallai Mr Du barhau i siarad â'r dyn hyd yn oed wrth iddo gyrraedd y drws, er fod y dyn yn sgrechian fel un o'r angylion gafodd ei daflu allan o'r nefoedd, ei adenydd ar dân.

Agorodd Mr Du y clo wrth iddo daflu'r cynhwysydd petrol i gyfeiriad y bwlch cyffes. Tynnodd Zippo allan o'i boced a fflicio'r fflint unwaith yn galed, gan luchio'r fflam i gyfeiriad nentig o betrol oedd yn nadreddu'n dawel lawr tuag at y capel bach. Caeodd y drws wrth i'r belen dân ledaenu mewn eiliadau, y bwlch cyffes yn wenfflam cyn i Mr Du gael cyfle i gau'r drws yn iawn, neu efallai ei fod yn oedi'n bwrpasol i wneud yn siŵr ei fod e'n gweld y cwt pren sanctaidd yn troi'n allor, fel petai'r ddelwedd yn medru lleddfu'r boen a'r embaras oedd wedi bod yn cronni ynddo dros yr holl flynyddoedd.

Camodd ar hyd y palmant gan gadw ei lygaid i lawr. Roedd wedi gwisgo sbectol drwchus a chrymu ei ysgwyddau, er mwyn gwneud iddo edrych bum modfedd yn fyrrach. Gwyddai taw'r peth gorau oedd cuddio trwy fynd i rywle oedd yn llawn pobl felly anelodd am y ganolfan siopa gyfagos, lle eisteddodd i lawr ac archebu brecwast syml. Pan gyrhaeddodd y tost Catalanaidd llwyddodd i ddweud jôc wrth y fenyw, nid ei bod hi'n deall eironi'r geiriau, 'It's a bit burned, don't you think?' wrth syllu ar y ddau ddarn o dost gyda tomato ffres a phot bach o fenyn ar yr ochr, ynghyd â jar fach dwt o jam mefus fel gwaed trwchus. Roedd meddwl am floneg yr offeiriad yn toddi fel cŵyr ar gannwyll yn rhywbeth i'w drysori.

Pleserai Mr Du ei hun gyda'r ddelwedd wrth iddo orffen ei goffi, gan sylweddoli ei fod wedi bod yn synfyfyrio ers o leiaf hanner awr. Tri deg tri munud i fod yn hollol gywir. Edrychodd ar ei wats eto, er mwyn gweld yr amser mewn gwahanol lefydd, oedd yn bwysig iddo. Gweithiwr rhyngwladol ydoedd, ar gael i'w gwsmeriaid drwy'r gwahanol parthau amser. Jakarta, lle roedd ei gariad achlysurol yn byw, ond doedd e ddim yn rhy awyddus i'w gweld hi am sbel, oherwydd gwyddai bod cynnal perthynas yn fan gwan yn ei amddiffynfa, y peth oedd yn ei gadw'n ddiogel, fel ynys bellennig ynghanol cefnfor. Roedd e wastad yn cadw golwg ar bethau yn Warsaw, wrth gwrs, oherwydd yn fan'na roedd ei gyflenwr arfau yn byw, dyn oedd yn medru cael gafael ar bron unrhyw beth, gan gynnwys dyfeisiadau diweddara Mossad, y CIA a'r KGB. Roedd yn amlwg bod gan Mr Du y cysylltiadau gorau, ac yn gwybod sut a phryd i ddanfon arian o'r Wcráin i gyfrifon banc cyfrin mewn llefydd megis Ynysoedd y Cayman. Yn hyn o beth roedd fel Trump a Guiliani, ond eu bod nhw'n bobl dwp a Mr Du yn gyfrwys fel cadno'r Arctig, yn fodlon teithio'n bell er mwyn sicrhau prae. Fel y plisman, Thomas Thomas.

Agorodd y ffeil, oedd yn rhyfeddol o drwchus o ystyried mai'r crwcs oedd yn casglu gwybodaeth am y cops ond eto roedd ei gyflogwyr presennol yn medru cael hyd i unrhyw beth. Roedd ganddyn nhw rywun ar y tu fewn ym mhob heddlu yn y byd bron.

Roedd popeth yno – ei gyfeiriad, manylion ei rota gwaith gan gynnwys yr wythnosau nesaf, a phecyn o ffotograffau da, clir, wedi eu tynnu gan lygad proffesiynol. Ar ben hynny roedd manylion am batrymau ei fywyd y tu allan i'r gwaith, ond doedd dim byd o werth yn fan'na. Byddai wedi bod yn hawdd petai'r boi yn dal i yfed, oherwydd roedd targed meddw wastad yn haws nag un sobor. Ond roedd ganddo hen ddigon i ddechrau ar y gwaith paratoi. Byddai angen job arno, ac roedd wedi gweld ambell beth yn barod. Fel arfer byddai ganddo gymwysterau perffaith i unrhyw swydd, ynghyd â geirda gan berson uchel ei barch, gan fod y person hynny, gan amlaf, wedi gorfod teipio'r geiriau tra'i fod dan fygythiad rhywun wnaeth ymddangos fel gwlith y bore, yn sefyll yno mewn stafell fyw gyda llun o'i bartner yn ei law, a gwên filain yn dawnsio ar ei wefusau tenau, tyn. Mae'n dechrau edrych ar-lein yn yr adran swyddi gan wybod y math o beth fyddai'n berffaith. Job technegol neu rywbeth cynnal a chadw. Archebodd eiriadur Cymraeg hefyd. Man a man a mwnci, fel y byddai'n dysgu ei ddweud maes o law.

27

Cinio gyda ditectif

Mae AMSER SWPER yn llawn tensiwn, ond nid yw hynny'n hollol annisgwyl. Nid cyd-weithwyr sy'n cwrdd nawr ond, yn hytrach un cop sy'n atebol i un arall a dyw Tom Tom ddim wedi yngan gair, cyn gymaint ag un gair am ddyrchafiad Emma, yn enwedig y gair 'Llongyfarchiadau'. Sy'n od, oherwydd nid yw hi'n credu byddai'n gwarafun iddi gael y swydd newydd a dyw hi erioed wedi gweld gymaint ag un sbarc o uchelgais yrfaol ynddo fe, fel y dreif sydd gan rai o'u cyd-weithwyr sy'n gwneud iddyn nhw fihafio fel bod pob dydd yn y gwaith yn gyfle pwysig, pwysig i gamu lan yr ysgol, a phob llwyddiant yn mynd â nhw'n agosach at fod yn Brif Gwnstabl. Dim ond un peth sydd i'w wneud – gafael yn dynn yn y danadl, gofyn yn blwmp ac yn blaen.

'Ti'n ocê am y job newydd dwi wedi'i dderbyn?'

'Job newydd? Ma gen ti job newydd?'

Mae Tom Tom yn edrych arni gyda llygaid dyn sy'n chwarae Roulette a byth yn colli gêm. Ond ni all gadw'r direidi rhag arllwys mas ac o fewn eiliadau mae'n piffian chwerthin cyn estyn i boced ei siaced ac yn tynnu amlen fach allan a'i chynnig i Emma, sy'n ei hagor ac yn gweld carden gyda geiriau mewn hen deip ar y blaen yn dweud, "Dear boss, of course I don't look busy. I did it right the first time…"

Mae'r pwl o chwerthin sy'n dilyn yn gwneud i'r ddau dagu a gorfod yfed dŵr. Ond daw'r tensiwn yn ei ôl yn gyflym oherwydd mae pwysau cynyddol ar Freeman a Tom Tom: mae cyfres o lofruddiaethau wastad yn denu sylw cyson y cyfryngau. Mae ganddynt yr un math o apêl ag sy'n denu cynulleidfaoedd ifainc i weld ffilmiau arswyd. Dau blisman wedi eu lladd, heb sôn am Daniels, sydd wedi diflannu heb yn wybod i neb, ar wahân i'r dyn wnaeth drefnu sgidiau a chot o goncrit iddo.

Mae hynny efallai'n esbonio'r fflyd o faniau lloeren sydd wedi eu parcio'n anghyfreithlon y tu allan i bencadlys newydd yr heddlu. Mae Tom Tom a Freeman yn bwyta yn y lle Twrcaidd newydd dros y ffordd oherwydd does dim cantîn yn y gwaith eto ac mae'n gyfle i feddwl am bethau eraill ar wahân i gyrff a *modi operandi* ac ati. Ond, wrth gwrs, y testun sgwrs yw gwaith, oherwydd mae Tom Tom yn edrych fel dyn dan straen. Mae newydd gael un achos ychwanegol yn glanio ar ei ddesg ac mae'n un peth yn ormod. Delio â Daniels, heb wybod ei fod yn rhan o bont newydd dros hewl newydd ar bwys Risga. Mae partner newydd Daniels, sef Bailey, yn gelain, ond ai Daniels sydd y tu ôl i hynny? Mae Tom Tom yn amau hyn yn fawr. Bydd yn gwastraffu tipyn o amser ar yr achos yma yn ddiangen, heb wybod bod yr Albaniaid wedi gwneud y gwaith drosto. Ond nid i'w helpu, o na. A nawr achos arall, newydd, fel yr esbonia wrth Freeman.

'Ti'n gwybod y boi sydd wedi bod yn benthyg arian i bobl yn ardal Trelái a Chaerau?'

'Paid dweud ein bod ni'n gorfod delio â *loan sharks* yn

ogystal â phopeth arall? Llofruddiaethau. Diflaniadau. Cyfraith a threfn dan warchae a nawr hyn?'

'Mae'r boi 'ma, Albert Bell, yn benthyg symiau bach o arian ond ar raddfa na all neb dalu'n ôl, hyd yn oed os y'n nhw'n byw tan eu bod yn gant a hanner mlwydd oed. Felly maen nhw wastad yn ddyledus i'r pric 'ma.'

'Ond dyw hyn yn ddim byd i neud â'n hadran ni. Rhywbeth i'r heddlu sorto mas yw e.'

'Na, aros eiliad. Mae'r boi 'ma yn *predator* go iawn ac os nad oes rhyw fam sengl yn medru'i dalu fe'n ôl mae'n gofyn iddi'i dalu fe yn y gwely. Ac os nad yw hi'n fodlon, wel, mae o leiaf dair menyw wedi cael eu treisio.'

'Ocê, dwi'n deall nawr!'

'Na, mae'n waeth na hynny. Mae un fenyw, Florence Asul, wedi mynd ar goll, a'i mab bach deunaw mis oed wedi ei adael yn y rŵm ffrynt heb y gwres ymlaen ac mae e mewn cyflwr gwael.'

'Ac mae 'na gysylltiad â'r dyn yma, dwi'n tybio? Mae angen gras. Y bobl greulon sy mas 'na. Oes mwy ohonyn nhw nag sydd ohonon ni, neu ai fi sy'n troi'n sinig? Ta p'un, ai fe, y creadur 'ma, y bwystfil yma sydd wedi ei chymryd hi?'

'Roedd ôl gwaed ar y soffa ac ar y carped.'

'Ac ma disgrifiad mas i bawb? A rhif y fan, dwi'n tybio ei fod yn gyrru fan? Paid dweud. Un fach wen yn llawn rhwd a'r *dashboard* yn llawn sbwriel.'

'Gawn ni hwn, paid poeni. Bydd e wedi cael ei ddal o fewn 48 awr, gan obeithio ei fod e wedi herwgipio'n fyw. Ond mae'n un peth yn ormod i ni, oherwydd mae'r Prif yn cael lot fawr o drwbwl ar y foment – ein bois ni'n cael eu lladd, y bil ar gyfer oriau ychwanegol ac er gwaethaf ein hymdrechion ni i gyd does dim byd yn tycio, dim golau ar ddiwedd y twnnel, os y'n ni'n edrych i lawr y twnnel iawn. Dwyt ti ddim pellach ymlaen yn achos Tomkins ac o ran dal y *chef*?'

Estynnodd Tom Tom at y gwydr gwin o'i flaen a thywallt mesur sylweddol o win mewn iddo, a syllodd Emma arno'n gegrwth. Cyn ei fod e'n codi'r gwydr i'w wefusau cofiodd nad oedd yn yfed erbyn hyn a gwnaeth stumiau fel petai'n cael blas sur o'i geg er mwyn llacio chydig ar y tensiwn.

'Wyt ti'n meddwl ein bod ni byth yn mynd i ddal y creadur 'ma?' gofynnodd Tom Tom.

'Y greadures ti'n feddwl?' Yfodd lond gwydraid o win mewn un. Nododd Tom Tom y symudiad, a'r awch yn y ffordd wnaeth hi yfed y Viognier. Yfed am yr effaith, nid y mwynhad. Wedi'r cwbl roedd Tom Tom yn medru adnabod yr arwyddion, y goleuadau coch.

Ond roedd Emma yn ddi-hid o'r olwg ofidus ar wyneb Tom. Dechreuodd restru ei ddamcaniaethau am y llofrudd, rhag ofn, fel yr esboniodd, iddo 'gael fy mwrw lawr gan fws.' Oedodd, cyn ychwanegu'r llinell i gloi: 'Bws wedi ei yrru'n unswydd o Albania.'

Gwyddai'r ddau fod cysgod wedi bod yn lledaenu dros eu bywydau ers herio'r Albaniaid ac ennill, ac y byddai gwaed yn berwi yn llythrennol yn eu pencadlysoedd yn y mynyddoedd, ac yn eu swyddfeydd ym mhrifddinasoedd y byd, gan wybod hefyd byddai angen bod yn fwy gwyliadwrus am y rhain nag unrhyw un. Cynigiwyd tîm gwarchod i'r ddau, ar gael bob awr o'r dydd, bob dydd o'r wythnos ond roedd y ddau wedi gwrthod, oherwydd byddai hynny'n gyfystyr â rhyw fath o gaethiwed. Ac roedd eu perthynas gariadus yn newydd ac roedd y ddau yn credu bod angen lle i weld beth fyddai'n digwydd, er gwaetha'r bygythiadau o bob cyfeiriad. Roedd gan Tom Tom ffydd lwyr yn Emma, yn ei gallu, ei greddf a'i dealltwriaeth o'r pethau sur, anhygoel ac annisgwyl oedd yn mynd drwy feddwl llofrudd. Ond roedd ganddi *stalker*, a honno'n llofrudd oedd wedi ceisio ei lladd mewn llecyn tywyll yn y goedwig.

'Mae hi'n ein hadnabod yn dda, a sgen i ddim syniad yn y byd o ble mae'r wybodaeth yna'n dod. Un noson yn ddiweddar ges i freuddwyd amdani a hi oedd fy ngefaill, ac roedd y ddwy ohonon ni'n sefyll ar lawr uchaf adeilad uchel, efallai'r Pearl Building oherwydd roedd hi'n bosib gweld y castell a'r canol dinesig. Roedd rhywbeth yn ei llygaid hi, cymysgedd od o gasineb a thrueni, tynerwch hyd yn oed ac wrth iddi gamu tuag ata i ro'n i'n ymddiried ynddi er gwaetha'r gyllell fawr yn ei llaw. Cleaver, Tom. Dyma ni'n symud wedyn i gegin fodern iawn yr olwg, ac roedd rhan ohona i'n gwybod bod hwn yn gliw arbennig, efallai ei fod e'n bictiwr o'r union gegin mae hi'n gweithio. Ac er mor ffôl ac mor hurt, ro'n i'n edrych o gwmpas y gegin yma ac yn chwilio am arwyddion fyddai'n help i mi adnabod y lle, fel petai'r math yma o fanylyn yn mynd i ymddangos mewn breuddwyd. Ond roedd hi'n dal i gamu tuag ata i, y gyllell yn hongian o'i llaw chwith ac roedd ei gwên hi fel rhywun o'r teulu sydd wedi bod i ffwrdd am yn hir iawn, ac ro'n i'n hapus i'w gweld hi. Dwi'n cofio'r teimlad hwnnw, fel dwi'n hapus i dy weld di, Tom, a doedd gen i ddim dymuniad yn y byd i osgoi'r gyllell os taw trywanu oedd ei bwriad, oherwydd ro'n i mor, mor hapus bod fy ngefaill yn fyw.'

'Wyt ti wedi mynd yn rhy agos i'r testun bellach? Wyt ti wedi croesi'r lein?'

'Mae'n wir mod i wedi bod yn ei hastudio hi am amser hir, neu o leia mae'n teimlo'n hir, ond dwi'n dal yn medru cael persbectif.'

'Ond breuddwydio amdani? Mae fel petai hi wedi symud i

mewn i dy fywyd, i dy ben. Fel petaet ti wedi rhoi allwedd y drws ffrynt iddi...'

'Beth? Ti'n genfigennus? Achos sdim 'da ti allwedd i'r drws ffrynt?'

Mae Emma yn sylweddoli, wrth iddi yngan y geiriau, ei bod hi wedi dweud rhywbeth sy'n ffantastig o ddwl, yn swreal bron, ac mae'n teimlo bod angen dweud rhywbeth sydyn i newid yr awyrgylch, lle mae'r llofrudd wedi ymuno â nhw rownd y bwrdd swper, bron.

'Ond ti sydd â'r allwedd i 'nghalon...'

Mae'r geiriau yma, er yn chwareus ac yn ddiffuant ar yr un pryd yn teimlo fel y geiriau anghywir, fel petai hi'n eu dweud nhw i gael gwared o'r awyrgylch rhyfedd, sy'n wir wrth gwrs, ac mae Tom Tom yn gwybod hynny. Ond mae'r cwrs cyntaf yn cyrraedd ac mae'n troi at hwnnw gydag awch, oherwydd nid yw wedi cael dim byd i fwyta ers y Scotch egg a phaced o greision amser cinio. Mae'r danteithion yn ddigon i newid pethau a chan nad yw'n ei hadnabod yn ddigon da i wybod beth mae'n hoffi bwyta mae elfen o astudio yn y ffordd mae'n edrych arni'n codi'r taramsalata gyda darn o fara pitta.

'Un o'r pethau gorau yn y byd, er dwi ddim yn siŵr os taw rhywbeth o Dwrci yw e, neu Groeg, dwi'n credu. Ond pa ots? Mae'n blasu'n ffab.'

'Ond dyw'r Twrciaid ddim yn dod ymlaen 'da'r Groegiaid odyn nhw?'

'Awn ni ddim i drafod gwleidyddiaeth ryngwladol nawr, na'r gwaith, tra'n bod ni'n bwyta. Wyt ti'n credu y gallwn ni beidio? Neu odyn ni mor gaeth i'n gwaith fel nad yw'n bosib i ni fynd allan fel dau oedolyn a thrafod, wel, bywyd?'

Mae'n bwyta'r cegaid olaf o daramasalata gydag awch artiffisial ac yn edrych i fyw llygaid Emma.

'Ry'n ni wedi bod drwy lot fawr, o ystyried ein bod ond wedi cwrdd naw mis yn ôl. Ond pwy fyddai'n meddwl y bydden ni fel hyn nawr? Gallai unrhyw un gerdded mewn, o'r gwaith...'

Mae'r ddau yn meddwl am Tomkins a Bailey, yn naturiol, ond yn dweud dim. Ysbrydion wrth y bwrdd.

'Stedi on. Ni'n ôl i'r gwaith eto.'

'Dim felly. Y testun yw ni. Yma. Nawr. A dwi'n hapus iawn i fod yma. Er gwaetha popeth sy'n mynd ymlaen.'

Mae symlrwydd y geiriau yn ormod i Emma bron. Teimla'n noeth yn emosiynol.

'Fi hefyd, Tom.'

Setla tawelwch rhyngddynt. Dyw Tom Tom ddim wedi arfer â sefyllfaoedd fel hyn. Mae'n medru delio â dynion drwg yn taflu eu hunain ato gyda chyllyll, a gweld corff ei fòs ar lawr, a phlisman ifanc wedi ei saethu'n farw mewn lei-bei, ond mae hyn yn tyff. Mae'n rhaid iddo fod yn driw iddo'i hun ac nid yw hynny'n hawdd pan mae wedi bod yn gwisgo masg y boi caled cyhyd. Mae e eisiau llefain. Yma. Nawr. O flaen Emma, dagrau o ryddhad. Neu efallai does dim masg, a taw boi caled yw e yn y bôn, er bod calon feddal ganddo, ac un sy'n medru brifo. Plis Dduw, gad i'r prif gwrs gyrraedd, meddylia.

Mae angen rhywbeth i ddisodli'r embaras, ond gan nad yw'n cael trafod y gwaith na gwleidyddiaeth ryngwladol nid yw'n hollol siŵr beth i'w drafod. Gallai fod yn fersiwn ifanc ohono'i hun, ar ei ddêt cyntaf, yn lletchwith ac yn gwisgo tei mawr llydan. Roedd yn ddeunaw ar y pryd, ond roedd Tom Tom wedi bod yn rhy swil i ofyn i ferch fynd mas gydag e ac roedd y sefyllfa yma nawr yn frawychus iddo oherwydd yr atgof am y dêt gyda Bella amser maith yn ôl. Teimlad tebyg oedd ganddo nawr.

'Beth am ddeg cwestiwn?' awgrymodd Emma.

'Beth?'

'Deg cwestiwn. Deg yr un. Cyfle i ddarganfod pethau newydd am ein gilydd. Reit, barod?'

'Yn hollol barod…'

'Hoff gerddor?'

'Ga i fand?'

'Ocê.'

'Y Doobie Brothers.'

'Pwy?'

'Onest?'

'Onest.'

'Tro ti. Yr un cwestiwn. Odyn ni'n cael gofyn yr un cwestiwn?'

'Rhywbeth clasurol. Sibelius. Ehangder Ffindir yn y miwsig.'

'Bwyd. Hoff fwyd?'

'Doner kebab. Gyda phupur gwyrdd ychwanegol. Bwyd iachus.'

'Eggs Benedict. Gydag eog.'

'Heb glywed am rheini.'

'Ti heb glywed am Eggs Benedict? Erioed, erioed?'

Erbyn hyn roedd Tom yn dechrau mwynhau'r gêm. Meddyliodd Emma am gwestiwn ychydig bach yn fwy diddorol.

'Cariad cyntaf?'

'Ti.'

'Terry,' atebodd hithau.

Rhewodd yr awyrgylch wrth i'r ddau feddwl am y plisman anffodus gafodd ei ddienyddio'n fyw ar-lein. Pan ofynnodd Tom Tom y cwestiwn, roedd yn disgwyl clywed am ryw ffling yn yr ysgol gynradd a chusan yn y parti Dolig gyda bachgen wyth mlwydd oed. Am idiot! Ond doedd Emma ddim am golli'r foment...

'Beth yw'r lle mwya diddorol i ti ymweld ag e?'

Oedodd Tom Tom am ychydig wrth iddo geisio meddwl am rywle egsotig ond ni allai feddwl am un, gan ei fod wedi bod yn deithiwr ceidwadol iawn. Ar amrant saethodd delwedd drwy ei feddwl o'r ddau ohonynt ar draethell bellennig lle roedd y tywod yn llachar wyn a choed cnau coco yn plygu'n gysgodol dros erchwyn y lagŵn.

'Es i Creta unwaith, gyda Thomsons Holidays. All inclusive. Dwi'n cofio bwyta octopws ar fwrdd cinio droedfeddi bant o donnau'r môr ac roedd yr awel yn gynnes fel, wel, peiriant sychu gwallt am ddeg o'r gloch y nos.'

'Anturiaethwr, felly.'

'Cheeky!'

Symudodd y ddau drwy wahanol gategorïau a'r atebion yn dechrau creu pictiwr o'r naill berson ar gyfer y llall, a'r ddau'n rhyfeddu braidd nad oedden nhw'n gwybod mwy am ei gilydd, a hwythau'n dditectifs wedi'r cwbl. Ond roedd Tom wedi byw cyhyd ar ei ben ei hun a doedd Emma ddim yn brofiadol iawn o ran dod i nabod rhywun, oherwydd ei chyn-ŵr oedd ei chariad cyntaf, ac roedd hynny'n gwneud i'w chlwyf aros ar agor yn hirach a rhedeg yn ddyfnach i mewn i'r cnawd emosiynol. Hoff aroglau. Lafant. Gwymon. Hoff fwyty. Casanovas oedd ei dewis hi. Balti Master oedd ateb Tom. Aderyn? Nico. Eryr aur. Erbyn hyn roedd y ddau wedi colli cownt ar y nifer o gwestiynau ac yn ffodus cyrhaeddodd y prif gwrs cyn bod un o'r ddau yn gorfod cyffesu nad oeddent yn medru cyfrif o un i ddeg yn iawn. Ond roedd storio'r ffeithiau yma'n anodd am fod y ddau'n gorfod storio cymaint o wybodaeth yn eu pennau'n barod. Oherwydd mae gan bob ditectif da gof a hanner. Cofiai Tom Tom bron pob wyneb a welodd, ac roedd yn medru eu ffeilio yn ôl dyddiad a lleoliad cystal ag unrhyw iPhone. Gallai Emma gofio rhifau, cyfeiriadau a thua wyth deg y cant o gynnwys pob adroddiad ac ambell ddarn air am air, fel robot, neu ddyfais artiffisial newydd ym myd cyfrifiadureg.

Blasai'r bwyd yn wych a byddai rhywun oedd yn craffu ar y ddau ohonynt yn credu taw dyma ddau gariad mewn perthynas hir, oedd yn gyfforddus ddigon i adael ambell sbelen o dawelwch setlo rhwng y geiriau. Ond roedd meddyliau'r ddau yn crwydro oherwydd nid oedd yr un o'r ddau yn medru darllen y sefyllfa'n ddigon da, gydag Emma'n amau, ychydig bach bach, na ddylai dau blisman oedd yn gweithio gyda'i gilydd rannu eu bywydau preifat.

'Felly, beth wyt ti'n mynd i neud am y boi casglu rhent 'te?'

'O, feddylia i am rywbeth, paid ti â phoeni. Wyt ti am gael coffi?'

'Byddai cael coffi 'nôl yn y fflat yn lyfli...'

'Ai gwahoddiad yw hwnna?'

'Os ti moyn.'

'Dwi moyn.'

Wrth i'r ddau gerdded allan o'r lle, ar ôl gadael tip hael i'r staff gweini hyfryd, cafodd Emma foment, dim ond un foment fach, pan ddechreuodd gredu bod hapusrwydd yn bosib yn y byd hynod greulon hwn.

*

Y bore canlynol gadawodd Tom Tom cyn brecwast gan esbonio fod ganddo rhywbeth i gasglu o'i gartref cyn mynd i'r gwaith. Ond, mewn gwirionedd, roedd yn mynd i'r cyfeiriad arall yn llwyr. Gwyddai am ffordd i ddelio â'r boi rhent heb ychwanegu gymaint ag un awr at fil cyflog yr heddlu. O-o.

Disgwyliai Marty amdano mewn caffi ger y ffordd osgoi oedd yn llawn dop o yrwyr lorïau, oedd yn amlwg yn hoff o'u colesterol, gyda phlatiau anferthol o frecwastau a mygiau enfawr o de, bron fel *steins* cwrw yr Oktoberfest yn yr Almaen. Oherwydd bod Tom wedi codi'n hwyrach na'r disgwyl, mewn fflat oedd yn dal yn anghyfarwydd iddo, roedd mor hwyr yn cyrraedd nes bod Marty ar ei ail frecwast, er byddai'r British Heart Foundation yn medru ymgyrchu yn erbyn yr holl galorïau a'r pyllau bach o saim. Taflodd Marty ddarn o bwdin gwaed sylweddol i lawr ei lwnc cyn codi i gyfarch Tom Tom drwy roi cwtsh iddo fel arth yn ceisio gwthio'r aer allan o ysgyfaint heliwr er mwyn iddo golli gafael ar ei wn.

'*Compadre*! Shwt mae'n siglo? Ddrwg gen i glywed am Tomkins a'r boi ifanc. Bloodbath at the House of Death ar y foment, on'd yw hi? Ti eisiau rhywbeth i fwyta? Mae'r Glamorgan Baguette yn anfarwol!'

'Greda i,' atebodd Tom Tom gan nodi bod y bara'n mesur mwy na throedfedd o hyd a'i fod yn orlawn o gynhwysion fyddai'n gwneud i figan dorri lawr i lefain. Bara lawr. Cocos. Selsig Morgannwg. Tomato. A hash browns – dyma oedd prif ddiléit y bobl oedd yn dod yma. Gwerthent ddwy fil o hashies bob wythnos, oedd yn wyrthiol o ystyried taw dim ond seddi ar gyfer dau ddeg dau o bobl oedd yn y lle. A dyma ble roedd Marty yn cael ei frecwast bedair gwaith yr wythnos, oedd bron yn sicrhau lle iddo ar y ward Coronary Care mewn rhai blynyddoedd.

'Mae gen i ffafr i ofyn.'

'Rywbeth bach tawel, cyfrinach rhyngot ti a fi? Dwi'n hoffi'r rheini. Ma nhw wastad yn fwy diddorol.'

'Ie, all neb wbod, ond pan glywi di beth dwi am ofyn, ac am bwy dwi'n sôn, byddi di'n credu bod hwn yn job gwerth ei gymryd.'

'Hit me with it.'

Esboniodd Tom Tom am y boi benthyg arian, gan roi un darn o bapur iddo oedd yn cynnwys popeth angenrheidiol – ei enw llawn, ei gyfeiriad, rhif y fan ac amlinelliad bras o batrwm casglu'r dyn. Canolbwyntiai ar Drelái bob dydd Llun, yna symud ymlaen i'r Sblot ac Adamsdown ar ddydd Mawrth, diwrnod o yfed solet ar ddydd Mercher (ac roedd Tom Tom wedi sgrifennu rhestr fer o hoff lefydd y dyn) ac yna allan i ddwyrain y ddinas ar ddydd Iau a dydd Gwener. Casglwyd yr holl wybodaeth yma gan blismyn cymorth, oedd wedi mwynhau chwarae ditectif, a thipyn o wybodaeth ychwanegol wedi dod i law am arferion mochaidd, treisgar y dyn. Wrth i Tom Tom ailadrodd rhai ohonynt gallai weld wyneb Marty yn troi'n biws, oedd byth yn arwydd da, y llosgfynydd o dymer wyllt yn cronni ac yn bygwth ffrwydro yr eiliad y gwelai'r dyn creulon, parasitig hwn.

'Beth ti am wneud ag e?' gofynnodd Marty, mewn llais oedd yn awgrymu ei fod yn gofyn am ddim byd mwy na phrynu bocs o Quality Street yn y Co-op lawr yr hewl.

'Dwi am wneud yn siŵr ei fod yn stopio gweithio.'

Edrychai Marty fel dyn oedd newydd ennill yr Euromillions Lottery. Os oedd un peth oedd yn rhoi pleser pur iddo, curo dyn drwg yn ddidrugaredd oedd hwnnw.

'Shwt mae pethau gyda ti a Freeman? Still an item?'

Rhyfeddai Tom Tom at allu Marty i ofyn cwestiwn plaen ar yr union foment pan nad oeddech yn ei ddisgwyl. O gwbl. Ond dyna sut roedd Marty yn cadw allan o drwbl, drwy symud yn gyflym a mynd yn syth at y broblem. Cofiodd Tom Tom y tro pan aeth Marty i groesholi pedoffeil a'i hongian gerfydd ei goesau dros barapet pont. Fel yr esboniodd:

'Dim ond rhoi gwersi nofio i'r bastad o'n i.'

'Ond aeth e ddim i'r dŵr.'

'Digon gwir, ond os bydde fe wedi cyrraedd yr afon bydde fe wedi dysgu nofio'n gloi. Neu ddim. Pwy a ŵyr? Y peth sy'n bwysig yw ei fod e wedi cyffesu popeth wrth hongian wyneb i waered, a bod hynny wedi bod o iws i ti.'

'Ti wastad yn ddefnyddiol iawn. Bob tro dwi'n gofyn i ti wneud rhywbeth mae'n saff o gael ei wneud. Ond siarad am gariadon, shwt mae pethau gyda, sori, beth yw ei henw hi, Cheyenne?'

'O, ma hi wedi mynd. Hithau mas, Maxine mewn. A'th hi off gyda personal trainer oedd yn fysls i gyd, rhyw grwtyn ifanc gyda *fake tan* o'dd yn neud iddo fe edrych fel hen ford mahogani. Ma Maxine yn fy mywyd i nawr.'

'Shwt o't ti'n gwbod am y tan oedd gydag e, Marty?'

'Es i gael gair...'

'O-o.'

'Dim ond gair bach tawel yn awgrymu ei fod e a hi'n symud o Gymru, mynd i rywle yn bell bell bant, lle gallai'r ddau fod yn hapus iawn.'

'Wel, 'na garedig. O'dd e bownd o fod yn hapus nad oeddet ti wedi ei sbaddu fe.'

'Wel...'

'Wel, beth? Odw i'n iawn i gredu nad wyt ti'n rhoi'r stori'n llawn?'

'Pan ges i'r *chat*, roedd e yn y gwely gyda Cheyenne...'

'Roedd hi yno. Yn borcyn. Yn y gwely nesa ato fe?'

'Ac roedd e'n noeth 'fyd. Fel babi.'

'Ac...'

'Wel... roedd gen i ei ddwy bêl yn fy nwylo wrth mod i'n dymuno'n dda iddo, ac o'n i wedi dechrau gwasgu gyda pob brawddeg ac roedd e, gwd boi, yn dechrau meddwl na fyddai byth yn gallu cael plant. O, yr ofn oedd yn ei lygaid e!'

'Ma hynna jyst y ffordd rwyt ti'n gweithredu.'

'Ti'n cwyno?'

'Jyst dweud. Ocê, gwranda, mae'n rhaid imi fynd. Ma pethau yn y gwaith fel saith math o shit storm yn cyrraedd gyda'i gilydd. Felly os alli di sorto hwn mas bydda i'n ddiolchgar iti tan Ddydd y Farn. Ond plis, paid niweidio fe, neu ddim yn ormodol. Dim ond rhoi rhybudd sydd eisiau, a sicrhau bod dyledion pawb wedi eu canslo unwaith ac am byth. *Capice?*'

'*Capice.* Deall yn iawn, Tom Tom. Hapus i helpu. Ma dyn ffaelu help sylwi bod yr heddlu ar dop y newyddion bob nos ar y foment. Diawl, ma lot yn mynd ymlaen. Allen i byth neud dy job di. Sgen i ddim y ddisgyblaeth, na'r tact, na'r goddeg-beth ti'n galw fe?'

'Goddefgarwch. Sdim ots am hwnna. Ma gen ti galon fawr a sdim ofn unrhyw beth nac unrhyw un arnat ti, dim hyd yn oed yr Albaniaid.'

Wrth i Tom Tom gerdded i ffwrdd edrychodd Marty arno fel byddai ffrind gorau yn ei wneud.

28

Dim mwy o rent

Mae'r casglwr rhent, Albert Bell, yn codi y bore hwnnw heb syniad faint o boen sydd ar y ffordd, faint o gachu sydd yn dod i lawr y biben, sut mae ei ddiwedd yn dod cyn sicred â phechod. Fel y byddai'n gwneud bob dydd Gwener mae'n galw yn y Black and White Café, sydd ar ei newydd wedd, ac yn archebu digon o fraster a cholesterol i godi ofn ar gardiolegydd. Prin bod yr un cwsmer yn y caffi'n medru gorffen un o'r Mega Building Block Brekkies ond mae'r dyn yma'n medru hwfro un cyfan mewn chwinc, ac yfed dau depotaid o de wrth wneud. Hwn fyddai'r pryd bwyd olaf iddo fwyta gyda llond ceg o ddannedd, ond nid dyna'r peth gwaethaf oedd ar y ffordd iddo, meddyliodd Marty, oedd yn eistedd mewn bwth gyferbyn â'r casglwr rhent. Syllai arno fel y byddai bwncath yn astudio cwningen, yn disgwyl am yr eiliad iawn i blymio a suddo ei grafangau yn ddwfn i'r cnawd cyn torri'r gynffon wen, dwt i ffwrdd gyda min ei big.

Nid yw'r dyn yn gweld Marty'n ei ddilyn oherwydd mae Marty'n hen law ar y gêm yma, yn gadael iddo fynd yn eithaf pell o'i flaen cyn dal i fyny eto. Mae ei wybodaeth drylwyr o'r ddinas yn help iddo wrth i'r dyn gychwyn am Heol Penarth, cyn troi ar Sloper Road. Cadwa Marty yn y pellter, bump car rhyngddo a'r targed. Nid bod y pwr dab yn gwybod ei fod yn darged wrth iddo droi am ganol Treganna ac yna droi i'r chwith i gyfeiriad Parc Fictoria a Threlái. Mae gan Marty bêl sboncen ar y sêt wrth ei ymyl ac mae'n ei chodi a'i gwasgu gyda'i law chwith er mwyn ymlacio ychydig a hefyd ymgryfhau'r cyhyrau yn y bysedd dorrodd wrth falu wyneb Kevin Hood fel job o waith i ennill dau gan punt yn ddiweddar. Roedd Hood, gwerthwr cyffuriau milain, wedi bod yn teyrnasu dros ardal Adamsdown ers misoedd. Roedd yn ddyn treisgar oedd yn hidio dim am ymosod ar ei wraig a'i deulu, heb sôn am gymdogion oedd yn ei wrthwynebu wrth iddo werthu cyffuriau yng ngolau dydd, heb ofni'r heddlu yn ei ddal.

Dyma ddyn oedd yn gwbl ddi-hid o gonfensiynau cymdeithas, oherwydd fe oedd yn rheoli, fe oedd y rheol, ac os na ddilynai pobl ei reolau, gwae arnyn nhw. Teimlai pawb yn yr ardal yn anobeithiol nes iddyn nhw feddwl am Marty, oherwydd roedd rhywun wedi adrodd y chwedl amdano'n delio â'r Hoods pan oedden nhw'n teyrnasu ar eu patsh i lawr yn y Badlands. Roedd Marty wedi cyrraedd ar ei ben ei hun a sortio'r anhyfryd Mr Hood mewn un sesiwn hir o ymladd gyda phob math o arfau nes bod Kev ar ei bengliniau yn llefain fel babi ac yn ymbil am faddeuant ac yn addo byddai'n troi'n fynach. Troi'n fynach! Kev Hood? Sgersli bilîf. Ond dyna ddigwyddodd ar ôl i Marty ei drywanu gyda bat pêl fas, twba sbwriel, darn o bren yn llawn hoelion deg modfedd, a chwip a edrychai'n union fel yr un a ddefnyddiai Harrison Ford yn ffilmiau Indiana Jones. Chwip o chwip.

Meddyliodd Marty am y grasfa roddodd i Kev Hood wrth i'r dyn rhent Albert Bell droi i mewn i Lidl, a phenderfynodd nid yn unig ei ddilyn i mewn i'r maes parcio ond hefyd i'r siop i weld beth roedd e'n mynd i brynu i'w Swper Olaf. Ond prynodd fag mawr o goed tân a llwyth o fwyd ci ar sêl, felly prynodd Marty law o fananas a litr o sudd tomato, a'i ddilyn allan o'r siop yn hamddenol, gan bilio un fanana ar ôl y llall a glygio cynnwys y bocs sudd fel dyn newydd agor potel o ddŵr yn y Sahara.

Wrth i'r car o'i flaen droi tuag at Grand Avenue yn Nhrelái dyma Marty yn edrych ar y nodiadau ar ddarn o bapur gan geisio proffwydo ble roedd y bastad yn mynd fel y gallai fynd o'i flaen, a bod yn y lle iawn yn barod amdano. Gwelodd fod un o'i gwsmeriaid yn byw ar yr hewl hir a arweiniai i Bentre-Baen a gallai Marty ddarogan ei fod yn mynd i ddechrau yno.

Mam sengl oedd yn byw yno, wedi cymryd benthyciad bach oddi wrtho, a nawr yn gorfod talu'r arian yn ôl yn y gwely bob yn ail fore Llun, gyda dim posibilrwydd o gael gwared ar y ddyled nes bod y ffycwit yn colli diddordeb. Corddai gwaed Marty yn barod, gan addo na fyddai'r fenyw'n gorfod ateb y drws a dioddef fyth eto. Gwyddai Marty hefyd y byddai'n rhaid iddo wneud yn siŵr ei fod yn cadw'i hun dan reolaeth oherwydd roedd hyn yn job golau dydd, yng ngŵydd pawb. Er roedd yr un mor siŵr y byddai'r cymdogion yn rhoi ochenaid o ryddhad, ac yn cadw'n dawel, oherwydd roedd y boi yma yn ei fan gyda'r cŵn yn hunllef cymunedol.

Ond heddiw mae'r duwiau yn teimlo'n garedig, am gael hoe o chwarae eu gemau sy'n drysu'r ddynoliaeth. Mae'r dyn yn stopio wrth y siop gornel i nôl sigaréts a Durex ac yn parcio'r fan heb gloi'r drws, sy'n tanio syniad ym meddwl Marty, sy'n tynnu lan ar ochr arall yr hewl, brasgamu draw at y fan a gweld yr allweddi. Nid yw'n cymryd mwy na deg eiliad iddo fynd i mewn i'r fan a gyrru i ffwrdd, ond nid yw'n dwyn y fan wrth gwrs: mae ganddo job i'w wneud ac mae'r dyn rhent wedi rhoi help annisgwyl iddo. Mae Marty'n gyrru'r fan wen i dop y tyle ac yn troi rownd drwy 180 ongl ac yna'n cyflymu, a chyflymu, gan geisio cyrraedd y siop ar yr amser cywir. Byddai'r ffŵl yn camu allan i'r stryd gan weiddi, neu hyd yn oed yn ceisio stopio ei fan ond byddai'r fan yn mynd yn ddigon cyflym i'w daro ag ergyd debyg i un o'r peli metal anferthol sy'n dymchwel adeiladau concrit.

Ac mae popeth yn digwydd megis mewn breuddwyd. Mae Marty yn llwyddo i fynd drwy bedwar gêr a chodi cyflymder da mewn llai na thri chan llath, a'r ynfytyn yn fodlon taflu ei gorff blonegog i ganol y ffordd i stopio'r lleidr rhag dwyn ei fan a'i gŵn, a'r rheini yn udo fel jacals. Mae rhuo'r injan yn cystadlu gyda'r sŵn gwyllt, sy'n dod i ben wrth i'r anifeiliaid slamio i mewn i gefn y fan wrth i'r fan daro'u meistr, sy'n hedfan drwy'r awyr fel cymeriadau mewn ffilm megis *Avengers: the Age of Ultron*. Mae Marty's Driving School from Hell newydd roi hyrddiad iddo mor bell â'r hewl nesaf, a'r uffern agosaf heb agor drws na chynnig gwahoddiad iddo. Erbyn hyn mae pobl allan ar y stryd.

Bellach mae Marty wedi troi i lawr stryd arall yn hamddenol ac yn cylchu'n ôl ar gyflymder o ugain milltir yr awr i ble gall adael y fan a'r cŵn anymwybodol sy'n gorwedd yn y cefn. Mae'n cerdded tuag at y siop lle mae dyn Indiaidd yn ffonio am ambiwlans ac yn rhoi cyfeiriad y siop wrth i Marty groesi'r ffordd yn ddigyffro, yna'n eistedd yn ei gar ei hun a gyrru bant, eto ar gyflymder o ugain milltir yr awr. Byddai'n ddwl i gael ei stopio gan yr heddlu am oryrru, ac yntau wedi gwneud job cystal i'w helpu. Y bastad wedi torri ei goesau, ei fraich, sawl asen, a chael bwmp ar ei ben a fyddai'n ei adael yn gabaetsen. Nid dyna oedd Tom Tom wedi dymuno, ond roedd cyfle euraidd wedi codi ei ben, ac roedd Marty wedi cymryd y cyfle hwnnw, gan roi'r dyn yn yr Uned Gofal Arbennig am fis ac yna ysbyty arbenigol Stoke Mandeville am flwyddyn. Bore da o waith, er na fyddai'n dweud gair wrth Tom Tom, hyd yn oed petai'n holi a holi. Wedi'r cwbl, beth oedd ffrind ond rhywun a allai ysgwyddo baich cydwybod fel hyn? Cadw cyfrinach hyd at y bedd.

Gyrrodd dros bont Trelái ar ei ffordd i Pettigrews i brynu rôl sosej sy'n costio crocbris ond yn llwyr werth yr arian. Trodd y peiriant CD ymlaen gan flastio hen glasur ar lefel digon uchel i achosi tinnitus. Gyda *Bat Out of Hell* yn taranu yn ei glustiau gyrrodd yn ddi-hid ar hyd y lôn fysiau, gan ei fod yn ddigon pell i ffwrdd o'r "ddamwain" bellach, ond hefyd oherwydd ei fod yn gwybod nad oedd camerâu ar y darn yma o hewl. Ambell waith roedd yn handi iawn i gael ffrind da oedd yn blisman.

Wrth iddo yrru tuag adref mae Marty yn gwrando ar donfedd yr heddlu sy'n brysur iawn oherwydd mae nifer o bobl wedi bod yn cymryd sbeis yng nghanol y dre ac yn ddiymadferth ar y stryd. Mae Marty yn hen law ar wrando, ac yn deall y ffordd mae'r cops yn trosglwyddo gwybodaeth i'w gilydd. Mae'n meddwl efallai y gallai fod wedi bod yn aelod o'r heddlu, oni bai am y ffaith nad yw'n medru dilyn unrhyw reolau ond ei reolau ef ei hun. Maferic fuodd e erioed.

Daw neges gan Maxine, sy'n gofyn a yw'n rhydd i fynd am ddrinc. Oherwydd ei fod yn gyrru mae'n defnyddio un llaw i anfon y rhif wyth fel ateb. Mae hi'n gwybod ble fydd y man cwrdd, maen nhw wastad yn cwrdd yn y City Arms, oherwydd dyna ble wnaethon nhw gwrdd am y tro cyntaf, ar ôl i Marty ei dal hi'n dwyn o siop. Mae hi'n dal i wneud hynny, ond nawr mae'n dwyn am yr her, yr adrenalin, fel dwyn o gownter persawr lle mae rhywun yn sefyll reit o'i blaen, ac ambell dro mae hi'n mynd gam ymhellach sef dwyn rhywbeth ac yna ei roi'n ôl ddeng munud yn hwyrach. Dau gyfle i gael hit glân o adrenalin, ond dau gyfle i gael ei dal, oedd yn gyfystyr mewn ffordd, oherwydd roedd yr adrenalin yn dod o'r risg a'r weithred. Credai ei bod hi mewn cariad ag ofn, oedd yn esbonio pam ei bod yn mwynhau bod yng nghwmni Marty. Roedd e'n ddyn peryglus ar y naw. Pwy a ŵyr beth oedd e wedi bod yn gwneud y bore hwnnw. Wastad *up to no good*, fel y byddai yntau ei hun yn cydnabod. Roedd mynd am ddrinc, neu wyth, yn ei gwmni wastad yn gorffen mewn strach neu agro neu ddrama o ryw fath. Fyddai'r sesh heddiw ddim gwahanol. Heb yn wybod iddi roedd gwythiennau Marty yn cario llwyth enfawr o hormonau ar ôl digwyddiadau'r bore. Torri rheolau oedd yn mynd â'i fryd. Ac roedd e ar ei ffordd. Ac roedd e'n dwli, dwli, dwli mynd am seshys yfed gyda Max.

29

Ble i guddio bwa croes

OFEWN DEUDDYDD i ddechrau ei swydd newydd roedd Mr Du bron wedi anghofio ei enw'i hun, oherwydd creodd bersona newydd iddo'i hun fel Dabo De Lacey o 53, Talbot Street, Pontcanna. Doedd neb bron yn siarad â'r gweithiwr newydd, mewn gwirionedd, dim ond ei fòs yng Nghanolfan y Mileniwm, a fyddai'n nodi rhestr o jobs iddo'u gwneud yn y bore mewn brawddegau oer, cwta. Ar wahân i hynny mae'n gweithio ar ei liwt ei hun, gan fynd drwy'r tasgau yn ddyfal drwy gydol y dydd ac yna, y bore canlynol, mae'n rhoi'r rhestr yn ôl, gan esbonio pam nad oedd rhyw dasg benodol wedi'i chyflawni. Mae'r bòs yn sgrifennu'r rhain mewn llyfr trwchus sy'n edrych fel cofnod mewn tribiwnlys. Yn raddol mae pawb yn dod i adnabod Dabo ac mae'n medru cerdded ar hyd y lle bron fel petai'n anweladwy, er ei fod yntau, yn ei dro, yn gweld popeth, yn nodi popeth, yn enwedig pan mae'n gweithio y tu ôl i'r llwyfan. Mae'n edrych am rywle i guddio bwa croes, rhywle ymhlith y cannoedd o oleuadau llwyfan. Roedd ganddo gynllun gwallgo gyda'r gorau.

Mae'n talu sylw manwl i'r drysau diogelwch a'r gwahanol ffyrdd mae rhywun yn medru ynysu'r llwyfan o weddill yr adeilad. Cyn hir mae'n gwybod y drefn y byddai'n rhaid ei dilyn er mwyn gwneud yn siŵr bod ei gynllun yn gweithio. Mae'n nodi sut mae'r camerâu yn gweithio, nid er mwyn eu hosgoi nhw ond yn hytrach i sicrhau bod yno fodd iddo ddarlledu, neu o leiaf ganiatáu i bobl eraill weld beth sydd yn mynd ymlaen ar brif lwyfan Theatr Donald Gordon, o flaen dwy fil o seddi. Roedd Dabo, Mr Du, yn cynllunio'r sioe fwyaf dramatig yn hanes y ganolfan. O, gallai werthu tocynnau rif y gwlith ar gyfer y perfformiad anhygoel mae'n ei drefnu! Bydd yr Albaniaid wrth eu boddau, oherwydd bydd hyn yn cadarnhau eu bod nhw'n medru gwneud *unrhyw beth*, a bod yr heddlu wnaeth lwyddo i atal llwythau pwysig o gyffuriau yn mynd i ddifaru'u henaid yn y pen draw. Fe oedd yr un i anfon y signal allan i bawb. Fe oedd y signalwr. A'r asasin. Am swyddi braf, hamddenol, meddyliodd wrth fopio llawr y coridor y tu allan i Ystafell Ymarfer Rhif Tri. Mopio nes bod sglein fel drych ar yr arwynebedd. Gallai weld ei adlewyrchiad, y dyn bach di-nod oedd ar fin troi'n un o wynebau mwyaf cyfarwydd y blaned gyfan. Gan amlaf roedd e'n cadw i'r cysgodion, ond yr hyn oedd yn athrylithgar am y cynllun hwn oedd fod pawb yn edrych, a'i fod e am i bobl nabod ei wyneb, ei fod e eisiau sylw am unwaith. Am y tro cyntaf yn ei fywyd proffesiynol roedd e am gael y clod, a phlesio ei gwsmeriaid yn Albania, oherwydd roedd llofruddio dyn o flaen miliynau o bobl yn tanlinellu taw fe oedd yr asasin mwyaf enwog yn y byd. Ac i fod yn enwog byddai angen i bobl wybod ei enw. Roedd mor syml â hynny. Mr Du.

Wrth i'r cynllunwyr set baratoi ar gyfer yr ymarfer gwisgoedd mae Mr Du yn dringo'r sgaffaldiau uwch eu pennau ac yn gosod yr offer yn eu lle. Er fod rhywun yn nodi ei bresenoldeb mae nifer fawr yn gweithio ar gynhyrchiad fel hwn, a nifer o'r rheini yn weithwyr dros dro, yn gwenyna ymhob twll a chornel o'r theatr oherwydd mae'r opera yma, yr un fwyaf tywyll gan Tchaikovsky, yn enfawr gyda chast a chorws niferus. Mater hawdd oedd i un dyn osod arf ynghanol nyth o oleuadau. Cyn dringo i lawr mae Mr Du yn gwneud yn siŵr fod y bwa croes yn cyfeirio i'r lle cywir ac yn gosod y saeth yn ei le.

O fewn dim amser bydd y maestro yn tanio llinynnau'r gerddorfa i ganu grwndi fel injan Rolls Royce. Car drudfawr yw sŵn y gerddorfa dan faton y maestro, sydd yn arbenigwr ar Tchaikovsky ac sydd, ar y foment yma, yn yfed sipiau bach o fodca o fflasg fach i dawelu ei nerfau. Nid yw'n alcoholig, ond mae alcohol yn rhan o'i fywyd a'i batrwm gwaith. Fel Schubert. Neu Brahms. Neu Lizst.

30

Hela

Mae gweithio oriau hir iawn yn help iddi wrth ddewis ei phrae, oherwydd dyw cogydd ifanc, neu rywun sy'n gweithio fel porthor yn y gegin, ac sydd wedi blino'n shwps, ddim yn meddwl yn glir. Hawdd dal prae dryslyd: gallai hynny fod yn foto iddi, a'i wisgo ar grys-T. 'Daliwch brae dryslyd.' Ond byddai hynny'n denu sylw a dyna'r peth olaf roedd hi'n chwennych. Ond cogyddion ifanc blinedig: o, roedd ganddi flas am y rheini! Sdim rhyfedd bod cynifer ohonyn nhw'n cymryd cyffuriau i'w helpu – hits bach o sbid cyn pilo tato, a chocên yn rhemp, bron mor gyffredin â blawd mewn *pâtisserie*. Ac mae hyn yn ei helpu hi oherwydd mae rhywun sydd wedi blino a hanner ffordd i fod off ei ben yn darged hawdd.

Cymryd ei hamser, dyna'r gyfrinach. Cyfarfu â Ben Sedge dair wythnos yn ôl, boi ffeind ar y naw oedd yn ceisio penderfynu a oedd am fynd i astudio'r gyfraith neu ddilyn ei reddf ac astudio i fod yn *chef*. Meddai ar y doniau ar gyfer y ddau – meddwl chwim, siarp fel raser, a'r gallu i ddyfeisio blasau newydd gan gyfuno cynhwysion cwbl annisgwyl, fel y stêc mewn saws licris wnaeth e baratoi yn ystod ei gyfweliad am swydd fel *sous chef* iddi. Edrychai'r saws fel triog ond roedd y blas yn gyfuniad hudolus o'r melys a'r siarp ac ni allai gofio ei weld yn ychwanegu cwrens duon ond roedd eu blas yn ddelicet, ond yna cofiodd ei fod wedi arllwys rhyw hylif allan o botel fach, gan dybio taw rhywbeth fel gwirod Cassis oedd hwnnw. Gallai weld y golau yn ei lygaid wrth iddo dorri'r llysiau a sicrhau bod tymheredd y ffwrn yn berffaith, ac roedd yn symud o gwmpas fel petai wedi gweithio yno ers degawd, yn gwybod ble roedd popeth ac yn symud bron yn robotaidd drwy rai o'r symudiadau a'r paratoadau mwyaf sylfaenol, oedd yn awgrymu ei fod yn cadw lle yn ei ben ar gyfer dyfeisgarwch a dychymyg.

Un noson, a Ben wedi hen setlo i rythm a gofynion diddiwedd y gegin, dyma nhw'n sylweddoli taw nhw oedd yr unig rai yn y lle, er ei bod hi'n gwybod yn iawn fod hyn yn mynd i ddigwydd. Hi oedd wedi trefnu'r rota er mwyn iddi gael amser ar ei phen ei hun gyda Ben. Roedd angen iddi glosio ato, ei rwydo. Cafodd y teimlad fwy nag unwaith ei fod yn ei llygadu, yn diosg ei dillad yn ei ben, ac nid oedd hynny'n annisgwyl oherwydd roedd hi'n olygus, yn siapus ac roedd enwogrwydd yn affrodisiac pwerus.

Arllwysodd ddau goffi du a dau lasied o frandi da, y math oedd yn gwerthu yn y bwyty am £50 y siot. Hwn oedd ei ffefryn, ei hoff beth ar ddiwedd diwrnod o lafur hir. Gonzalez Byass Lepanto Solera Gran Reserva. Un o ogoneddau Sbaen, gyda lliw'r haul yn machlud rhwng canghennau coed olewydd a gwastadeddau sych yn yr hylif melynfrown. Cofiai sut roedd ei diweddar ŵr yn hoffi'r brandi hynod hwn, ac roedd yn cofio blas a sawr ei wefusau gyda phob sip. Piti ei bod hi wedi gorfod ei ladd, a hynny am ddim rheswm mwy na mympwy, y teimlad ei bod hi am ddiwallu angen y tu fewn iddi oedd mor fawr â phydew, a'r pydew hwnnw'n llawn o rywbeth oer ac yn ddigon asidig i losgi ei chydwybod a'i henaid.

Teimlai'n llwglyd, rhyw angen sydd yn gwneud i rywun

sy'n dioddef o anemia ysu am gig ffres, darn o afu efallai, ond bod hi'n ysu am afu dynol ffres, a'i goginio'n syml, heb fawr fwy o addurn ar y plât na sbrigyn o ferw dŵr.

'Sut wyt ti'n setlo?' gofynnodd i Ben wrth arllwys mesur a thri chwarter o frandi mewn i wydr perffaith.

'Bril,' atebodd y gŵr ifanc, gan godi'r gwydr i'w drwyn a sawru oedran, a chasgenni sieri a thinc siarp yr alcohol ar ei system arogleuol.

'Mae'n lle ffab i weithio a dwi wedi dysgu llawer ers dechrau.'

'Fyddet ti eisiau mwy o addysg, mwy o ofal un-i-un? Ychydig o addysg...' gofynnodd Christine gan lyfu ei gwefusau'n theatrig o awgrymog.

Nid oedd y crwt yn gwybod pa ffordd i edrych er ei fod yn teimlo bod hon yn foment dyngedfennol yn ei yrfa. Dyheai am gael ei le bwyta ei hun rhyw ddydd a byddai gwneud hynny dan *imprimatur* a gofal *chef* mor enwog â Christine Vaizey gymaint â hynny'n haws. Gallai ei henw yn unig ar CV fod fel agor drws neu sicrhad o fenthyciad banc. Wrth iddo deimlo ei fysedd yn cyffwrdd â chefn ei law yn dyner gallai weld ei enw lan ar le bwyta rhywle gydag arian newydd – Margate efallai.

Ac roedd hi'n gwybod sut i chwarae hyn, o oedd, y gêm yma oedd yn gorffen gyda marwolaeth. Doedd gan y boi druan ddim syniad fod hon yn gêm beryglus iawn, iawn, iawn, ac yntau'n meddwl ei fod ar y ffordd i'r gwely, neu o leiaf yn disgwyl rhyw ar ôl y brandi drud. Gallai ddechrau cyfrif curiadau ei galon, y rhifau'n mynd i lawr fel cloc tywod. Tic. Tic. Tic. Cyflymai ei chalon hi oherwydd pŵer y wybodaeth bod amser yn prinhau i'r dyn ifanc yma gyda gwallt melyn a'i lygaid glas dwfn, eiddgar.

'Pa fath o addysg?' gofynnodd Ben, gyda *double entendre*

amlwg yng ngoslef ei lais. Gwyddai'r boi ifanc yma sut i chwarae'r gêm, chwarae teg, meddyliodd Christine wrth arllwys mesur sylweddol arall yr un.

'Gwersi un-i-un. Meistrwers neu efallai feistres wers.' Tanlinellodd y gair 'meistres' yn chwareus erotig.

Aeth ymlaen i ofyn, 'Oes 'na rywbeth i fwyta?' gan wneud i'r ddau ohonyn nhw chwerthin. Roedd o leiaf ddeg *crême brulée* yn yr oergell, ynghyd â dwsin o wystrys ffres byddai'n rhaid i rywun eu bwyta. Rhain oedd rhai o'r pethau anoddaf i'w storio, oherwydd ambell noson byddai llond aber ohonyn nhw'n diflannu lawr llwnc y cwsmeriaid a bryd arall prin y byddai'n gwerthu un a doedden nhw ddim y math o bethau i'w storio y tu hwnt i un noson yn unig.

'Sut wnest ti hyn i gyd?' gofynnodd Ben, gan chwifio'i fraich o gwmpas y stafell.

'Ti eisiau'r cyfrinachau i gyd, wyt ti? Eisiau'r tocyn aur sy'n werth y byd?'

Yfodd ddracht helaeth o'r brandi, gan ddechrau mwynhau'r ddawns eiriol, y ffordd roedd y dyn yma'n ymateb. Gallai weld ei anadlu'n cyflymu drwy'r ffordd roedd ei afal breuant yn codi ac yn disgyn yn y V yng ngholer ei grys. Sgleiniai meicroddiferion o chwys ar ei dalcen hefyd, arwyddion bod pethau'n poethi mewn mwy nag un ystyr.

'Ble ddysgaist ti i goginio yn y lle cyntaf?'

'Mam. Roedd hi'n hoff iawn o gwcan ac ro'n i'n hoff iawn o hela pan o'n i yn fy arddegau. O'n i'n saethu'r sguthanod ac roedd hi'n gwneud y peis.'

Teimlodd Christine ryw switsh yn mynd mlaen yng nghrombil ei bod. Hela. Dyna oedd un o'i hoff eiriau yn y byd. Ei hoff weithred hefyd. Nid y dal, na'r saethu, na'r trapio, na hyd yn oed y lladd, ond yn hytrach y deall, y ffordd roedd angen i rywun feddwl fel y prae, fel y targed. Fel roedd hi'n gwneud nawr wrth iddo astudio Ben, fel y mongŵs yn astudio'r cobra, i weld pa ffordd roedd ei phen a'r ffangiau'n mynd i daro, er mwyn osgoi'r trywanu, cadw'n glir o'r gwenwyn. Mae hi'n hoff iawn o glip ar YouTube sy'n dangos dawns samba rhwng mamal a sarff, y llygaid yn cloi ar ei gilydd, symudiadau'r corff, y naill yn ceisio mesmereiddio neu dwyllo'r llall, a'r llall yn fyw, yn effro i'r perygl, y dannedd miniog fel nodwyddau hypodermig, a'r gwenwyn yn medru lladd o fewn hanner awr, yn medru parlysu'r llengig nes bod y person sydd wedi ei frathu ddim yn anadlu. O, mae'n hoffi'r nadroedd yma, sy'n esbonio pam roedd hi'n cadw dwy neu dair, a'r rhain wnaeth ladd ei gŵr pan 'gwympodd' i mewn i'r hen bwll nofio oedd wedi ei addasu i'w cadw.

'Wyt ti'n gwybod bod 'na dros 270 math o gobras yn y byd?'

'Beth?'

'Y nadroedd peryglus. Perthyn i deulu'r elapidau.'

Doedd Ben ddim yn deall y gêm bellach a doedd Christine ddim yn amlwg wedi meddwi. Ai fersiwn o'r Black Widow oedd hi? Symudai'r alcohol drwy ei wythiennau'n effeithiol iawn – gwenwyn o fath arall. Gosododd Christine ddau *crème brulée* ar y bwrdd o'u blaenau.

'Llwy?' gofynnodd, gan nesáu ato'n bryfoclyd. Codai ei bronnau wrth iddi anadlu ac roedd Ben yn gwneud ei orau i geisio osgoi edrych ar y bryniau melfedaidd o gnawd.

'Oes gen ti hoff anifail, Ben? Wyt ti'n hoff o unrhyw anifail peryglus? Neu wyt ti'n fwy o ddyn hamsters? Alla i weld ti ag un o'r rheini, yn watsio fe'n mynd rownd yr olwyn fach, drosodd a throsodd a throsodd.'

Roedd y newid, a'r tinc o fygythiad yn ei llais yn ddigon

i godi dychryn. Gallai hon symud o normal i wallgo mewn brawddeg.

'Sori, o'n i am chwarae gêm. Mae'n arferiad gwael, rhywbeth i neud â'r amser hyn o'r nos, a'r ffaith bod gen i ddyn golygus yn barod i fwyta'i ffordd drwy bwdin sy'n neud i chi deimlo hapusrwydd. Caramel. Pwy ddiawl ddyfeisiodd caramel? On'd yw e'n blydi briliant o flas?'

Erbyn hyn roedd Ben yn barod i'w heglu hi, tasgu tuag at ei got a mynd am y drws ond roedd rhan ohono'n dal i fwynhau'r ffordd ryfedd yma o ddod i nabod y fenyw yma, heb sôn am y cyfle euraidd. Nadroedd? Hamsters? Beth ar y ddaear?

'Wyt ti am ddod draw un noson, i'r tŷ? Ma gen i botel o Château Letour 1960 a dwi'n ysu am goginio rhywbeth i fynd gydag e, rhywbeth sy'n gweddu i botel o win gwerth £500. Wyt ti wedi blasu'r math yma o beth? Hanes ar ffurf hylif? Blydi gorjys. Tries i botel yn dyddio'n ôl i'r 19eg ganrif unwaith, gyda *sheik* yn Abu Dhabi, ond wnes i ddim mwynhau, oherwydd yr amgylchiadau. Doedd y dyn ddim yn yfed, dim ond arddangos ei gyfoeth, ac roedd chwant arna i i ddweud ei fod e'n blasu fel Listerene ac mi fydden i wedi dweud hynny oni bai am y ffaith ei fod e'n mynd i ariannu bwyty newydd yn y maes awyr, a dim uchafswm ar y buddsoddiad.

'Mae rhywun yn gorfod llyncu balchder bryd hynny, maddeua'r *pun*. Ddoi di draw? Falle wna i kobe beef. Ti wedi trio kobe erioed? Cig gorau yn y byd, maen nhw'n dweud. Falle galla i drefnu noson pan mae pob blas yn antur newydd, fel mynd i fwyta yn un o lefydd Thomas Keller, yr athrylith. Os wnaeth Tony Bennett adael ei galon yn San Francisco wnes i adael fy nghalon innau yn y French Laundry. Y pryd gorau imi flasu yn fy myw. A'r dyfeisgarwch! Wystrys a pherlau. Tapioca llawn hufen a wystrys wedi eu potsio'n ysgafn, gyda *quenelle* o gafiar hallt. O, dere draw, wnei di? Gallwn ni ddechrau gyda hwnna, symud mlaen i'r cig eidion o Kobe wedi ei goginio yn null *yakiniku*. A'r gwin, a falle rhywbeth arallfydol i bwdin. Be ti'n weud, Ben?'

Nodiodd y dyn ifanc ei ben, wedi drysu'n llwyr ac angen mynd am ei wely. Ond roedd e hefyd yn gwybod bod yn rhaid iddo fynd am y pryd bwyd hynod hwn, derbyn gwahoddiad unwaith mewn bywyd.

'Ond cofia, mae cenfigen yn medru sbwylio cegin fel y ffwrn yn mynd ar dân. Felly dim gair wrth neb. Dwi ddim am i bobl feddwl bod unrhyw ffafriaeth ar waith. Ond rwyt ti'n sbesial, Ben, alla i deimlo hynny. Ac i ddyn sbesial mae angen bwyd sbesial.'

31

Noson
arbennig Ben

B EN, BEN, BEN, sydd yn rhy naïf i sylweddoli beth yw beth, ond bydd yn ddigon aeddfed i fwynhau ei swper olaf ac mae hi'n hoffi'r syniad ei bod yn tewhau'r twrci drwy ofyn i'r aderyn ddewis ei hoff fwydydd. Mae'r fwydlen yn arbennig, dim byd ond campweithiau Thomas Keller, a hithau wedi ei hysgrifennu mewn llawysgrifen yn y dull baróc. Mae hi wedi mynd i drafferth. Ben, Ben, Ben. Byddi'n di'n difaru bod mor naïf, o byddi.

Mae ei chegin, wrth gwrs, yn ogoneddus, gyda phopeth yn ei le, a dim ond y stwff gorau – y cyllyll mwyaf sgleiniog, y byrddau torri roedd pob *chef* gwerth ei halen yn eu defnyddio oherwydd doedden nhw byth yn marcio.

Gwariodd ffortiwn ar gynhwysion y cwrs cyntaf yn unig, gyda dwy fan yn eu cludo i'r tŷ, un o Fortnum and Mason a'r llall o Wainwrights, gyda Mr Wainwright ei hun yn cludo'r nwyddau. Gwyddai Christine nad yw'r hen ŵr boliog ddim ond yn gwneud hyn gyda'i hoff gwsmeriaid ac roedd yn ddyn hoffus ar y naw, a'i farn yn onest wrth flasu samplau bach o'r gegin cyn ei fod e'n gadael eto yn ei fan hen ffasiwn. Un tro, cofiai, dywedodd bod ei *millefeuille* braidd yn drwm, a hithau'n credu ei bod wedi creu pestri mor ysgafn y gallai darnau bach chwythu i ffwrdd fel hadau dant y llew. Ond bu'n rhaid iddi chwerthin, oherwydd dyma ddyn oedd yn ennill bywoliaeth drwy werthu'r cynhwysion gorau oedd yn meddwl y byd o fisgedi Oreos. Dyna oedd yr ateb pan ofynnodd hi iddo am ei hoff fwyd. Oreos. Bisgedi gyda'r mwyaf synthetig!

Wedi iddo adael dyma hi'n newid gêr a dechrau saethu o gwmpas topiau'r cownteri, i gonsurio'r bwyd.

Wystrys a Pherlau, sef *sabayon* neu *zabaglione* o dapioca perl gyda wystrys o lannau Tafwys, ynghyd â chafiar Regiis Ova o Ddyffryn Napa, Califfornia. Hoffai'r syniad bod y *chef*, Keller, wedi blino ar gafiar gwael ac wedi dechrau ei frand ei hun oedd yn casglu'r wyau gorau o bob cwr o'r byd. Teimlai Christine nad oedd digon o gafiar i'w gael ar gyfer y math yma o swper felly roedd hi wedi ychwanegu cafiar Ossetra Rwsiaidd, gyda'r mymryn lleiaf o frithyll gwyllt brown wedi ei fygu o afonydd rhaeadrog yng nghysgod mynyddoedd y Bitterroot yn Montana. I ddweud y gwir roedd Christine wedi llwyddo i wneud yn siŵr bod y cynhwysion Americanaidd iawn ganddi, megis yn y Latke, roedd tato euraidd Yukon wedi cyrraedd ar awyren y bore hwnnw fel gwely i'r *crème fraîche* gydag ychydig bach o ruddygl. Cododd Christine ei hysgrifbin Cross unwaith yn rhagor, i ysgrifennu'r disgrifiad o'r salad y byddai'n gosod o flaen y dyn anffodus, a'r tro hwn roedd yn mynd i ffilmio'r holl beth fel y gyfres o *snuff movies* ddaeth mas ar VHS flynyddoedd yn ôl.

Nesaf, ei hoff bryd bwyd yn y bydysawd. Symlrwydd twyllodrus. Tryffls drudfawr y gaeaf, iogwrt da Tyddyn Llan gyda *vinaigrette* gellyg o'i pherllan ei hun ar Fynydd Sylen, gyda hadau pwmpen.

Dim ond oriau ynghynt y cyrhaeddodd y cimwch o

Aberdaron i'w weini gyda winwns melys, cylch *cipollini* a phicl Ffrengig, eto gyda'r peth gorau roedd hi wedi blasu yn ei byw. Ac yna'r prif gwrs, sef cig eidion Kobe o Siapan, *pain perdu au graisse de bœuf* gyda dail berwr dŵr a llond llwy arian o *sauce entrecôte*.

Ar ôl gorffen y paratoi sylfaenol aeth i wisgo ei ffrog fwyaf deniadol, gan weld ei hun fel Ann Bancroft yn chwarae Mrs Robinson yn *The Graduate* a Ben druan yn fersiwn anffodus o gymeriad Dustin Hoffman.

Daeth neges destun yn dweud ei fod yn rhedeg ychydig yn hwyr ond byddai'n cyrraedd mewn deng munud, felly penderfynodd Christine arllwys *aperitif* bach iddi hi ei hunan, gan sipian y sieri sych oer fel rhyw fath o fyfyrdod. Edrychodd ar y cloc er mwyn gwneud yn siŵr bod y pethau oedd yn mynd i'r ffwrn yn cael eu rhoi ar yr union amser cywir. Dewisodd fiwsig cefndir ar ei ffôn, gan chwarae cerddoriaeth ymlaciol.

Ben. Mor hawdd y cwympodd i mewn i'w magl. Ond iddo yntau roedd yn gyfle i ddatblygu gyrfa a gobaith am ryw. Cymysgedd arbennig ac effeithiol, wastad. Ar ei ffordd i swper heb sylweddoli taw fe'i hunan yw'r prif gwrs. Ben à l'orange. Ben au poivre. Bendigedig.

Bron ei bod hi'n dawnsio o wybod bod Ben ar ei ffordd. Byddai yntau wedi cael cawod yn bendant, os nad bath a chawod, ac efallai stopio yn y Joiners i gael drinc bach i setlo'r nerfau. Oherwydd roedd ganddo ddêt gydag un o *chefs* amlyca'r wlad. Anghofiwch am Jamie Oliver, Gordon Ramsay, Marco Pierre White a'u tebyg. Hi oedd yr unig wir seren yn y ffurfafen ar hyn o bryd, yn trawsnewid y byd coginiol, fel y gwnaeth Alice Waters wrth agor drysau Chez Panisse yn ninas Berkeley, Califfornia.

Ben, Ben, Ben. Deng munud i fynd ac mae'n amser cynnau

canhwyllau, creu'r awyrgylch iawn ar gyfer ei hudo, efallai ei anwesu cyn cymryd ei fywyd bach pitw. Ai dim ond uchelgais, neu oedd 'na rywbeth nwydus hefyd, rhywbeth yn pryfocio chwant yn yr hyn roedd hi wedi ei ddweud neu'r hyn roedd hi'n ei gynnig? O, mor hawdd yw rheoli dyn ifanc sy'n cael ei arwain drwy fywyd gan ei angen am ryw!

Dewisodd ddanteithion o'i deg uchaf ar gyfer y swper. Byddai wedi disgrifio'r fwydlen fel y swper olaf ond byddai hynny'n rhy naff a rhy amlwg. Bu'n cynllunio'n fanwl ers iddi roi'r gwahoddiad iddo, yn ffonio hwn a'r llall i gael y cynhwysion anarferol, a'r pethau ffres oedd eu hangen. Daeth dyn i'r drws bob dydd gyda pharsel o rywbeth anodd ei gael. Icewine o Niagara, yr Inniskillen Oak Aged Vidal i fod yn benodol. O, gallai lyfu ei gwefusau neu ddychmygu llyfu ei wefusau yntau i gael blas ar hwnnw. Gyda'r Icewine byddai'r wledd yn dechrau.

Bydd Ben yn cyrraedd mewn Uber, gan feddwl ei bod wedi bod yn hynod garedig i dalu am y Range Rover moethus gyda system sain a hanner. Nid yw'n gwybod nad gyrrwr Uber sydd wrth yr olwyn ond Red, ei gwas ffyddlon.

Mae Red yn ddyn gwahanol, a'i stori yn un i syfrdanu, nid bod un bod byw yn mynd i'w chlywed. Oherwydd roedd Christine Vaizey yn mynd i ladd Red, ac wedi llwyddo i'w gael yn anymwybodol a'i glymu yn y taclau, a dechrau ar y gwaith hyd yn oed, gan ddefnyddio'r driliau bach – o'r set fawr roedd hi wedi prynu gan ddeintydd o Gorseinon oedd yn ymddeol. Ond sylweddolodd fod Red yn mwynhau'r boen cymaint ag yr oedd hi'n cael pleser o roi poen iddo. Ac felly cymrodd risg, a gadael i'r boi fynd yn rhydd, ar yr amod ei fod yn dod i chwarae gyda hi o dro i dro, poen am boen, poen am bleser, a gwneud ambell job iddi, gan gynnwys cael gwared ar y cyrff a gyrru anffodusion i'r man lladd, neu ambell waith i'w chartref lle roedd dwnsiwn yn llawn offer newydd, rhai wedi eu prynu ar y we dywyll ac wedi eu defnyddio'n barod gan y Stasi, Mossad a'r CIA. Prin fod pobl yn gwybod yr holl ffyrdd oedd ar gael i demtio cyffes o enau dyn, neu gael rhywun i dyngu llw fod y celwydd roedd wedi ei ddweud yn wirionedd. Dweud unrhyw beth er mwyn stopio'r boen. Pobl ddyfeisgar oedd poenydwyr: gofynnwch i unrhyw un sydd wedi bod yn Abu Ghraib neu Guantanamo. Neu lefydd mwy erchyll fyth, sydd fel litani o enwau'r gorsafoedd aros ar y ffordd i uffern. Camp 1391 milltiroedd yn unig o Tel Aviv. Carchar Vladimir Central yn Rwsia: llysenw Y Düwch. Llefydd y tu hwnt i unrhyw arlliw o ddynoliaeth yn Syria. Gwifrau drwy groen. Bywyd mewn tywyllwch diddiwedd, neu, yn achos gwersylloedd du'r CIA yn Affganistan, bywyd yn llawn miwsig pop, yn uchel ac yn ddi-stop. Astudiai'r hyn oedd yn digwydd yn y mannau trychinebus hyn fel yr oedd hi'n llyncu syniadau mewn llyfrau ryseitiau Claudia Roden, gyda thrydan a dŵr ac offer siarp yn angenrheidiol ar gyfer y ddwy sefyllfa.

Torrai Christine shibwns gyda'r math o sgil y byddai llawfeddyg yn ei defnyddio i agor gwythïen i osod stent, y sglein ar yr offer torri yn dangos faint o waith oedd yn mynd mewn i'w cadw'n siarp, yn ddigon i hollti blewyn ar ben babi.

Trodd i edrych ar y cloc, gan ddechrau teimlo'r crynu tu fewn, yr ysfa yn tyfu, y crefu am waed a phoen. Gwyddai taw'r peth pwysig oedd bod yn amyneddgar, cynllunio'n ofalus, amseru'n berffaith hefyd, gan fod lladd a choginio'n debyg iawn, a gwyddai am sawl seicopath yn y gegin. Dyna'r gwahaniaeth mawr. Yn y gegin roedd Christine yn angel, yr addfwynaf un ymhlith holl gogyddion y wlad. Dyna oedd sail ei henw da, hynny a safon y bwyd oedd yn well nag ambrosia.

Byddai sawl cwsmer yn dweud nad oedden nhw wedi blasu unrhyw beth cystal erioed a hynny'n cynnwys rhai o'r bobl ffodus oedd wedi mynychu El Bulli yng Nghatalwnia ble mae 8,000 yn unig yn cael bwyd yno bob blwyddyn o blith y miliwn sy'n ceisio bwcio bwrdd yno. Aeth hi yno unwaith ac roedd yn fwydlen i'w rhyfeddu, prydau trawsnewidiol gyda chafiar wedi ei greu o felon, a *gazpacho* hynod annisgwyl wedi ei greu o briodi cimwch a hiwmor.

Teimlai Ben yn lletchwith yn y car, yn bennaf oherwydd ei fod wedi dweud celwydd wrth ei gariad Georgina gan ddweud ei fod yn mynd i gwrdd â ffrind oedd mewn trwbwl, heb sylweddol ei fod ef ei hun yn cymryd Uber ffals i drwbwl mwy, i drwbwl terfynol.

Boi od oedd yn gyrru, prin ei eiriau a rhyw oerni yn ei gylch, fel petai'n sefyll ar wahân i'r ddynolryw. Canolbwyntiai ar y gyrru, ei ddwylo'n gadarn ar y llyw, yn gwasgu'n dynn arno. Ac roedd lliw ei wallt coch annaturiol yn edrych fel rhywbeth o botel yn hytrach na rhywbeth a dyfai'n rhydd drwy'i sgalp.

'Ydyn ni bron yna?' gofynnodd Ben i'r dyn rhyfedd, yn rhannol i ddisodli'r tawelwch llethol.

'Pum munud, syr,' atebodd y dyn mewn ffordd surbwch, ei ben yn troi'r un fodfedd i gydnabod y dyn ar y sedd gefn.

'Ble y'n ni'n union?'

'Ar y ffordd i baradwys,' atebodd y dyn, gan syllu'n syth ymlaen fel petai'n ateb yr hewl o'i flaen.

Setlodd tawelwch eto a'r oerni yn ddigon i wneud i Ben gau dau fotwm ar ei siaced a throi ei goler lan, gan wybod nad oedd gwerth gofyn i Mr Swrth droi'r gwres i fyny.

'Munud arall,' dywedodd y dyn yn annisgwyl a'r gair yn ddigon i gynrychioli sgwrs hir gyda dyn mor oeraidd. Paradwys, hy? Gwyddai Ben fod bwyd Christine Vaizey yn denu ansoddeiriau prydferth a lliwgar fel mae fflam cannwyll yn hudo gwyfynod o'r ardd. Ond paradwysaidd? Mor dda â hynny. Falle nad oedd y dyn od yn arddel llawer o Saesneg.

Daeth sŵn teiars yn crensian dros raean yn hytrach na sgimio dros darmac, y goedwig o gwmpas yn mygu golau'r lleuad ac yn creu'r argraff eu bod yn mynd drwy dwnnel. Hedfanodd tylluan wen ar draws y ffordd fel ysbryd, ei hadenydd fel sidan aur, yn sblash o baent gwyn yn erbyn cefnlen ddu'r nos. Teimlodd gefn ei law yn llaith gan chwys, gan ryfeddu ei fod yn teimlo mor nerfus. Ie, nerfusrwydd yn hytrach na chyffro.

Teimlai hyd yn oed yn fwy nerfus wrth i'r car ddod i stop y tu allan i glamp o dŷ, gyda goleuadau ynghyn mewn sawl ystafell, yn amlwg yn poeni dim am arian na'r amgylchedd. Aeth y gyrrwr swrth i agor drws y garej lydan gan adael i Ben ganu'r gloch.

Prin ei fod yn adnabod y fenyw agorodd y drws oherwydd roedd ei gwisg las golau yn syfrdanol a'i gwallt yn sgleinio yn y golau fel haul ar lan môr yn troi'n ddiemwntau wrth dorri drwy frig y don. Edrychai fel actores yn barod i fynd ar lwyfan yn Hollywood i dderbyn Oscar. Heb yn wybod i Ben roedd hi ar fin rhoi un o'i pherfformiadau gorau erioed, un fyddai'n gwneud i Meryl Streep genfigennu.

Hoffai hithau'r rhan yma fwyaf oll, cymysgu'r coctel o emosiynau ffals, gwneud i'r pwr dab deimlo'n saff ac yn gyffyrddus cyn dechrau troi'r digwyddiad yn garnifal y cnawd. Ond dim eto. Angen cymryd ei siaced, arllwys drinc iddo ac roedd e'n mynd i fwynhau ei ffefryn hi – un owns o jin, tri chwarter o St Germain, sudd oren gwaed a sblash sydyn o gwrw sinsir. 'Gwaed y gwan' oedd ei henw hi arno. Dewisodd wydrau sbesial, y rhai roedd hi wedi'u prynu yn Manila am y rheswm syml eu bod nhw'n brydferthach na phrydferth, gyda lliwiau tyner yn nofio yn y gwydr, fel pysgod bach ymhlith cwrel.

'Nawr, 'te,' meddai mewn llais artiffisial ddwfn. 'Ben. Yn dod i ben.' Chwarddodd ar ei jôc ei hunan tra bod y dyn ifanc yn credu ei fod wedi camglywed.

*

Mae Ben yn dechrau gweld dwbl wrth i'r cyffur deithio drwy rwydwaith ei wythiennau ac mae'n teimlo ei hunan yn diflannu, ei hunanymwybyddiaeth yn boddi dan donnau llwyd, yn trochi mewn môr o niwl, neu bwll nofio yn llawn tarth. Roedd bron â chyrraedd y lan ond llwydda rywsut i fwrw botwm ar ei ffôn allai ddefnyddio petai'n mynd i drafferth wrth ddringo, oherwydd mae'n aelod o dîm achub mynydd Aberhonddu. Bydd yn gwasgu'r botwm a bydd ei union leoliad ar GPS yn cael ei drosglwyddo i'r ganolfan reoli.

Yn ei hurtwch artiffisial wyddai Ben ddim a fyddai hyn yn gweithio, neu a fyddai rhyw foi yn crafu ei ben ac yn meddwl taw ffug oedd yr alwad. Ond roedd pob galwad o'r fath yn cael ymateb oherwydd defnyddid y gwasanaeth gan y garfan ddifa bomiau ynghyd â nifer o unedau arbenigol eraill. Y nod oedd ymateb o fewn deng munud, ac roedd y neges yn trosglwyddo'n sydyn ar hyd y rhwydweithiau nes bod tri car heddlu yn gadael Penybont yr eiliad honno, gyda seirens yn sgrechian a goleuadau glas yn fflachio digon i ennyn ffit o epilepsi.

Erbyn hyn roedd Ben yn gorff llipa a Christine yn dawnsio o gwmpas y gegin yn gwrando ar fiwsig uchel yn ei chlustiau er mwyn sicrhau ei bod hi yn yr hwyliau i ladd. Doedd 'na'r un teimlad mor rhywiol â gwrando ar yr anadl olaf un, gweld lliw'r croen yn pylu, yn mynd o liw rhosyn i lili. O gorff byw i gelain. O, roedd hi'n dwli ar hynny, y ffordd roedd popeth yn trawsnewid. Ond cyn hynny byddai'n cael tamaid bach o sbort, oherwydd roedd hi wedi mesur y tawelyddion yn hynod fanwl, a byddai Ben yn siŵr o ddod allan o'i berlewyg cemegol o fewn yr awr, a byddai hynny'n gyfystyr â dechrau amser chwarae iddi. Petai'n ddyn ac yn llofrudd oedd yn lladd drosodd a throsodd byddai a wnelo hyn â dyhead rhywiol, chwant a rhyddhad. Ond nid yn ei hachos hi. Doedd hi ddim yn teimlo fel duwies, na dim o'r rwtsh sydd mewn ffilmiau a'r holl lyfrau sydd wedi eu sgrifennu am lofruddwyr cyfresol. Na, yn hyn o beth roedd hi'n unigryw. Ei diddordeb hi oedd y paratoi, trin y person fel unrhyw ddarn arall o gig yn y gegin, ei baratoi'n fanwl, cyn ei goginio. Nid ei bod hi'n ganibal na dim byd felly, o na. Cogydd ydoedd, ymhlith y gorau, oedd wedi penderfynu edrych am gynhwysion prin, fel mae rhai cogyddion yn dewis cafiar neu *pâté de foie gras* drudfawr, neu'r math o dryffls mae'n rhaid chwilio amdanyn nhw gyda chŵn arbennig sydd wedi eu hyfforddi dros genedlaethau mewn fforestydd hynafol yn ucheldiroedd yr Eidal. Helwraig oedd hithau hefyd, yn stelcio'i phrae, yn dilyn y trywydd yn amyneddgar, yn rhwydo ac yn clymu ac yn ffrwyno ac yn diosg dillad ac yn defnyddio hylifau a Halen Môn i baratoi'r cnawd ar gyfer y ffwrn. Marineiddio, dyna oedd y cam pwysicaf, a dyna pam roedd hi'n estyn am y fowlen wydr fwyaf allan o'r cwpwrdd ac yn casglu cynhwysion ar gyfer *chimichanga* oherwydd roedd yr Archentwyr yn gwybod sut i ychwanegu at flas stêc ac felly dyma hi'n cymysgu'r perlysiau a'u gwasgu'n bast gwyrdd gyda finegr gwin coch a halen. Digon o halen – dyna oedd y gyfrinach i gael y croen i godi a chraclo: fel paratoi darn o borc, meddyliodd, wrth redeg ei bys drwy'r gymysgedd a'i flasu gyda mwynhad pur.

32

Killer queen

BYDDAI FREEMAN YN treulio oriau yn darllen drwy'r ffeiliau ac yn edrych ar y wybodaeth a'r delweddau oedd wedi eu glynu i'r bwrdd gwyn. Bellach roedd saith digwyddiad fel petaen nhw'n gysylltiedig â'r prif achos, oherwydd yn ogystal â'r llofruddiaethau roedd manylion sut diflannodd pobl yn awgrymu y gallen nhw hefyd fod wedi cael eu lladd. Pob person diflanedig. Yno un funud, ac ar goll y funud nesaf.

Mae yna un peth bach yn poeni Freeman, y teimlad nad yw'r pictiwr ar y bwrdd gwyn yn gywir rywffordd. Sylla ar y patrwm nes nad yw'n batrwm dim mwy: y man lle diflannodd Poppaline, a'r lle bwyta lle roedd ei chwaer yn gweithio; y man lle'i twyllwyd hi, Emma, i gyfarfod â'r llofrudd. Croes yn nodi pob corff. Mae dau ddiflaniad wedi eu nodi ar gyrion y ddinas, bron lle mae'r tai yn troi'n borfeydd gwyrddion – er nad oes cymaint o'r rheini ar ôl wrth i'r datblygwyr brynu ffarm ar ôl ffarm, gan greu deugain mil o dai newydd mewn stribed siâp bwa ar draws rhimyn gogleddol y ddinas. Teimla nad yw'r ddau yma'n perthyn, mewn gwirionedd, ond eu bod wedi eu trefnu'n bwrpasol i sicrhau eu bod nhw'n chwilio yn y lle anghywir. Does ganddi ddim rheswm gwyddonol i feddwl hyn, dim ond teimlad, greddf, ond os ydy hi wedi dysgu un peth o fod yng nghwmni Tom Tom, yna datblygu hyder i gredu mewn greddf yw hynny, a gweithredu ar y reddf sy'n bwysig.

Felly mae'n cymryd y ddau ar ymylon y ddinas oddi ar y bwrdd am funud, i weld beth sy'n digwydd i'r patrwm. Ac wrth edrych mae'n medru gweld yn gliriach fod canolbwynt i'r pump achos arall, a'u bod nhw tua'r un pellter o'r ardal lle roedd City Road yn toddi i mewn i Albany Road. Aeth yn ôl at y ffeiliau i weld os oedd rhywun wedi dod o hyd i unrhyw wybodaeth, neu holi rhywun diddorol yn y rhan yma o'r ddinas. Bu wrthi am awr, yn cadw ei hunan i fynd gyda choffi oer o bot oedd wedi gweld dyddiau gwell, rywbryd yn y 1950au, o bosib. Ac yna, yn yr un ffordd ag y denwyd ei llygaid i edrych ar un rhan o fap y ddinas yn fwy gofalus na'r lleill dyma hi'n gweld bod mwy nag un cyfweliad wedi cyfeirio at bethau od yn digwydd o gwmpas tŷ yn berchen i Christine Vaizey, 48 mlwydd oed, oedd yn gogydd enwog. Gwelodd rhywun fag mawr trwm yn cael ei lusgo allan drwy'r drws cefn ac i mewn i gar, gyda rhywbeth oedd yn edrych fel coes yn hongian allan. Ond fel sy'n digwydd yn aml, doedd y fenyw oedd wedi gweld hyn, myfyrwraig ifanc yn Mhrifysgol Caerdydd, ddim wedi dweud wrth yr awdurdodau ar y pryd, oherwydd roedd y peth yn rhy wallgo i sôn amdano. Ond roedd Freeman ar dân eisiau gwybod mwy a dyma hi'n edrych am Vaizey yn y bas data. Daeth ar draws un achos o fod â chocên yn ei meddiant, flynyddoedd yn ôl, ac un achos pan oedd ei lle bwyta wedi cael dirwy sylweddol am werthu cig nad oedd yn ffit i'w fwyta. Y peth diddorol am yr achos hwnnw oedd nad oedd y profion wedi llwyddo i adnabod o ba anifail ddaeth y cig. Caeodd y ffolder, camu i'r bwrdd gwyn, plannu'r ddau farcyr yn ôl yn eu lle cyn deialu rhif Tom Tom – rhif un ar ei *speed dial*.

Swniai ei chariad yn hynod flinedig.

'Sori, 'nes i ddihuno ti?'

'Dim ond nap bach pum munud. Mae wedi bod yn gyfnod *full on*. Beth sy'n digwydd?'

Esboniodd ei damcaniaeth, gan awgrymu eu bod nhw'n mynd draw i'r tŷ, i weld y fenyw, heb warant na heb air gydag unrhyw un arall yn y swyddfa oherwydd, wedi'r cwbl, hi oedd bòs yr ymchwiliad ar y foment. Teimlai nad oedd angen bac-yp oherwydd roedd y fenyw yma eisiau cael ei dal. Dyna oedd ei theimlad cryfaf yn ei chylch, bod ffynnon ddofn o boen yn ei chrombil, a hwnnw oedd yn gwneud iddi wneud yr hyn roedd hi'n ei wneud. Eisiau cael ei dal, i leddfu'r boen honno. Nid bod ganddi unrhyw biti drosti, na hyd yn oed gymaint â hynny o chwilfrydedd. Y flaenoriaeth oedd ei dal er mwyn sicrhau nad oedd hi'n lladd eto. Ditectif oedd hi, nid therapydd.

'Dyw e ddim yn edrych fel lladd-dy,' awgrymodd Tom Tom, gan edrych ar dŷ ysblennydd. Dyma'r math o le roedd cogydd llwyddiannus yn byw: portico mawr wrth y drws ffrynt a digon o ystafelloedd i agor gwesty.

I ladd amser esboniodd Freeman iddi ymweld â dau hen gartref Dennis Nielsen unwaith, yn Cricklewood. Setlodd y ddau yn y car i gadw golwg ar y tŷ, a dyma Freeman yn disgrifio bywyd Nielsen wrth iddyn nhw rannu twb o Pringles a photel o Coke Zero.

'Defodau. Roedd y rheini'n bwysig iawn iddo fe, Nielsen. Golchi'r cyrff ar ôl iddo ladd, gan amlaf dynion ifanc digartref. Doedd yr un cyntaf ddim ond yn 14 mlwydd oed, a lwyddodd yr heddlu ddim hyd yn oed i roi enw i'r mwyafrif ohonyn nhw.'

Crensian y Pringles. Llyncu Coke. Lladd amser eto gyda straeon bach hyfryd am Dennis Nielsen.

'Ie. Byddai'n golchi'r corff ac yn aml wedyn yn taenu powdr talc drosto. Gyda un boi ifanc, rhywbeth Sinclair os gofia i'n iawn, Stephen efallai, roedd Nielsen wedi trefnu tri drych o gwmpas y gwely er mwyn iddo weld ei hunan yn gorwedd yn noethlymun gyda'r corff. Cusanodd Stephen ar ei dalcen, cyn dweud nos da wrtho, a chwympo i gysgu wrth ei ymyl. Roedd e'n neud lot o bethau fel hyn.'

'Oes Pringles ar ôl?' gofynnodd Tom Tom, gan geisio newid y testun. Ond roedd Freeman fel cystadleuydd ar *Mastermind* oedd wedi dewis Nielsen fel testun arbenigedd.

'Byddai'n cuddio'r corff dan y llawr ond yna'n ei dynnu allan, ac eistedd ar gadair yn edrych ar y teledu gyda'r gelain bydredig wrth ei ymyl.'

'Celain bydredig. Dyna derm chi ddim yn clywed lot!'

Anwybyddodd Freeman ei eiriau pryfoclyd, gwawdlyd.

'Wedyn byddai'n dechrau torri'r corff yn ddarnau, a cheisio cael gwared arnyn nhw lawr y toiled. Wrth iddo ladd mwy a mwy, dechreuodd ferwi pennau, dwylo a thraed. Ond gyda phob un, roedd rhyw ddefod newydd, fel gwrando ar fiwsig clasurol yng nghwmni'r corff – ei hoff ddarn oedd 'Fanfare for the Common Man' mae'n debyg, a byddai'n llefain a llefain a llefain wrth wrando.'

Daeth golau ymlaen yn un o'r stafelloedd a symudodd cysgod y tu ôl i'r llenni.

'Mae hi adre.'

'Y llewpart yn ei ffau. Ti'n meddwl taw hon yw hi?'

'Eitha siŵr.'

'Digon siŵr i'w harestio nawr? Heb dystiolaeth?'

'Mae'r dystiolaeth yno, yn y tŷ. Dwi'n siŵr ei fod e.'

'Ond...'

'Dwi'n gwybod. Ma hyn yn stiwpid.'

'A dwyt ti byth yn neud pethau stiwpid. Beth am aros am ychydig, i weld beth a ddaw?'

Dyna'n union beth roedd Freeman eisiau clywed, bod ganddo ffydd ynddi tra'i fod e hefyd yn synnu at yr ysfa ryfedd yma oedd ganddi, yr odrwydd yn ei hymddygiad y byddai wedi arestio'r fenyw yma heb ddim mwy o dystiolaeth na fyddai gamblwr yn rhoi wrth fetio ar geffyl yn y Grand National – ei fod yn hoffi'r enw, neu fod y joci ac yntau'n rhannu'r un diwrnod pen-blwydd.

Agorodd Tom fflasg o goffi, a gwenu wrth i Emma godi ael.

'Ti'n barod am y *long haul* 'te?'

'Mae partner da yn medru darllen meddwl ei bartner.'

'Ble gest ti hynna, mewn cracyr?'

'Mae'n wir. Dwi'n dechrau meddwl fel ti. A ti'n dechrau ymddwyn fel fi. Pam gymerodd hi mor hir iddyn nhw ei ddal e?'

'Pwy?'

'Nielsen.'

'O, roedd un boi wedi dianc o'i afael ac roedd yr heddlu wedi holi Nielsen ond penderfynodd y boi beidio dwyn achos yn ei erbyn. Ac wrth gwrs, wrth i'r ymchwiliadau barhau roedd y cyrff dan y lloriau'n denu pryfed ac yn creu aroglau drwg ofnadwy. Ond hyd yn oed wedyn roedd Nielsen yn codi'r cyrff, ac yn nodi'r newidiadau, y llyngyr yn arllwys mas o'r llygaid ac o'r geg. Hynny ynddo'i hunan yn ddefod, am wn i. Ond mae'n amhosib byw mewn fflat sydd fel bedd agored yn llawn cig pydredig a chynrhon a chlêr, cyn bod rhywun yn cwyno i'r Cyngor. Ac yn y pen draw Nielsen ei hunan wnaeth, gan achwyn bod y dreins wedi blocio!'

'Ambell waith dwi'n rhyfeddu ein bod ni'n gallu cadw'n gall o wybod y stwff 'ma...'

'Oes unrhyw un yn hollol gall, mewn gwirionedd?'

'Pwy a ŵyr? Dyma ni, fel dau gop mewn ffilm, yn eistedd mewn car, yn aros i rywbeth ddigwydd.'

Gyda hyn mae Freeman yn chwerthin, yn hollol annisgwyl.

'Am job! Edrych ar oleuadau yn mynd mlaen mewn tŷ am fod hynny'n bwysig. Mae rhywun yn y tŷ, mae hynny'n glir. Efallai llofrudd, efallai ddim, wedi troi'r golau ymlaen am 22.12 yn union. Ac efallai nid hi wnaeth hynny hyd yn oed. Mae'n swreal.'

'Ti'n iawn.'

Arafodd amser wrth i'r ddau edrych ar y golau yn yr ystafell. Doedd yr un o'r ddau ddim yn teimlo ei bod hi'n berthnasol i drafod pethau personol yn y car, yn gweithio shifft *surveillance*, felly taw pia hi.

Yna daeth yr alwad. A chryndod yn y llais.

'Mae dyn ifanc ar goll ac mae un o'i ffrindiau wedi dweud ei fod wedi mynd i weld cogydd, Christine rhywbeth mae e'n meddwl.' Edrychodd Freeman ar Tom Tom ac edrychodd yntau'n ôl arni. Heb yngan gair roedden nhw allan o'r car ac yn nesáu at y tŷ.

'Os bydd y shit yn bwrw'r ffan efallai bydd y ffaith ein bod ni wedi ceisio achub bywyd dyn ifanc yn cyfrif am rywbeth...' awgrymodd Tom Tom wrth iddo estyn bys i ganu'r gloch. Ar yr un pryd roedd Freeman yn asesu pa mor anodd fyddai taro'r drws o gwmpas y bwlyn er mwyn torri i fewn, os oedd rhaid.

Gwyddai Freeman y byddai achos yn erbyn Christine yn siŵr o fethu os oeddent wedi mynd i'r tŷ gyda dim byd mwy na damcaniaeth, oherwydd roedd pobl fel yma wastad yn cael bargyfreithiwr drudfawr oedd yn medru troi gwir yn anwir a chael rheithgor i'w gredu gyda pherfformiad allai ennill Oscar.

Yna daeth yr ail lwc ar ffurf neges destun oddi wrth Scanner. Roedd Freeman wedi rhoi manylion y gŵr ifanc iddo a gofyn iddo a allai ddod o hyd i'w ffôn, a'r union leoliad ar GPS, ac roedd e wedi anfon y map ati, gyda chylch o gwmpas yr union dŷ lle roedden nhw'n sefyll ar y foment. Ac o fan'na roedd SOS wedi ei ddarlledu, cod uned achub mynydd.

'Bingo,' sibrydiodd yn dawel cyn dangos y map ar y sgrin i Tom Tom. Deallodd yn iawn pa mor bwysig oedd hyn. Roedd Ben y tu fewn, neu o leiaf roedd ei ffôn y tu fewn, felly byddai cael warant yn hawdd. Ond doedd ganddyn nhw ddim amser i hynny, roedd angen ymateb ar fyrder.

Lledaenodd gwên braf ar draws wyneb y fenyw atebodd y drws, ac yn ei chalon gwyddai Freeman nid yn unig taw hon oedd yr un, ond ei bod hi'n gwybod pam eu bod nhw'n sefyll ar stepen y drws a hyd yn oed yn gwybod pwy oedden nhw.

'Alla i'ch helpu chi?' gofynnodd Christine mewn llais dwfn, fel is-don, dim arlliw yn y llais ei bod hi wedi gweld Freeman o'r blaen.

Y llais! Hwn oedd y llais yn y coed, ynghyd â wyneb da ar gyfer chwarae Blackjack. Ar ei ffedog nododd Freeman smotiau bach tywyll, ond ni allai gredu y byddai hi wedi bod mor annoeth a ffôl ag ymddangos mewn ffedog wen oedd yn ddotiau polca o waed. A hithau wedi bod mor batholegol o ofalus cyhyd. Un diflaniad ar ôl y llall. Un lofruddiaeth ar ôl y llall. Efallai ei bod hi eisiau cael ei dal. Efallai ei bod hi wedi blino ar y lladd. Roedd hyn yn digwydd, a gallai rhywun ladd hyd at syrffed.

Dangosodd y ddau eu bathodynnau warant iddi gan esbonio

eu bod yn edrych am ŵr ifanc oedd wedi mynd ar goll ers rhai oriau…

'Dwi ddim yn siŵr sut alla i eich helpu. Dwi heb weld unrhyw beth amheus. Dwi wedi bod yn coginio drwy'r dydd.'

Roedd gwynt hyfryd, cyfoethog a thrwchus yn llenwi'r tŷ, lle roedd y gegin yn amlwg yn ganolbwynt. Edrychodd Tom o gwmpas mewn ffordd gyflym ond fforensig – arbenigedd ganddo – ac ni allai weld unrhyw beth o'i le. Yna daeth yr achubiaeth, yn llythrennol. Daeth sŵn gwichian, sŵn rhywun mewn poen o rywle'n agos a dyma Christine yn edrych yn ffwndrus am eiliad, y masg wedi slipio cyn ei fod yn glynu'n ôl yn ei le eto.

'O, mae'r hen bibau yn y tŷ 'ma'n medru gwneud sŵn fel bola cawr yn grwgnach.'

Ond yna clywyd y sŵn eto ac ni oedodd Freeman o gwbl y tro hwn.

'Ga i fynd i edrych? Mae'n swnio fel anifail mewn poen.'

Gwthiodd heibio iddi. Arhosodd Tom Tom gyda Christine, rhag ofn iddi ei heglu hi.

Ni allai Tom Tom ddyfalu beth oedd yn digwydd yn yr ystafell drws nesaf ond clywodd ei gariad yn gofyn am ambiwlans parafeddygon, neu'r 'cargyfwng', fel roedd hi'n hoffi ei alw, gan roi'r cyfeiriad yn glir.

Byddai unrhyw un cyffredin wedi gofyn beth ddiawl oedd yn mynd ymlaen ond roedd y fenyw a safai o flaen Tom Tom yn cŵl iawn, yn cynnig diod iddo, er nad oedd yr un ohonyn nhw'n gwybod yn union beth oedd yn mynd ymlaen yn yr ystafell arall.

'Falle taw anifail oedd e, ond alla i ddim dychmygu sut fyddai anifail yn llwyddo i ddod i mewn i'r tŷ yn y lle cyntaf. A does gen i ddim anifeiliaid anwes. Oes 'da chi, Dditectif?'

'Esgusodwch fi,' meddai Tom Tom mewn llais meddal ond awdurdodol, a cherddodd i'r ystafell, gyda Christine yn gysgod iddo.

Roedd pen y dyn ifanc diymadferth yn gorwedd yng nghrud breichiau Freeman, oedd yn gweddïo'n dawel bach y byddai'r ambiwlans yn cyrraedd cyn bo hir. Roedd ei anadlu'n frawychus o fas.

Pan mae Freeman yn wynebu Christine mae oerni ei gwên yn syfrdanol. Y tu ôl iddi roedd y bwrdd cinio wedi ei baratoi i ddau.

Mae Freeman yn hapus i drosglwyddo'r cyfrifoldeb am fynd â hi i'r orsaf heddlu i blismon arall, oherwydd mae rhywbeth am y ffordd mae'n ymddwyn yn ymdreiddio i fêr ei hesgyrn, sy'n gwneud iddi deimlo'n fwy na lletchwith. Iasol hyd yn oed. Mae gan Christine y gallu i wneud iddi deimlo'n anghysurus iawn, fel petai'n gwybod rhywbeth am Freeman allai fod yn hynod niweidiol. Yn nabod ei man gwan, sef ei gŵr marw, ac yn trefnu'r stynt yn y coed. Pam?

Yn y car mae Tom Tom yn eistedd wrth ei hymyl yn anarferol o dawel, wedi ei syfrdanu eu bod nhw wedi ei dal hi, o'r diwedd, a chyda'r fath dystiolaeth fyw, o gig a gwaed, oedd yn meddwl byddai'r achos llys yn eitha hawdd, hyd yn oed os oedd gan y fenyw fargyfreithiwr da. Meddyliodd Freeman sut roedd ffawd a lwc a chyd-ddigwyddiad yn chwarae rôl mor bwysig ym myd yr heddlu. Er bod sicrwydd gwyddonol basau data DNA ac olion bysedd, a storfa enfawr o wybodaeth ar gael, er gwaetha'r holl ofidion am hawliau sifil, drwy siawns yn unig roedd yr ateb yn dod weithiau. Gweddïai y byddai'r dyn ifanc yn dod drwyddi'n iawn. Roedd y parafeddygon yn ffyddiog y byddai'n byw, er y byddai'n dioddef sioc a thrawma am amser hir, a dihuno i ganol hunllef o atgofion am byth.

Cyrhaeddodd neges destun oddi wrth Rawson, oedd newydd gyrraedd tŷ Christine. 'Erioed wedi gweld y fath beth. Ma hi'n cadw swfenîrs. Horror show!!!' Dangosodd y geiriau i Tom Tom oedd dal heb yngan yr un gair, mewn synfyfyrdod dwfn. Nodiodd, er bod ei feddwl yn amlwg yn bell i ffwrdd. Ceisiai brosesu'r hyn a welodd wrth grwydro'r tŷ ar ôl i'r llofrudd adael mewn cyffion. Popeth mor daclus, popeth mor lân, a'r gegin yn sgleinio, ac eto roedd 'na deimlad anghyfforddus, yr arwynebau yn glinigol o lân a gwyn – fel petai'n barod ar gyfer llawdriniaethau. Mor wir oedd hynny, wedi ystyried.

Erbyn hyn roedd y ddau yn cyrraedd y ramp oedd yn arwain at faes parcio NCP yn Westgate Street lle roedd y llawr top wedi ei neilltuo ar gyfer ceir yr heddlu er bod nifer o'r llefydd yn llawn faniau adeiladwyr oedd yn trwsio'r pencadlys yn dilyn y tân. Amcangyfrifwyd y byddai'r gwaith adnewyddu yn cymryd blwyddyn, ac roedd angen ailadeiladu darnau helaeth o'r ail a'r trydydd llawr lle roedd y tân wedi bod ar ei wylltaf ac wedi rhuo ffyrnicaf. Meddyliodd Tom Tom am Tomkins yn y fflamau, gan obeithio ei fod wedi llewygu dan effaith y carbon monocsid cyn dioddef unrhyw boen. Neu efallai bod y *garotte* wedi bod yn effeithiol.

'Ocê?' gofynnodd Freeman wrth gerdded tua'r allanfa, a'r grisiau oedd wastad ag oglau uffernol.

'Dwi'n mynd yn rhy hen i'r holl egseitment yma. Ac mae lot wedi digwydd ers i ti gyrraedd. Ers i ti ddod mewn i 'mywyd...'

'Efallai gallwn ni fynd bant i rywle wedi i hyn i gyd ddod i ben. Gwyliau bach. Ardal y Llynnoedd. Malaga. Unrhyw le rili.'

Gwenodd Tom Tom wrth i'r ddau gerdded mewn i gyntedd y pencadlys lle roedd balŵns yn hongian ymhob man a rhywun wedi taenu stribedi o rubanau'n datgan 'Congratulations' a'r dyn wrth y ddesg yn dechrau clapio. Er bod Freeman a Tom Tom yn teimlo bod hyn yn amhriodol, bu'n rhaid i'r ddau godi gwên oherwydd halibalŵ y balŵns ond hefyd oherwydd y fflach o obaith am y syniad o fynd ar wyliau gyda'i gilydd. Roedd hynny'n gadarnhad fod perthynas well neu ddyfnach yn bosib. Byddai'n rhaid esbonio popeth yn swyddogol er mwyn i hynny ddigwydd a phrin byddai'r ffôrs yn caniatáu iddyn nhw weithio gyda'i gilydd o hynny ymlaen, a byddai hynny ynddo'i hunan yn ergyd.

Camodd y Prif Gwnstabl Enfield tuag atynt gyda gwg ar ei wyneb a meddyliodd y ddau eu bod wedi gwneud rhywbeth yn anghywir, wedi torri protocol am eu bod wedi gorfod gwneud penderfyniadau ar frys. Ond yna torrodd gwên fawr ar wyneb y Prif, gan estyn ei law allan i'w llongyfarch.

'Da iawn chi. Llongyfarchiadau gwresog. Unwaith yn rhagor ry'ch chi wedi dod ag anrhydedd i'ch hunain ac i'r ffôrs. Ond yn fwyaf pwysig, bydd pobl yn cael byw... Pryd y'n ni'n dechrau ei holi hi? Ody hi wedi dod â chyfreithiwr i fewn?'

'Mae hi wedi gwrthod un, mae'n debyg. Am gynrychioli ei hunan, sydd yn gyson â'r math o berson yw hi, yn ôl y proffeil seicolegol.'

'Mae hi am i chi ei chyfweld,' esboniodd y Prif. 'Sy'n annoeth, a dweud y lleiaf, oherwydd mae'n gyfrwys, ac ry'ch chi'n glwm rywffordd gyda'i chynllunio hi, felly dwi'n awgrymu bod rhywun arall yn gwneud y job.'

'Ai awgrymu neu gorchymyn?' gofynnodd Tom Tom, gan leisio'r union gwestiwn oedd ar feddwl Freeman.

'Awgrymu,' mwmiodd y Prif, gan wybod yn iawn y byddai Freeman a Tom yn gwneud y cyfweliad, yn gweithio'n dda gyda'i gilydd ac yn dod â'r rhan yma o'r broses i ben yn gyflym iawn. Roedd y Comisiynydd ar bigau'r drain eisiau trefnu cynhadledd lawn i'r wasg ac roedd ciw o wleidyddion am gael ei llun yn y papur neu ar y bocs. I fod yn rhan o'r stori. I rannu'r llwyddiant.

Daeth Scanner drwy'r drws gan ddweud bod Christine yn Ystafell Holi 3, Roedd hi wedi gofyn am *meringues* a rhywun wedi mynd i Sainsbury's i chwilio am rai.

'Peidiwch â'u rhoi nhw iddi. Nid hi sy'n penderfynu beth yw beth. Ma hon yn sgramblo ymennydd, Scanner, a bydd y *meringues* yn arwain at y cais nesa ac wedyn cais arall, nes bod chi'n was bach iddi.'

'Wela i,' meddai Scanner, ar ei ffordd i ganslo'r archeb yn barod.

'Unrhyw sôn am Daniels?' gofynnodd Tom Tom iddo.

'*Alien abduction* o beth wela i,' atebodd Scanner.

*

Heb ei dillad drudfawr roedd Christine yn edrych yn greadur gwahanol. Ond roedd ei phen yn uchel a haerllugrwydd fel asgwrn cefn stiff i'w gario'n ffroenuchel.

Cydnabu Tom Tom fel petai heb ei weld yn gynharach. Actores dda oedd hi.

'Dyma fe, ife, y dyn ei hun? Eich cariad. Dim lot o beth, yw e? Ry'ch chi bownd o fod yn teimlo fel pysgotwraig sy'n gallu dala pethau mawr fel *marlin* a *swordfish* ond sy'n llwyddo i fachu sprat. Thomas Sprat. Hen bysgodyn bach pathetig, diwerth. Thomas Thomas.'

Anwybyddodd Freeman hyn, gan bwyso'r botwm ar y recordydd sain, nodi'r dyddiad a'r amser a phwy oedd yn bresennol. Gwisgai Freeman ei mwgwd chwarae Poker hithau bellach, heb smic o emosiwn.

'Ar y 15fed o Dachwedd darganfuwyd dyn ifanc yn anymwybodol yn eich cartref chi yng Nghaerdydd. Allwch chi gadarnhau hynny?'

'Roeddech chi yno, ennill cwpwl o Brownie Points am eich gwaith da yn achub cymdeithas, yn glanhau'r strydoedd. Weloch chi'r lleidr...'

'Lleidr? Sut oedd e wedi llwyddo i fynd i mewn? Doedd dim arwydd o ddrws na ffenest wedi torri.'

'Arwydd o leidr da felly – sleifio fel cysgod, neu niwl y bore.'

'Byddwn ni'n holi Ben pan fydd e'n dihuno.'

Roedd y ffaith hon wedi ansefydlogi Christine am eiliad, fel petai hi'n meddwl bod Ben eisoes wedi marw. Yna gofynnodd, 'Oes rhywun wedi dod â'r *meringues*? Gofynnes i amdanyn nhw achau'n ôl!'

'Sdim *meringues* ar ôl yn y ddinas gyfan. Ddim hyd yn oed yn Aldi.'

'Peidiwch chwarae. Mae hyn yn bwysig. Ma angen *meringues* arna i. Mae gen i hawliau.'

'Ble oeddech chi ar noson yr 22ain o Fawrth?'

'Does gen i ddim cof.'

Tynnodd Tom Tom fag tystiolaeth i'r golwg, oedd wedi bod yn gorwedd ar gadair.

'Ry'n ni wedi dod o hyd i hwn yn y tŷ. Mae'r bois fforensig wedi gorffen eu profion felly mae rhwydd hynt i chi edrych ar y dudalen berthnasol. Neu ga i?'

'Odych chi'r math o ddyn slei sy'n mynd drwy bethau menyw?'

'Ga i edrych yn eich dyddiadaur, er mod i'n hollol hapus i

chi neud ar ein rhan? Fel gofynnodd fy nghyd-weithiwr, dy'n ni ond eisiau gwybod ble oeddech chi ar noson yr 22ain o Fawrth.'

'Mae e ar y ffôn. Edrycha i nawr...'

Synnodd Freeman ar barodrwydd Christine i gydymffurfio, a'i bod hi mor ddi-hid. Edrychodd yn hamddenol drwy'r dyddiadur.

'Ar yr 22ain o Fawrth, roeddwn i yn Malaga, yn yr hen ddinas. Gwyliau neis.'

Heriodd hi'r ddau gyda'i llygaid, y tri'n gwybod ei bod yn styfnig ar bwrpas.

'Nawr 'te, oes gen i ddêt gyda Ben y byrglar yn fy nyddiadaur? Dwi ddim yn meddwl. O, a dyna pryd wnes i agor lle bwyta newydd. Un ohonoch chi'n hoffi bwyd da? Nid bwyd da ond bwyd godidog, rhywbeth ysgafn a fflyffi fel *meringues*.'

'Dy'n ni ddim yn chwarae gêm.'

Edrychodd y fenyw ar Tom Tom gyda dirmyg llethol. Roedd gwenwyn yn ei llygaid didostur, dau lygad mor oer nes eu bod nhw'n sgleinio fel gwydr.

'Dwi ddim yn chwarae gemau chwaith. Mae bywyd yn rhy bwysig. Mae e mor bwysig â marwolaeth. Odych chi'n cytuno? O, mae'n gwestiwn mawr – ody marwolaeth mor werthfawr â bywyd? Neu... ody bywyd mor werthfawr â marwolaeth? Chi'n gweld sut mae'r cwestiwn yn newid, wrth newid trefn y geiriau? Ac mae newid y drefn ambell waith yn rhoi'r teimlad rhyfeddaf i chi. Marw cyn amser. Odych chi'n credu bod 'na funud benodedig wedi ei neilltuo ar gyfer eich marwolaeth, Mr Spratddyn? Tom? Os felly, pwy neu beth sydd wedi penderfynu? Bod 'da chi hyn a hyn o guriadau'r galon i'w defnyddio cyn eich bod chi'n cyrraedd yr olaf un, sydd mwy fel y Big Bang, oherwydd mae'n "Good night Vienna" arnoch chi. All systems fail.'

Mae Freeman yn clirio'i llwnc.

'Mae gyda ni gyfres bellach o gwestiynau. Awn ni drwyddyn nhw fesul un? Mae gyda ni ddiddordeb mewn pethau tu hwnt i heno, fel ry'ch chi'n deall. Cyfres o lofruddiaethau. Ond dwi'n ffonio'r dynion fforensics i weld os oes unrhyw arwyddion o dorri mewn. Bydd yn helpu'ch achos os oes rhywun wedi gwneud hynny. Neu'n gwneud pethau'n anoddach, wrth gwrs.'

Gyda hyn newidiodd tôn llais Freeman, gan chwyddo gydag awdurdod. Cofiai Tom Tom hi'n defnyddio'r un islais pan ddeliodd gyda gwarchae, llais i ddelio gyda sefyllfa, cael y dynion iawn yn y llefydd iawn, a chyrraedd diweddglo llwyddiannus.

Edrychodd Christine arni gyda golwg bitïol bron, fel petai ei hawdurdod hithau'n ddyfnach, yn fwy pwerus.

Nododd Tom Tom nad oedd Emma yn edrych arno yntau o gwbl bellach, bod yr olygfa yma wedi ei fframio rhyngddi hi a'r llofrudd. Anodd fyddai osgoi ei chondemnio, gan nad oedd hi'n dangos unrhyw barch na thosturi tuag at y dyn ifanc oedd yn gorwedd yn yr uned gofal dwys yn Ysbyty'r Waun nac at y rhai eraill aeth ar goll, efallai i farw yn ei chegin sgleiniog, lân. Teimlai Tom Tom bod ei gwaith bob dydd yn cysylltu mewn rhyw ffordd â'r llofruddiaethau a gwyddai hefyd fod Emma yn credu'r un peth. Cogydd a llofrudd.

Y tu ôl i'r gwydr, lle gallen nhw weld y tri yn y sesiwn holi, roedd pedwar plisman yn arsyllu arnyn nhw, ac roedd hi'n amlwg bod Freeman ar fin newid gêr, efallai newid personoliaeth.

'Mae'r *bad cop* wedi cyrraedd...' meddai Stalin.

'Fyddai Tom Tom ddim yn well ar gyfer y rôl?'

'Mae Freeman yn galed pan mae'n rhaid. Proffesiynol i'r carn.'

'Ond mae hon hefyd yn tyff nyt, yn tyff cwci. Efallai'r llofrudd gwaethaf yn hanes Cymru.'

'Dwi'n credu bod rhywun sy'n medru taclo'r Albaniaid yn medru handlo llofrudd. Ta waeth pa mor gyfrwys neu *in your face* mae hi.'

'Ma 'da ni bopeth sydd ei angen ond does, syr? Mae Rawson yn dweud ei bod hi wedi bod yn cadw pethau erchyll mewn jars. I ddweud y gwir mae'n anodd credu na fyddan nhw'n gysylltiedig mewn rhyw ffordd.'

Mae'r dynion yn edrych ar Freeman yn eistedd gyda'i hwyneb yn wyneb y fenyw arall, heb ofn nac ots.

'Reit, dyddiad arall i chi. Ble oeddech chi ar noson yr 11eg o Chwefror eleni?'

Mae hi'n edrych yn ei dyddiadur wrth i Freeman feddwl ei fod yn od iawn bod rhywun oedd yn ymddangos yn eitha *switched on* yn defnyddio dyddiadur hen ffasiwn. Ac roedd Scanner wedi darganfod systemau diogelwch data ar ei ffôn nad oedd wedi eu gweld nhw erioed o'r blaen, a'i fod e'n gorfod gofyn am help pobl yn GCHQ ac MI6 i helpu fe i dorri i fewn. Ond doedd gan Scanner ddim amheuaeth taw lluniau oedd yno, oherwydd y ffolders oedd wedi eu gwarchod y tu ôl i waliau electronig pwerus, i gadw pobl eraill rhag mynd atynt. Ond pe bai rhaid gallent ofyn i dechnegwyr yn Apple agor y systemau iddyn nhw.

'Yn y tŷ.'

'Oedd rhywun gyda chi yn y tŷ?'

'Nac oedd.'

Gwyddai Freeman nad oedd yn rhaid iddyn nhw gwestiynu

alibi o unrhyw fath oherwydd byddai digon o wybodaeth ynglŷn â ble roedd Christine wedi bod yn ei ffôn, unwaith iddyn nhw allu torri i mewn i hwnnw, ac roedd ustus yn eistedd mewn sesiwn llys arbennig i ystyried rhoi hawl iddyn nhw wneud hynny. Anaml byddai cais o'r fath yn cael ei wrthod, a phetai Prydain yn gadael Ewrop byddai'r fath geisiadau yn haws oherwydd byddai holl systemau a chyfreithiau hawliau sifil yn cael eu dileu.

'Pryd gyrhaeddoch chi'r tŷ heddiw?'

'A-ha, newid trywydd eto. Technegau bach i ddrysu'r un mae'n ei holi. Ond mae gen i gwestiwn i chi... ble mae'r ffycin *meringues*?'

'Fel wedais i, yn anffodus does dim ar ôl yn y ddinas gyfan. Maen nhw'n hynod boblogaidd heno am ryw reswm.'

Edrychodd Christine ar y drych-dwy-ffordd a dechrau chwarae i'r galeri drwy siarad dros ysgwydd Freeman tuag at yr heddweision oedd yn clustfeinio.

'Allwch chi ddim hala *lover boy* fan hyn mas i brynu cacs o ryw fath? O-o, ydw i wedi dweud rhywbeth ddylwn i ddim? Ody'r bois tu ôl i'r gwydr yn gwbod bod y ddau ohonoch chi wedi bod yn ffwcio fel moch. Oh, that's a good one. Fel moch. Gan ystyried eich bod yn foch. Ac yn fochynnaidd.'

Tawelodd y plismyn yn syth. Sut at y ddaear roedd y fenyw yma'n gwybod pethau am Freeman a Thomas nad oedd yn hysbys i'w cyd-weithwyr?

Gyda hynny dyma Tom Tom yn cerdded allan o'r ystafell gan ddisgwyl ymateb llugoer gan y Prif, ond yr unig beth ddywedodd e oedd awgrymu y dylai ef a Freeman gymryd gwyliau o'r gwaith gyda'i gilydd wedi i hyn ddod i ben. Y bòs yn awgrymu'r fath beth! Ond roedd y geiriau'n amwys ac yn glir. Llenwodd Tom Tom gyda hapusrwydd fel fflach o olau lliw lemwn yn tanio oddi fewn iddo. Er gwaetha'r ffaith ei fod wedi treulio'r orig ddiwethaf mewn pit gyda neidr ar ffurf menyw teimlai gobaith nad oedd y byd wedi cwympo oddi ar ei echel, na throi'n belen o surni gyda phobl greulon yn cripio drosto fel morgrug. Gallai pethau wella. Roedd gobaith yn bosib. Mae e bron yn trefnu i nôl *meringues* ond wedyn mae'n cofio bod gwrthod y cais hwnnw'n rhan o'r gêm.

Mae'r tymheredd wedi codi yn yr ystafell pan mae'n dychwelyd oherwydd gorchymyn gan Freeman. Mae hi wedi astudio'r technegau, ac er nad yw hi'n cytuno gyda phob un ohonynt mae'n hapus i'w defnyddio gyda'r fenyw yma sydd wedi plannu draenen yn ei hymennydd, chwilen glyfar, wedi troi at faterion personol iawn, gan gadarnhau ei hamheuon fod hon yn gwybod pethau amdani, na ŵyr neb arall.

Daw Tom Tom drwy'r drws gyda golwg sur ar ei wyneb. Maen nhw'n gwasgu am gyffesiad gan Christine, a hithau'n gwneud dim byd mwy na gwawdio a chwerthin am eu pennau.

Daw rhywfaint o newyddion da, diolch byth, ar ffurf neges destun oddi wrth un o'r fforensics, sef nad oes unrhyw arwydd bod rhywun wedi ceisio torri i fewn i'r tŷ ar y noson honno. Mae Freeman yn mwynhau trosglwyddo'r newyddion i Christine, a phob gair yn blasu fel mêl ar ei thafod.

Pleser yw ei harestio hi'n ffurfiol, nid yn unig am geisio lofruddio Benjamin Arthur Palmer ond hefyd ar amheuaeth o lofruddio Poppaline Evans. A'r lleill.

'Bang to rights,' mae Stalin yn ei ddweud wrth ei gyfeillion, er bod Christine yn mynnu ei bod hi'n ddieuog ac mae'n dweud hyn mewn ffordd sy'n awgrymu ei bod hi'n gwbl ddihid o'r hyn sy'n digwydd iddi. Yna, yn sydyn, mae'n newid ei thiwn yn llwyr ac yn yngan y gair maen nhw i gyd wedi bod yn chwennych ers iddi gyrraedd, sef y gair syml ond trymlwythog...

'Euog.'

Gyda'r gair hwnnw mae Tom Tom yn gweld cyfle cyn yr achos llys byr y bydd ef a Freeman yn mynd i rywle i anghofio am y pethau drwg a chanolbwyntio ar y pethau da, fel blagur cariad. Os gall cariad oroesi yn y byd sur, tywyll sydd ohoni.

33

Achos Freeman

A R DDIWRNOD YR achos mae Christine yn ymwybodol fod y byd y gyd yn gwrando ac yn edrych oherwydd mae hi wedi cael ei bedyddio gyda sawl enw erchyll, brawychus gan y cyfryngau ac mae degau o faniau lloeren wedi eu parcio y tu allan i'r llys yng nghanol y ddinas. Hi yw 'The Cannibal Cook' ac mae hi wedi esgor ar gannoedd o benawdau papurau dyddiol – 'She Ate Them Alive', 'Murderous Appetite', 'Cereal Killer Strikes Again', 'A Taste for Killing', 'Cannibal Chris Cooks Up Court Appearance' – ac oriau o fwletinau newyddion, heb sôn am raglen arbennig *Panorama* lle holwyd seicolegyddion o bedwar ban byd er mwyn ceisio deall meddylfryd y canibal. Mae hi'n diawlio Freeman, yr ast, sydd wedi gwneud hyn iddi, ac yn addo dial. Daw'r dydd pan fydd y blismones yn dyfaru'i henaid, o daw.

Eisteddai Tom Tom a Freeman yn yr ystafell baratoi ger Llys Rhif 1 yn sbecian drwy'r ffenest ar yr holl newyddiadurwyr a thechnegwyr yn prysura o gwmpas.

'Maen nhw i gyd wedi cael pethau'n rong,' meddai Freeman, gan gyfeirio at faniau Sky, y BBC a hyd yn oed CNN oedd ddim yn dod i Gymru'n aml iawn. 'Doedd hi byth yn bwyta'r aberth, er ei bod hi'n eu coginio, dim dwywaith am hynny.'

'Ro'n i'n darllen bod rhywun wedi cyhoeddi llyfr coginio gyda'i henw hi yn y teitl. Am beth sic!'

'Mae lot o bobl sic yn y byd ac mae gan bobl ddiddordeb mawr yn y math yma o beth. Hyd at obsesiwn wedwn i.'

'Roeddet ti dy hunan yn obsesiynol yn ei chylch...'

'Dyna'r unig ffordd i ddatrys cyfrinach fel yma.'

'Gyda chydig bach o lwc.'

'Sy'n rhan o'r *arsenal*, Sherlock, yntydy?'

Mae'r ddau yn tynnu anadl ddofn yr un cyn camu i mewn i'r siambr. Er ei fod yn annoeth i rywun ei gynrychioli ei hun mewn achos fel hyn – yn enwedig pan mae'r dystiolaeth fel mynydd yn eich herbyn – maen nhw'n disgwyl i Christine greu argraff dda ar y rheithgor oherwydd ei phersonoliaeth a'i huodledd wrth siarad. Eto, gan ei bod hi'n euog, ac wedi pledio felly, dylai'r holl broses fod yn hawdd, ond mae popeth ynglŷn â hon yn gallu troi o normal i ryfedd mewn chwinciad. Pwy a ŵyr beth sydd ar fin digwydd?

*

O fewn pum niwrnod maen nhw wedi mynd drwy'r dystiolaeth sylfaenol, er y gellid fod wedi cyflwyno tipyn mwy, ond mae'r erlyniad yn teimlo'n saff o wybod ei fod yno wrth gefn, os oes angen. Cadwa Christine yn dawel, ond yn fwy rhyfedd, bron yn sinistr, mae hi'n gwrthod gofyn cwestiwn i bob un o'r tystion, gan gynnwys Alun Rawson y patholegydd, a Ben, sy'n cael ei gyfweld dros Skype o'i gartref i osgoi'r boen o orfod gweld y fenyw geisiodd ei ladd yn y cnawd. Mae Freeman yn gwybod bod Christine yn chwarae gêm hir, ac nid yw'n cadw'n dawel oherwydd ofn ei bod hi'n mynd i niweidio'i hachos. Ond dyw Freeman ddim yn gwybod rheolau ei gêm, sy'n rhwystredig iawn.

Ond ar y chweched diwrnod mae pethau'n newid. Mae'r

erlynydd yn casglu'r holl dystiolaeth ynghyd, gan geisio darbwyllo'r rheithgor bod y fenyw yma'n euog heb unrhyw amheuaeth yn y byd. A phan mae'r barnwr yn rhoi cyfle iddi grynhoi ei hachos mae'r geiriau'n swnio'n wag oherwydd dyw hi ddim wedi cyflwyno achos o gwbl. Hyd yn hyn, hynny yw.

Mae hi'n camu'n dal ac yn gefnsyth i'r bocs pren gydag elfen o *showbiz* yn ei chylch, fel Shirley Bassey neu Liza Minelli yn hawlio llwyfan. Cofia Tom Tom am Anders Breivik, y dyn saethodd y plant ar ynys Utøya yn Norwy, a'r ffordd y ceisiodd droi'r achos llys yn ei erbyn yn rhyw fath o hysbyseb. Haerllugrwydd y dyn, y llofrudd gyda'r creulonaf. Ymdebygai Christine i'r terfysgwr adain dde o uffern, yn y ffordd roedd hi'n gwybod bod pob gair o'i genau yn mynd i deithio i bedwar ban byd, ac roedd yr arlunwyr yn y llys yn gweithio'n gyflymach ac yn galetach nag erioed, yn ceisio gwneud yn siŵr bod gan y golygyddion luniau, yn enwedig yn y papurau mawrion – oedd yn talu'n dda ac yn brydlon – a'u bod nhw'n yn cael digon o ddewis o ddelweddau lliw i gyd-fynd ag unrhyw destun roedden nhw'n ei gyhoeddi. Sgetsiai un ohonynt lun newydd bob munud. Bwystfil milain gyda llygaid rhew; dannedd fel llewpart rhwng gwefusau llawn. Hanfod rhai o'r lluniau oedd bod yn amhenodol fel y gallai'r golygyddion eu defnyddio ar gyfer unrhyw bwrpas, felly roedd rhai'n fwy cartwnaidd na rhai eraill. Ond wrth i'r Cannibal Cook ddechrau traddodi ei haraith nid oedd dwylo, papur, llygaid a phensiliau yn medru cydweithio'n ddigon cyflym i gyfleu'r effaith gafodd hi ar bawb yn y llys, yn gwrando'n astud ar rywun oedd yn byw mewn oerfel moesol, gydag enw gwaeth na Hannibal Lecter, Myra Hindley ac Ian Brady gyda'i gilydd.

'Bobl bach,' meddai Christine, gan edrych fel petai hi'n syllu i lawr ochr anghywir telesgop. 'Oherwydd mae pob un ohonoch chi yn bobl fach, trychfilod i'w pitïo cyn eu gwasgu dan esgid. A dyma fi, yn sefyll ger eich bron. Bobl fach bitw, ry'ch chi am wybod beth wnes i, pam wnes i fe, ac fe gewch chi'r atebion. Ond mewn munud... ar ôl i chi glywed y cyd-destun. Dyma fy nghyfle i i siarad, a dwi'n mynd i'w ddefnyddio er mwyn i chi ddeall pethau sydd efallai y tu hwnt i'ch hymgyffred a'ch dealltwriaeth. Oherwydd mae eich byd chi'n fach, a fy myd i yn fwy, tipyn mwy.'

Symudodd y barnwr yn lletchwith yn ei sedd, ddim yn siŵr a ddylai ymyrryd ai peidio.

'*Chef* ydw i, nid cogydd, rhywun sy'n dda iawn yn ei waith, yn gwybod sut i droi cymhwysion yn wledd, a pherlysiau yn brofiadau. *Chef*, a chonsuriwr, ac alcemegydd, rhywun sydd yn trawsnewid pethau pob dydd, a chynhaeaf y môr, a chnydau da a'r nwyddau'r gorau, ac eto rhywbeth mwy na hynny. Dyna beth yw alcemi wedi'r cwbl, troi rhywbeth, yn aml rhywbeth plaen, yn rhywbeth gwell. Troi plwm yn aur. Ac yn f'achos i, rwy'n byw er mwyn, wel, chi'n gwbod beth sy'n dod nesa, i droi byw yn farw. Dyna i chi bleser. Dyna i chi anrhydedd.'

Erbyn hyn roedd Christine wedi hoelio sylw ei chynulleidfa.

'Sbwriel. Dyw rhai pobl yn ddim byd mwy na sbwriel. Ac felly mae angen clirio, chi'n cytuno? Cael gwared ar y llanast. Gwneud ein strydoedd yn lanach, ein trefi'n gliriach, cliro'r brwgaits a'r chwyn yn y lle chwarae, gwneud lle i bethau gwell, i bethau cryfach allu tyfu. Cliriwr fues i erioed ac roedd Dad yn hapus 'mod i'n ferch fel'na. Cael gwared ar y llygod yn y garej a'r llygod mawr yn y stabal gyda *strychnine*, dyna beth oedd e'n ei alw fe, *strychnine*. Ond sdim ots am hynny, mae'n stwff da, hynod effeithiol. Dad oedd yr un oedd am i mi ddysgu cwcan a phan o'n i'n neud fy arholiadau Lefel O, fe wnaeth e'n siŵr 'mod i'n neud Home Economics yn hytrach nag astudio iaith arall, fel German achos bod pobl mewn gweldydd er'ill yn siarad y blydi ieithoedd 'na yn barod, medde fe, miliynau ohonyn nhw. Italians yn Italy, pawb yn siarad Italian, medde fe, oherwydd dyn syml oedd Dad.'

Dechreuodd pobl anesmwytho yn eu cadeiriau, yn enwedig y rhai oedd wedi bod yn ddigon lwcus i gael lle yn yr oriel gyhoeddus, wedi bod yn ciwio am oriau i wneud hynny. Ar ôl sefyll yn y glaw roedd angen mwy na hunangofiant a sôn am dad oedd yn rhy dwp i wybod bod siarad iaith arall yn werthfawr. Gallai Christine deimlo ei bod yn colli ei chynulleidfa rhywfaint, felly newidiodd gêr neu ddau.

'Ges i flas ar ladd yn gynnar, lot mwy cynnar na ma Freeman, eich top cop, yn gwybod.'

Mae Christine yn edrych ar Freeman ac yn chwythu cusan ati.

'Alright, sweetie?'

Mae Emma yn sylweddoli ei bod yn edrych ar ei nemesis, neu o leiaf ei gelyn pennaf. Does ganddi ddim syniad yn y byd pam y dewiswyd hi ganddi, neu beth oedd wedi ysgogi'r elyniaeth honno, ond mae'n rhyddhad enfawr gwybod bydd y fenyw yma, y bwystfil yma'n mynd i garchar am amser hir iawn. Carchar categori A. HMP Bronzefield yn Middlesex, mwy na thebyg. Yn ei chell am 23 awr y dydd. Nid yw Emma am ddathlu'r amodau llym yma, ond mae'r fenyw sy'n ei gwawdio hi, y fenyw wnaeth ei denu i lecyn diarffordd, wnaeth chwarae gyda Freeman fel cath yn pawenna llygoden, yn haeddu bod ar ei phen ei hun, yn bell, bell bant o'r byd a'i bethau. Tybiai'r Prif Gwnstabl y byddai'r barnwr yn awgrymu ei chloi lan am byth, am byth bythoedd ac roedd clywed hyn

yn falm i enaid Emma, sydd am anghofio amdani, neu o leiaf
ddechrau anghofio amdani unwaith mae'r achos llys drosodd.
Heria'r bitsh drwy edrych yn uniongyrchol ati, eu llygaid yn
cwrdd, un fenyw yn erbyn menyw arall, fel bod ysbryd y naill
yn reslo gydag ysbryd y llall.

Mae Christine yn ailgydio yn ei haraith gan wybod bod
pawb wedi cael dos o ddrama i'w dihuno.

'Dechreuais i'n gynnar, wedi meddwl, oherwydd roedd yr
un gyntaf, y fuddugoliaeth gyntaf, yn yr ysgol. Roedd pawb yn
credu ei bod hi wedi crogi ei hunan ond n'ath neb hyd yn oed
ystyried y gallai un o'r merched bach diniwed yn y dorm fod
wedi gwneud. Ond ro'n i wedi bod yn ymarfer y *slip knot* am
hydoedd ac wedi dysgu sut i wneud un da, fel ma rhai merched
o'r un oedran yn dysgu i wneud *plié* mewn bale. Roedd gweld
ei llygaid yn troi yn ei phen, a'r ffordd chwyddodd ei thafod
wrth droi'n las, ac wrth iddi hi droi'n las, yn bleser pur. Ro'n
i wedi dotio ei gweld hi'n mynd, y foment pan oedd fel petai
rhywun wedi diffodd y golau, fflico'r switsh, sy'n neud y
gwahaniaeth rhwng byw neu farw. Y trydan byw yn diflannu.
Fflic! Jyst fel'na.

'Mae'r moch wedi bod yn gofyn pam wnes i hyn, a dwi'n
siŵr eich bod chi eisiau gwybod yr un peth. Dyna beth yw
brwdfrydedd! A chwilfrydedd? Does dim ots rili. Oherwydd
sneb yn mynd i 'nghrogi i, oes e, fel Ruth Ellis? Er, dwi'n siŵr
bydd rhai yn ymgyrchu i ddod â'r gosb eithaf yn ôl, jyst i fi.
Piers Morgan neu Katie Hopkins, neu rhyw bobl atgas eraill.
Wel, dyma chi'r peth...

'Yn y byd, mae 'na filiynau a miliynau o bobl, na, biliynau,
a rhai'n cael eu geni wrth i mi ddod i ddiwedd y frawddeg
hon. Gormod o bobl yn bwyta ac yn bridio ac yn cachu fel
pryfed ymhob man. Oes angen gymaint o bobl? All y blaned

yma eu bwydo nhw, eu cadw'n nhw'n fyw? Na. Felly beth sydd angen ei neud pan mae angen mwy o le yn y ffrij? Taflu pethau! Cael gwared ar bethau sydd ddim yn angenrheidiol. Chwynnu. Dod â'r niferoedd i lawr. A dyna beth wnes i. Ond chi'n gwbod beth? Os ydych chi'n mynd i gael gwared ar rywun, un ystadegyn, un enaid bach diwerth ymhlith yr holl biliynau, mae angen cael gwared o'r cyrff mewn ffordd sy'n neud lles. Fel yr holl filwyr fu farw ar faes y gad yn y Rhyfel Byd Cyntaf a'u cyrff yn pydru yn y pridd a'u hesgyn yn malu yn y gwynt, ac yn y pen draw yn troi'n wrtaith da, a'r cnydau yn tyfu'n gryf yn eu tro, yr ŷd yn chwifio'n uchel, y blodau haul i gyd yn chwe troedfedd, heb sôn am y pabis, fel môr o goch, fel culfor sgarlad. Dyna i chi liw! Sgarlad, fel hen diwnic milwr. Lliw gwaed pan mae'n dechrau llifo, pan mae'r gyllell yn mynd i fewn. O, am deimlad da! Gwneud slit yn y cnawd. Aros am y bybl cyntaf o waed ac yna'r bybl nesa, ac o fewn dim, bydd llif da. Dwi wedi golchi fy mysedd mewn nentig o waed, ac yna wneud pwdin gwaed. Ody hynna'n ddigon o stori i chi? Neu odych chi am wybod am pan wnes i yfed y gwaed yn syth o'r corff, wrth i'r stwff lifo? Fel fampir. Vampire Cannibal Cook. O, mae'r stori'n mynd yn well ac yn well i chi, on'd yw hi? Bydd hyn yn gwerthu papurau. Bydda i'n *cause célèbre*. Shit, madam, chi wedi mynd yn llwyd. Gormod o sioc i chi? Gwneud i'r hen stumog droi a throi fel top?'

Nid yw'r barnwr yn siŵr a ddylai ddod â hyn i ben. Mae eisiau rhoi tegwch iddi ond mae'r geiriau bellach yn wallgo. Ond does dim rhaid iddo yngan gair oherwydd mae dyn yn llamu i lawr o'r oriel gyhoeddus ac yn neidio dros fwrdd er mwyn ymosod ar Christine gan weiddi, 'Laddoch chi fy merch i, felly dwi'n mynd i'ch ffycin lladd chi nawr!' ac mae ganddo ddarn hir o wydr yn ei law, oedd mewn maneg drwchus ac mae'r barnwr yn synnu fod y dyn wedi llwyddo i ddod heibio'r systemau diogelwch llym. Dyma'r heddlu yn y llys yn rhuthro amdano a Tom Tom yw'r cyntaf, gan daflu ei hunan at y dyn, a rhoi ei gorff rhwng y gyllell wydr a chorff Christine sydd yn sefyll yno'n gefnsyth, yn hidio dam am y dyn gwyllt a'i ymosodiad annisgwyl. Mae'r arf yn trywanu ysgwydd Tom Tom ac mae 'na sbyrt bron yn gomig o waed coch wrth iddo gwympo i'r llawr. Mae Freeman yn cyrraedd yn syth, a hi yw'r un sy'n gwasgu hances yn erbyn y clwy i geisio stopio'r gwaed tra bod dau heddwas yn tywys Christine i'r celloedd er ei diogelwch ei hun wrth i'r barnwr orchymyn eu bod nhw'n clirio'r llys.

Mae Freeman yn teimlo rhyddhad o weld bod Tom Tom yn medru cerdded tua'r drws lle mae sŵn seiren yr ambiwlans i'w glywed yn glir. Ond wrth iddi edrych ar ei chariad yn cerdded i ffwrdd mae'n gweld wyneb Christine yn rhoi'r wên fwyaf dieflig iddi, ac mae hi'n gwybod bod hyn yn bersonol, i'r fath raddau ei bod hi wedi lladd ambell un efallai yn unswydd i ddenu sylw Freeman.

Er yr holl erthyglau a llyfrau mae hi wedi'u darllen nid yw Freeman hyd yn oed yn medru dirnad beth yw cymhellion y fenyw yma sy'n diflannu drwy ddrws pren trwchus, wrth i'r heddlu roi cyffion ar y tad sydd wedi mynegi ei alar drwy geisio lladd y llofrudd a laddodd ei ferch. Mae'r dyn yn udo, y sŵn yn dod o bydew diwaelod. Sŵn fyddai'n cronni ym mherfeddion unrhyw un petai yng nghanol hunllef debyg.

Bellach mae'r rheithgor yn gadael mewn rhes drwy ddrws ym mhen pella'r llys, a golwg o ryddhad ar eu hwynebau. Roedd y ddrama wedi bod yn rhy ddramatig. Y fenyw a'i haraith ryfedd, oer. Y tad a'r gyllell yn ei ddwylo. Y plisman ar lawr. Y baich ar eu hysgwyddau, wrth geisio gwrando'n astud ar bob gair o dystiolaeth, a ffeithiau moel yn llawn perswâd yr erlyniad. Byddai cael prynhawn mewn ystafell yn y gwesty lle roedden nhw'n aros yn beth da – edrych ar crap ar y teledu, bwyta Pringles o'r mini-bar, cysgu am ychydig wedi'r holl gomosiwn a'r sbectacl theatrig, a'r gwaed yn tasgu fel rhywbeth o ffilm Monty Python. Gwaed. A mwy o waed. Cynhaeaf gwaed.

34

Rhwydo

Mae'r oriau'n teimlo'n hir wrth i Emma aros yn yr adran Gofal Brys yn disgwyl am newyddion am Tom, ond pan mae'r nyrs yn dod allan i'r ystafell aros mae'n gwenu'n braf. Maen nhw wedi llwyddo i ddelio â'i anafiadau drwy ddefnyddio dau bwyth yn unig, ac nid oedd achos i bryderu ynghylch ei phartner. Ond pan mae'n ei weld mae ton o ryddhad a thon arall o gariad yn cydlifo y tu fewn iddi ac wrth iddo esbonio ei fod am fynd i'w wely ei hun i gysgu am dridiau, mae'n hapus iddo wneud. Wrth iddi ei yrru am adref mae hi'n edrych ar y dyn yn gorwedd wrth ei hymyl yn cysgu fel babi.

Deuddydd yn ddiweddarch anfonodd neges destun i Tom i ofyn sut roedd e'n teimlo ac a fyddai am gwrdd â hi yn y lle Groegaidd newydd yn Nhreganna, oherwydd roedd Tom Tom yn dwli ar taramasalata ac olewydd mawr gwyrdd. Eto, efallai nad oedd chwant bwyd arno, wrth i'r galar am ei fòs setlo y tu mewn iddo, ac wrth iddo ddechrau teimlo'n fethiant wrth gyfweld â'r rhai oedd yn y pencadlys pan aeth ar dân, gan wneud iddo deimlo'n fradychwr neu waeth.

Mae gan Emma ddigon o resymau i ddathlu – yr achos llys yn erbyn Christine Vaizey wedi mynd yn arbennig o dda, ac yn gyflymach na sawl achos arall – ond roedd Tom Tom yn dal i fod heb ddatrys sawl achos, ac yn gorfod gwneud hynny nawr gyda'i ysgwydd yn brifo.

Ond ni ddaeth ateb, oedd braidd yn rhyfedd, oherwydd doedd hi ddim yn disgwyl iddo fod wedi mynd allan ac yntau wedi cael ei drywanu ddyddiau ynghynt. Roedd e wastad yn ateb mor brydlon, yn anfon neges yn ôl bron cyn bod ei neges hi wedi gadael ei ffôn. Dyma efallai ei unig sgìl dechnegol oherwydd gyda phethau megis teipio roedd ganddo ddeg bys bawd, ac yn araf ar y naw.

Ffoniodd Freeman ei rif gwaith, ac yna'r switshfwrdd, ond heb lwc. Od. Penderfynodd yrru i'r swyddfa i edrych ar y bwrdd gwyn, ei dihangfa, i chwilio am ysbrydoliaeth neu batrwm yn achos llofruddiaeth Bailey, yr un darn o jig-so fyddai'n cwympo i'w le ac yn dadlennu pictiwr clir, oedd yn dipyn gwell na'r llwyth o ddim byd roedden nhw wedi llwyddo i'w gasglu hyd yma. Ble roedd e wedi mynd gyda Daniels? Beth ddigwyddodd i Daniels? Pam fod rhywun wedi trefnu *hitman* i ladd plisman ifanc, oherwydd roedd yr arwyddion yn glir taw gwaith rhywun proffesiynol oedd hyn.

Wedi cyrraedd y swyddfa ceisiodd newid trefn y deunydd oedd wedi ei ludo yno. Delweddau o Bailey yn gadael HQ. Delweddau o Daniels yn gadael HQ tua'r un pryd. Llun o'r ddau yn teithio yn yr un car, funudau'n unig yn ddiweddarach.

Dyfalu. Pendroni. Darllen drwy bentwr o adroddiadau ddaeth i law ar ôl i'w chyd-weithwyr gyfweld hyd at hanner cant o bobl oedd yn gweithio yn y pencadlys ar noson y tân. Hau hadau amheuaeth ymhob man. A'r teimlad y byddai deng munud yng nghwmni Daniels yn datgelu mwy na'r holl holi. Ymhen dwy awr roedd ei phen mewn sbin, a'r geiriau a'r enwau'n llifo'n un ffrwd o lythrennau heb ystyr. Rhaid bod rhyw dystiolaeth solet yno yn rhywle, hyd yn oed jyst rhywun yn cofio un peth od, neu'n amau ymddygiad amheus, allan o gymeriad. Teimlodd ei hunan yn dechrau danto ychydig. Damo, damo, damo.

*

Wrth gerdded tua'r car wedi ei barcio ar lôn fach sy'n cysylltu â Charles Street teimlai Tom Tom ias, digon i beri iddo edrych o gwmpas i bob cyfeiriad. Roedd ei chweched synnwyr yn reit ddibynadwy, a dibynnai ar reddf yn aml, ar y teimlad dwfn yn yr ymysgaroedd. Edrychodd tuag at ddrifft o olau lliw leim a choch yn dod o gyfeiriad sinema UGC a chanolfan siopa St David's 2, ond doedd neb ar hyd y lle. Efallai ei fod yn dechrau heneiddio, yn troi'n hen foi ffwndrus oedd ddim yn cofio ble roedd ei allweddi ac yn y pen draw ddim yn cofio beth oedd pwrpas allwedd yn y lle cyntaf. Anelodd yr allwedd at y car, a wnaeth i'r goleuadau fflachio ac agor pob clo. Ond wrth iddo gamu i fewn i eistedd yn sedd y gyrrwr dyma ddyn yn camu o'r cysgodion, a oedd wedi bod yn cuddio ers awr, ac wedi arfer technegau roedd wedi'u dysgu mewn mynachlog yn uchel ym mynyddoedd Bhutan er mwyn cadw'n hollol dawel, yn gwbl lonydd, gan gadw ei anadl mor ysgafn â phosib ac eto'n barod fel jagiwar yn jyngl y nos i daflu ei hunan at famal, a'i ddal gyda chrafangau dur. Un ergyd oedd ei angen i lorio Tom Tom ac unwaith roedd e ar y llawr, dyma fe'n rhoi chwistrelliad sydyn o *sodium pentobarbital* wedi ei gymysgu â *phencyclidine*, y coctel gorau yn ei farn onest e.

Ac roedd e wedi cael tipyn o brofiad, ac erbyn hyn yn giamstar ar greu coctels o dawelyddion. Gallai lorio eliffant, na, grŵp o eliffantod gwyllt sydd newydd gamu i nythod gwenyn ffyrnig y safana gyda 5ml o'r stwff yma, felly doedd corff diymadferth y plisman ar y llawr ddim yn mynd i ddihuno am awren neu ddwy. Edrychodd o'i gwmpas yn sydyn, gan weld dyn ifanc yn piso yn erbyn wal ar ddiwedd yr ale, felly oedodd am hanner munud nes bod hwnnw yn diflannu, er bod ei gerddediad meddw yn awgrymu na fuasai'n gwneud llygad-dyst arbennig o ddibynadwy. Edrychodd ar y ffŵl yn taro yn erbyn car ac yna un ar yr ochr arall, gan wneud i'r larwm ganu. Nawr. Llusgo'r cop i'r car amdani. Dim amser i wastraffu. Un, dau, tri, mewn â ni. Hwp bach lan, eistedd i fewn, symud y drych er mwyn gweld yn iawn. Cychwyn yr injan, symud i ffwrdd yn esmwyth, roedd ganddo'r sgiliau digamsyniol o droi car 360 gradd bron yn yr unfan, ac roedd yn medru gyrru Merc ar 170 milltir yr awr heb banig yn ei ddwylo. Ond pwyll pia hi'r tro yma.

Anelodd am Lecwydd, gan yrru heibio'r stadiwm pêl-droed gyda'r hysbysebion enfawr 'Visit Malaysia', er nad oedd y dyn yn credu bod cefnogwyr y tîm yn ddigon ariannog i wir ystyried mynd mor bell. Cyrhaeddodd y cylchdro, gan anelu am Groes Cwrlwys ac wrth iddo gymryd y lôn chwith dyma glywed sŵn yn y cefn. Am eiliad meddyliodd fod y cop yn dihuno, ond yna sylweddolodd bod y radio ymlaen yn isel, a throdd lefel y sain yn uwch. Wedi'r cwbl doedd dim eironi gwell na gwrando ar radio'r cops pan oedd cop yn gorwedd yn ddiymadferth dan shîten yng nghefn y car. Cyrhaeddodd y man lle roedd e wedi gadael fan y Cwmni Opera Cenedlaethol ac yna newid cerbydau, yn falch bod ei amser yn y *gym* yn rhoi digon o gryfder yn ei gyhyrau i lusgo corff diymadferth o un cerbyd i gerbyd arall cyn ei fod yn rhoi'r car ar dân, gan wneud i bethau ymddangos fel petai *boy racer* wedi ei ddwyn, cyn ei heglu hi o'r fflamau.

Erbyn iddo gyrraedd cefn Canolfan y Mileniwm roedd

lorïau mawrion yn arllwys darnau mawr o set yn barod ar gyfer eu haildrefnu ar y llwyfan, gyda deugain o ddynion yn gweithio ffwl pelt i adeiladu fersiwn o Rwsia yno. Mae'r cynhyrchiad o *The Queen of Spades* gan Tchaikovsky ar daith am wyth wythnos ac mae'r bois wedi hen arfer gyda'r datgymalu, y cludo a'r ailadeiladu drachefn, ac maen nhw'n dîm da, wedi bondio dros beintiau yn Birmingham, Llandudno a Southampton. Ond mae tipyn o fynd a dod yn eu plith, gyda labrwyr a chontractwyr lleol yn dod i helpu'r tîm craidd sy'n teithio o gwmpas y wlad. Felly mae'n bosib i'r dyn tawel yma, Mr Du, gerdded i fewn heb i neb sylwi'n fanwl arno, a phan mae'n gofyn am help i symud bocs o brops trymion, mae dau ddyn mewn oferôls yn ddigon hapus i helpu. Mae un dyn yn gwneud jôc trwy ofyn oedd corff yn y bocs ac mae'r dyn tawel yn gwenu cyn ateb, 'Dim corff marw.' Mae'r dynion yn canolbwyntio ar gael y bocs i'w le ar y llwyfan oherwydd mae'r ymarfer cyn y sioe wedi dechrau'n barod, a'r ochrau'n llawn cantorion, ac yn y pit mae'r gerddorfa'n tiwnio.

Gwena Mr Du o feddwl bod y perfformiad yn dechrau mewn tair awr, a bydd y rhai sydd wedi prynu tocynnau yn cael y sioe fwyaf cofiadwy yn eu bywydau, heb os. Mae'n mynd i gael coffi sydyn, gan wybod bydd y dyn yn y bocs yn dechrau dihuno mewn awr a bydd angen chwistrelliad bach arall, dim ond digon i'w gadw'n dawel nes bod yr opera wedi dechrau. Yn y cyfamser bydd angen gwneud yn siŵr ei fod yn medru trosglwyddo ei eiriau ar y tonfeddi iawn a'i lais yn cario'n glir dros stŵr y Tchaikovsky. Dyw Mr Du ddim yn hoff iawn o opera: fel mae'n rhesymu, petai rhywbeth gwael yn digwydd i'w deulu, nid bod ganddo deulu, a fyddai'n rhannu'r newyddion trwy ganu? Gyda mezzo soprano yn ymuno mewn deuawd? No way, José.

Cerddodd dyn mewn wig aruthrol o faint heibio, gan edrych ar ei ffôn symudol, oedd yn edrych allan o le o ystyried ei got hir felfed a'i fŵts tal milwrol. Hoffai Mr Du y prysurdeb ac adrenalin y perfformwyr ar hyd y lle. Yn y consol goleuadau roedd y cynllunydd yn datrys problem gyda rhan o'r corws yn sefyll yn y cysgodion pan oedd angen eu gweld. Roedd Mr Du wedi penderfynu eisoes y math o lifoleuo fyddai ei angen pan oedd y plisman yn ei le. Roedd y bwa croes wedi ei osod yn barod. A chyda'r trefniadau athrylithgar yma, byddai'n plesio'r Albaniaid yn fawr iawn, iawn. O, gobeithio bod cynulleidfa dda ar gyfer y perfformiad hwn. Byddai'r nifer yn siŵr o chwyddo pan fyddai'r digwyddiad yn mynd yn fyw ar y we. Y saethu. Saeth o fwa. Syml ond clasurol.

Heno oedd y noson pan fwriadai'r Cwmni Opera Cenedlaethol ddarlledu'r opera i'r byd, gan ymuno â'r Met yn Efrog Newydd, Houston Opera, y National Theatre yn Llundain a'r RSC. Os byddai'r arbrawf yn gweithio, a digon o bobl yn heidio i'r sinemâu, byddai'n hwb sylweddol i goffrau'r cwmni. Noson arbennig, dyngedfennol ac roedd rheidrwydd i wneud yn siŵr bod y perfformiad a'r dechnoleg yn plethu'n dda, yn enwedig oherwydd nad oedd yr opera ymhlith y rhai mwyaf enwog, nac, i ddweud y gwir, y cwmni ei hun yn rhy enwog y tu hwnt i'r Deyrnas Unedig. Ond roedd pethau'n mynd i wella, meddai'r Prif Weithredwr wrth iddo sipian siampên gyda'r Gweinidog Diwylliant wrth drafod y rhestr o newyddiadurwyr oedd wedi teithio i fod yn bresennol, oedd yn eironig o ystyried taw holl bwynt y noson oedd i ganiatáu i bobl agosach at adre weld yr opera. Ond roedd cael critic o'r *New York Times* yn y gynulleidfa yn ddigwyddiad pwysig ynddo'i hun, oherwydd taw dyma'r prif feirniad cerddoriaeth, oedd yn medru bod yn hallt fel gwaelod y môr os nad oedd y cynhyrchiad yn plesio.

'Mae hon yn un o'r nosweithiau tyngedfennol hynny sydd o bosib yn mynd i newid y model ariannu ar gyfer y celfyddydau yng Nghymru...'

'Bydd mwy o siampên efallai?' mentrodd y Gweinidog. 'Ma hwn yn stwff da, rhaid dweud,' wrth iddo droi'r label er mwyn ei ddarllen mewn acen Ffrengig led dda.

'Mae'r cwmnïau theatr cenedlaethol yn ysu am wneud yr un peth.'

'Od sut mae popeth y dyddiau hyn yn defnyddio ieithwedd busnes, y celfyddydau o bob math, pob peth yn ceisio bihafio fel petaen nhw'n endidau masnachol. Yr opera, theatr, siŵr Dduw y byddwn ni'n gweld llyfrau'n gwneud yr un peth. Y cyhoeddwyr, yn gwneud arian.'

Wrth yngan y geiriau mae'r Gweinidog Diwylliant yn chwerthin mor galed mae ei siampên yn arllwys i lawr ei grys sidan drudfawr.

Edrychodd cyfarwyddwr y cwmni opera ar ei wats wrth iddo estyn am hances boced i fenthyg i'r Gweinidog sydd wedi cael gafael mewn glasiaid llawn mewn un symudiad, wrth iddo yntau hefyd sychu'r gwlypter ar ei grys.

'Iawn, 'te, Mr Gweinidog, mae angen i ni gymryd ein seddau. Bydd Mr Bellow o Efrog Newydd yn eistedd gyda chi, os ydy hynny'n iawn?'

Tywalltodd y Gweinidog gynnwys ei wydr crisial a throi am y drws.

'Fe wna i'n siŵr ei fod e'n cael amser da yn ystod yr egwyl,' esboniodd, gan roi winc sydyn i gyfeiriad y bwrdd diodydd.

35

A night
at the opera

MAE'R NEGES WEDI cyrraedd ac mae'r Albaniaid yn setlo i edrych ar y teledu, ac maen nhw wedi prynu tair set newydd gyda sgriniau mor fawr nes bod gweld y walydd y tu ôl i'r setiau yn anodd braidd. Maen nhw wedi eu hamgylchynu gan ddelweddau enfawr, siarp ac mae'r Slivovitz wedi dechrau llifo'n barod, gan beri i'r dynion siarad yn uchel, rhai yn cyfarth fel bleiddiaid, yn udo gydag awch am waed. Nid oes gan yr un dyn yn yr ystafell y dychymyg a'r dyfeisgarwch i drefnu rhywbeth fel hyn, llofruddiaeth golau dydd, ond mae ganddyn nhw'r arian ac yn medru cyflogi gwas da fel y dyn mewn du. Gwir bod ei wasanaeth yn costio crocbris ond roedd ffynnon ariannol y Maffia Albaniaidd yn ddiwaelod, fel y ffynnon hud yn yr hen bentref y tu allan i Tirana.

Cyrhaeddodd y limo gyda'r gwirodydd arbennig, a dechreuodd y giards saethu eu Kalashnikovs yn yr awyr i fynegi eu hapusrwydd bod y gyfrinach yma i'w rhannu gyda nhw gan y bosys yn golygu parti a thri chwarter. Fel arfer roedd digon o bopeth yn weddill iddyn nhw hefyd gael parti bach godidog tra oedd pawb arall yn cysgu'n drwm dan effaith yr alcohol a'r cyffuriau. Ond roedd hwn yn addo bod yn barti unigryw. Clywyd sibrydion bod a wnelo hyn rywbeth â'r dyn roedden nhw wedi ei anfon i wledydd pell i ddatrys problemau, yr asasin oedd bron yn gymaint o fwgan ag o berson o gig a gwaed bellach. Efallai ei fod ar jobyn mawr, fel lladd un o benaethiaid y Maffia, neu Gomisiynydd yr Heddlu yn Efrog Newydd neu'r District Attorney ar gyfer ardal ddeheuol Efrog Newydd oherwydd roedd hyd yn oed y giards diaddysg wedi clywed am hwnnw, oedd yn ymladd yn eu herbyn ddydd a nos. Ac yn colli.

★

Mae Freeman yn dal i chwilio am Tom Tom, ac yn trefnu i gwrdd â Marty, er nad yw'n hollol siŵr pam. Gan amlaf nid yw'n gwneud unrhyw beth heb reswm gwyddonol, er bod hynny wedi bod yn newid yn ddiweddar. Mynd i weld gweddw Poppaline ar ben ei hun. Mynd i'r goedwig ar wahoddiad Christine. Doedd Emma ddim yn un i wneud pethau'n fympwyol ond oherwydd nad oedd modd cael gafael yn Tom Tom mae hi'n cysylltu gyda ei nytces o ffrind. Ond pan mae Marty'n dweud nad yw e wedi gweld na chlywed gair oddi wrtho ers tipyn, ac yn fwy na hynny, bod ganddo ei amheuon a'i ofnau ei hunan, mae'r tinc yn ei lais yn ddigon i Freeman boeni mwy.

★

Nid oedd pethau yn yr opera wedi dechrau'n dda – rhyw broblem gyda'r goleuadau.

Maen nhw'n eistedd yn swyddfa'r *Echo* yn edrych ar y teledu: un person yn teipio copi ynglŷn â'r darllediad opera ac un arall yn chwilio am drydariadau da i osod mewn bocs yn agos at y stori. Yna mae'r is-olygydd, Beth, yn gweiddi,

'Shit! Edrychwch ar y sgrin.'

Mae un neu ddau yno yn adnabod y plisman sydd wedi diflannu, Thomas Thomas, a'r hacs yn y stafell newyddion yn medru gweld nad yw hyn i fod i ddigwydd mewn darllediad byw o opera wedi ei llwyfannu ym Mae Caerdydd. Daw'r golygydd draw o'i focs gwydr o ystafell i edrych ar y lluniau ac mae ei feddwl yn rhuthro'n ôl i'r diwrnod hwnnw pan hedfanodd yr awyrennau i mewn i dyrau'r World Trade Centre yn Efrog Newydd. Mae'r ddelwedd o'r Arolygydd Thomas Thomas yn hongian ar groes uwchben y prif lwyfan yn un sy'n hoelio'r meddwl, er byddai 'serio' yn well term wrth ystyried y sefyllfa. Ond nawr mae Beth yn cyfarth rhywbeth, ac yn pwyntio at ddelwedd newydd sy'n ymddangos ar y sgrin. Bwa croes, fel petai wedi ei blannu rhywle yn y nenfwd, gyda'r awgrym ei fod yn pwyntio at ben y plisman anffodus. Sut ddiawl allai hyn ddigwydd? Codi plisman i ganol y goleuadau theatr? I'w saethu, gyda bwa saeth? I gadarnhau'r ddamcaniaeth mae targed yn ymddangos ar y sgrin, cylchoedd o liwiau sy'n dawnsio ar wyneb y dyn. Mae hon yn sioe ddramatig a does gan neb yn y swyddfa syniad beth ar wyneb daear sy'n mynd ymlaen ond mae pawb yn gwybod bod hyn yn mynd i hawlio'r dudalen flaen a sawl tudalen arall am o leiaf wythnos a bydd siawns i un neu ddau ohonyn nhw, y rhai llawrydd yn sicr, wneud arian sylweddol drwy werthu gwybodaeth, dilyn trywydd, cynnig onglau ffres o safbwynt lleol i'r papurau Llundeinig nes eu bod nhw'n llwyddo i hala eu staff eu hunain ar y Great Western o Paddington.

Mae'r golygydd yn dweud y drefn.

'Reit, pawb i mewn i'r swyddfa, ar wahân i Beth fydd yn

nodi pob manylyn sy'n cael ei ddweud ar y teledu. O, a Defis, anfona decst at Ann Morrow, yr adolygydd cerddoriaeth sydd yn y gynulleidfa. Ma llygad-dyst wedi ei sortio'n barod, felly mae hynny'n wych. Ody Eddie Crime o gwmpas?'

Eddie Thomas oedd y gohebydd trosedd, dyn wyneb coch oherwydd ei fod yn yfed gyda crims mewn amrywiaeth o glinics yfed ar draws y ddinas, yn gweithio'n galed yno bob nos, ac yn un o'r ychydig bobl oedd yn medru mynd i unrhyw achos llys a sgrifennu fersiwn clir o'r hyn ddigwyddodd yno heb air o jargon cyfreithiol. Y peth rhyfedd oedd ei fod yn gwneud hynny ar ôl cael llond croen o gwrw a diodydd mwy ffansi'r noson cynt.

Daeth Eddie i mewn, yn laddar o chwys, a'i wyneb yn goch iawn, fel petai newydd rasio i dop Pen-y-fan, er bod pawb yn gwybod y byddai hynny'n ormod iddo – dyn yn ei ddeugeiniau cynnar oedd wedi cael tair harten ac yn edrych fel petai'n barod am y bedd, neu o leiaf am drip arall cyflym mewn ambiwlans i Ysbyty'r Waun.

'Oréit, bòs?'

Roedd yn amlwg nad oedd Eddie wedi gweld beth oedd ar y teledu, felly trodd y golygydd sgrin ei gyfrifiadur rownd i ddangos i Eddie, a lwyddodd i grisialu'r sefyllfa mewn un cwestiwn byr – 'Be ffyc?'

'Yn union?' atebodd ei fòs. 'Ond rwyt ti'n nabod y dyn sy'n hongian yna, on'd wyt ti?'

Cododd Eddie ei sbectol allan o boced ei grys cyn edrych yn fanwl.

'Tom Tom?'

'Yr union un,' cadarnhaodd y bòs.

Gyda hynny daeth Defis i fewn i ddweud ei fod wedi cysylltu â Morrow a'i bod hi'n dweud nad oedd neb yn cael gadael y theatr, oedd yn gwneud i nifer o aelodau'r gynulleidfa wingo, oherwydd roedd y gwaharddiad yn cynnwys mynd i'r toiledau. Ond roedd yr heddlu, oedd wedi cyrraedd yn barod, wedi cau'r drysau o'r tu allan felly doedd dim dewis. Cofiodd y golygydd fod yr elfennau dynol, pragmataidd, mewn sefyllfaoedd fel hyn yn aml yn cael eu hanghofio.

Awgrymodd y golygydd bod un neu ddau o'r bobl yn yr ystafell yn edrych i weld beth oedd yn cael ei drydar o Theatr Donald Gordon ond yna esboniodd Defis ei fod wedi colli cysylltiad â Morrow yn union yr un pryd ag y collodd afael ar ei frawd oedd hefyd yn y gynulleidfa. Blacowt ar declynnau, oedd yn mynd i wneud pethau'n anodd iawn o ran cysylltu'n uniongyrchol â llygad-dystion. Ond roedd y stori ei hun ar y sgrin – y cop druan yn hongian yno. Yna, dechreuodd brawddegau sgrolio ar draws y sgrin.

'You are watching the death channel. This man has three hours to live. You can watch him being shot if you like.' Roedd Mr Du yn mwynhau, yn serennu yn ei ffilm ei hunan, a'r plisman fel ecstra gwych.

Dechreuodd cloc bach yng nghornel y sgrin ddechrau cyfri am i lawr, gyda miwsig dramatig i gyd-fynd â symlder dramatig y ffigyrau'n newid, un wrth un, eiliad dyngedfennol wrth eiliad dyngedfennol.

Edrychodd y golygydd ar ei ohebydd trosedd.

'Beth ti'n feddwl, Eddie?' Dial gan yr Albaniaid?'

'Synnen i ddim. Mae hyn yn stynt a hanner – dim ond arian mawr a dylanwad allai drefnu hyn ac mae pawb yn gwybod bod yr Albis yn hynod o *pissed off* pan drodd eu cargo gwerthfawr yn lond warws o dystiolaeth. Dial yw hyn, yn y ffordd fwyaf cyhoeddus posib.'

Roedd y darllediad byw yn cyrraedd naw mil o sinemâu a

chanolfannau celfyddydol, heb sôn am arbrawf arbennig lle roedd cynulleidfa'r Metropolitan Opera yn Efrog Newydd wedi mynd i weld y darllediad byw, gyda dynion mewn teis du a menywod mewn ffrogiau drudfawr yn arllwys allan o limos a chabiau Checker. Ond yn lle opera dyma nhw'n cael drama fyw ac roedd y cwmnïau newyddion yn dechrau darlledu yr un delweddau – dyn yn hongian uwchben y llwyfan, cloc yn tic-tocian, cerddorion wedi'u rhewi yn y pit, a'r cast yn eistedd ar y llwyfan, rhai yn eu cwrcwd, eraill yn syllu ar y dyn uwch eu pennau. Dechreuodd y negeseuon roedd Mr Du yn eu darlledu i gyd-fynd â'r lluniau, yn lle'r uwch-deitlau, gyrraedd y literati, yr Albaniaid yn eu *piss-up* ben mynydd a hefyd yr heddlu, wrth gwrs, oedd yn cludo Freeman yno y funud hon mewn car cyflym a'i chalon hithau'n rasio oherwydd nid yn unig dyma ei phartner gwaith, ond hefyd dyma'r dyn a garai. Yn hongian ar groes. Gyda'i wyneb yn darged. Swreal. Gair od i blismones fel Emma ei ddefnyddio, oedd yn arfer mynd i ddelio gyda sefyllfaoedd od ar y diawl. Doedd neb yn gwybod sut roedd Tom Tom wedi cyrraedd y lle, yn hongian oddi ar gantri goleuo ac yn sicr doedd neb yn gwybod pwy oedd wedi gwneud hyn, a beth oedd pwrpas y sbectacl. Tair munud cyn cyrraedd, diffoddwyd y seirens, yn ôl gorchymyn Freeman.

Daeth neges i ddweud eu bod nhw wedi llwyddo i ddiffodd y we yn y theatr ac yn lle gofyn pwy oedd wedi gwneud y penderfyniad dyma Freeman yn adrodd yn glir bod angen aildrefnu fel bod pawb ar y we, oherwydd roedd y person oedd wedi gwneud hyn yn chwilio am sylw, am amser yn y llifoleuadau. Neu o leiaf roedd eisiau i'w weithred gael sylw haeddiannol, ac wrth iddynt groesi afon Taf gwelodd y rhes o geir yn tagu'r hewlydd wrth i deuluoedd aelodau o'r gynulleidfa geisio cyrraedd y ganolfan i chwilio am wybodaeth, ceisio geiriau o gysur, hongian o gwmpas. Gwyddai bod hyn yn bersonol yn barod. Teimlai bod y targed ar ei chalon hi ac un arall ar ei chefn. Abwyd oedd Tom Tom, ond ni wyddai beth i'w wneud, na ble i fynd. Ond am nawr byddai'n cyrraedd Canolfan y Mileniwm ac yn gwneud yn hollol siŵr bod pawb yn gwybod ei bod hi yno.

Anfonodd neges destun at Sue Reynolds oedd yn gofalu am y trydar ar ran yr heddlu, gan ofyn iddi ddweud wrth bawb bod y gyfamodwraig gwarchae wedi cyrraedd, gan obeithio ei bod hi'n cofio'r term am *siege negotiator* oedd ar ei dogfennau. Ond roedd rhaid cael rhywun i gyfamodi ag e er mwyn i'r sgiliau yma fod o unrhyw werth ac ar y foment yr unig beth oedd yn digwydd oedd bod y person dienw, diwyneb yma'n codi braw ar bawb, mewn ffordd hynod soffistigedig. Rheoli'r ffid i mewn i'r gwasanaeth teledu. Mae'n siŵr mai'r unig ffordd i wneud hynny fyddai drwy'r cwmni darlledu ei hun. Tarodd y syniad hi fel mellten. Y sganiwr, un o'r lorïau sydd y tu allan i gemau'r Bluebirds a digwyddiadau cyffelyb. Byddai un o'r rheini yn glwm â'r darllediad, wedi ei barcio fwy na thebyg yn y cwrt lorïau rownd cefn y Ganolfan. Teimlodd sicrwydd gant y cant bod ei damcaniaeth yn gywir, felly ffoniodd y ganolfan reoli i ofyn i'r sgwod glas gwrdd â hi wrth y fynedfa gefn i Ganolfan y Mileniwm. Yna gofynnodd i Larry oedd yn teithio yng nghefn y car i gael hyd i bennaeth technegol y Ganolfan ac yn ei dro ei holi yntau pwy oedd y cyswllt ar gyfer y cwmni oedd yn darlledu'r delweddau. Y delweddau o'i chariad yn hongian yno, yn ddiymadferth. Yn aros iddi hi ei achub.

36

Y cyfamod

WRTH I FREEMAN gyrraedd y Ganolfan mae ei ffôn yn canu ac mae'n cychwyn ar y sgwrs bwysicaf erioed. Mae'n edrych ar y sgrin ac yn gweld rhif Tom Tom ond nid yw'n adnabod y llais sy'n ei chyfarch yn hallt.

'This Thomas's woman?'

'This is DI Freeman speaking. Who are you?'

'Doesn't matter who I am. Just call me the dealer of death, it has a certain ring about it, I think.'

'I'm listening, so please let me know how I can help.'

'I am beyond help. So are you.'

Yn ei phen mae Freeman yn ceisio cofio'r hyn mae hi wedi ei ddysgu ynglŷn â sefyllfaoedd cyffelyb ond does dim tebyg i sefyllfa gyffelyb wedi bod, pan mae eich cariad yn hongian ar ben llwyfan o flaen cynulleidfa fyw ac ar-lein ac ar orsafoedd teledu oedd wedi cymryd penderfyniadau golygyddol ar y lefel ucha posib a ddylid darlledu'r lluniau yma neu beidio, oedd yn gyfystyr â darlledu *snuff movie* neu un o ddarllediadau ISIS neu Al-Qaeda, fel yr un ddarlledwyd o ŵr Emma Freeman. A hynny oedd waethaf, yr adleisio systematig o'r hunllef oedd wedi dod i'w rhan yn y gorffennol ac roedd hi'n gwybod bod y dyn ben arall y ffôn yn gwybod hyn, ac wedi trefnu'n ofalus, pob cam, gan ddod i nabod y theatr grand fel cefn ei law, a ble i osod y bwa saeth. Anodd oedd dychmygu sut lwyddodd i gael Tom Tom i'w le, i fod yn darged, i fod yn gonglbwynt ar gyfer y fenter ddieflig. Sut ar y ddaear? Chlyw Freeman ddim byd ond anadlu. Ond mae'n rhaid iddi gadw'r dyn yn siarad, er mwyn gweld ble mae e.

'Are you still there?'

'I am always here. I always will be here. Like your shadow. Unavoidable.'

'What can I help you with?'

'A little bit of music would be good. Nothing too soothing. Wouldn't want to lose the drama of the occasion.'

Anadla'n drwm eto, ond gall Freeman glywed fod hyn yn artiffisial, yn godro'r sefyllfa.

'What sort of music?'

'Orchestral. That would be good. Especially as you have an orchestra.'

'You want them to play you something... something soothing... This isn't good for anybody's nerves.'

'Good to see you're listening carefully, as I would be, if lover boy was strapped to a gantry with a crossbow trained on his face.'

Prin bod Freeman yn medru ffocysu. Mae'r bastad yn ei phen, wedi ei meddiannu. Strygla i barhau â'r sgwrs, er bod bywyd Tom Tom yn y fantol. Gall miliynau o bobl weld hyn, a hi yw'r ddolen gyswllt, yr edefyn sy'n ei gadw'n fyw.

'Music. It's the food of love. Play on and all that. I'd love to hear some music.'

Prynu amser, dyna beth sy'n bwysig. Mae Freeman wedi llwyddo i ysgrifennu neges ar ddarn o bapur gyda'i llaw chwith ac mae'n ei ddangos i Scanner sy'n cysylltu ag arweinydd y gerddorfa yn syth.

'I have the conductor of Welsh National Opera Orchestra on the line. Please make your request.'

Daw llais crynedig y maestro drwy sbicars bach y ffôn. Mae'n dweud helô gydag acen Eidalaidd drom.

'I would like you to play me some Rossini. You know the piece I want?'

Prin fod yr arweinydd yn medru ffurfio'r enw ar ei wefusau, er ei fod yn gwybod yn iawn beth yw enw'r darn. Sdim eisiau gwneud mwy nag edrych ar y bwa i wybod hynny.

'That's right. The William Tell overture.'

Aeth ias drwy Freeman, fel petai rhywun wedi cyfnewid ei hasgwrn cefn am bibonwy iâ. Jôc aflan. Gallai glywed y miwsig yn ei ben, ond hefyd deimlo arwyddocâd y dewis. William Tell yn gosod afal ar ben ei fab. Yn gosod y saeth yn y bwa ac yn gweddïo'n daerach ac yn ddyfnach nag y gweddïodd yn ei fywyd na fyddai'r crwt yn symud ei ben, neu'n peswch, neu'n twitsio oherwydd nerfusrwydd, neu'n tisian, dim ond aros yn hollol, hollol lonydd pan oedd y bolt yn hisian drwy'r awyr a, gobeithio, hollti'r afal yn ddau. Ond roedd gan Freeman syniad taw'r afal yn y cyd-destun hwn oedd penglog ei chariad, oedd yn edrych yn oer ac yn unig ac mewn poen oherwydd ei fod wedi ei strapio yn yr unfan. Grwgnachodd wrth i'r arweinydd ddweud ei fod yn mynd i gael gair gyda'r cerddorion, wrth i Mr Du awgrymu nad oedd yn teimlo'n amyneddgar iawn ac roedd lot o bobl yn edrych, yn disgwyl i rywbeth ddigwydd a doedd dim angen iddynt ddiflasu a throi i sianel arall neu fynd i wneud paned a cholli'r foment pan fyddai'r mochyn yn cael ei ladd yn fyw ar y teledu.

Gwyddai Freeman bod rhaid, rhaid, rhaid iddi gadw'r dyn i siarad. Dyna oedd y gwerslyfrau i gyd yn ei ddweud ond gwyddai hefyd nad oedd y boi yma'n talu sylw i gonfensiwn.

Gallai glywed Scanner yn siarad â'r maestro oedd newydd gyrraedd y pit tra'i bod hi'n ceisio dyfalu beth i'w wneud i achub bywyd Tom Tom.

Wrth i Freeman gadw'r dyn i siarad mae cyfle i ddod o hyd i'w union leoliad, yr hen dric. Dyw'r systemau ddim yn caniatáu iddyn nhw gael lleoliad GPS ar ei ffôn yn syth, oherwydd mae 'na brotocols ac angen gofyn caniatâd gan dri lle, er bod hyn yn medru digwydd ar fyrder os ydy'r bobl mewn awdurdod yn defnyddio'r cod iawn. Mae'n cymryd hyd at ddeng munud i gael y caniatâd cyfreithiol ac yna harnesu pŵer digamsyniol y wybodaeth sydd ar gael am bob un ohonom – ble ydyn ni, pwy ydyn ni, beth ydyn ni'n ei wneud ar y foment – i ganfod lleoliad y darpar lofrudd.

Ac wrth i hyn ddigwydd yn y cefndir mae pobl yn edrych ar sgriniau ffôn ac ar y sgriniau teledu, ar Macs a PCs mewn swyddfeydd o Anchorage i Sunnyvale, Callifornia ac ar liniaduron teithwyr trên yn Ulaanbaatar, Mongolia a Rachub a Tallin, Estonia, a mynychwyr y Tube yn Llundain, ac ym Mharis a theithwyr mewn rickshaw a tuk tuk yn Sylhet a Phnom Penh. Maen nhw'n edrych yn syfrdan, ac mewn ofn ar y llun, sydd bron yn ddelwedd gysegredig, o'r plisman yma mewn gwlad nad yw'r mwyafrif ohonynt wedi clywed amdani o'r blaen yn hongian mewn theatr, yn disgwyl am farwolaeth, gyda rhywun rhywle wedi llwyddo i wneud yn siŵr bod y sgrin wastad yn dangos y saeth yn anelu at ei ben. Ac ar y pen hwnnw mae graffeg o darged yn dangos y bydd yr ergyd farwol, chwim yn bwrw man yn union hanner ffordd rhwng ei lygaid a hanner ffordd ar draws ei dalcen. Mae ei lygaid yn mesmereiddio pobl oherwydd mae rhai'n cael cipolwg ar sut byddan nhw'n edrych wrth weld marwolaeth yn amlygu ei hun mewn hosbis neu mewn gwely yn yr ysbyty, pan maen nhw'n sylweddoli bod y gêm ar ben.

Yng nghartref chwaer Tom Tom mae Susan yn methu'n deg ag edrych ar y teledu ond mae hi'n gwybod yn well na cheisio ffonio Emma Freeman. Mae'n gwybod ym mêr ei hesgyrn y bydd hi wrthi'n ceisio gwneud rhywbeth am hyn, am ei brawd sy'n rhan o ryw gynllwyn du a drama operatig. Mae'r gerddorfa yn barod i ddechrau chwarae agorawd William Tell gydag adleisiau o'r cyfresi teledu sydd wedi defnyddio'r gerddoriaeth, fel *The Adventures of William Tell* a *The Lone Ranger* ac mae'r maestro, Giovanni Bracchi, yn edrych ar y cerddorion sy'n barod i chwarae, a'r un ohonynt am chwarae nodyn mewn gwirionedd. Mae Stanley Barstow sy'n chwarae'r picolo yn chwysu fel mochyn; Siân Roberts ar y ffliwt, ei gwefusau'n grin ac yn sych gan densiwn, a'r ddau ar yr obo, Fodor Ligeti a Justin Wrench, yn teimlo'r tensiwn hwnnw'n cynyddu nes ei fod fel bandiau dur yn gwasgu yn erbyn eu hasennau. Mae'r ddau'n edrych ar yr arweinydd sydd fel anifail gwyllt wedi ei ddal yng ngolau lampau lori fawr sy'n hyrddio tuag ato.

Mae Giovanni Bracchi'n gweithio'n galed i ganolbwyntio, gan godi ei faton o flaen y clarinetwyr a'r cyrn Ffrengig, heb nodi'r eironi bod un o'r rhain yn dod o'r Swistir; sglein y trympedau a'r trio talentog sy'n chwarae trombôn; yr offer taro, y timpani a'r triongl, a'r drwm bas fydd yn curo fel calon pob un ffidlwr. Gobeithio nad ydynt yn chwarae marwnad i'r plisman sydd ar y sgrin sy'n caniatáu i'r maestro weld beth sy'n digwydd ar y llwyfan ond sydd ar y foment yn darlledu delweddau'n fyw o ITV. Mae'n symud y baton, ac mae'r miwsig yn dechrau.

O fewn ychydig fariau mae'r llais yn dweud, 'Lovely!' wrth Freeman ac mae hi'n ochneidio mewn rhyddhad ei fod e'n dal yno, wrth i Scanner godi ei ffôn yntau sy'n dangos fod y signal yn dod o'r blwch technegol yn y theatr. Wrth gwrs, mae e yn y theatr. Mae e am weld hyn yn agos ac yn waeth na hynny, meddylia Freeman, mae am gael ei gydnabod am y weithred. Shit.

'Can you tell me why you're doing this?' mae'n gofyn, er nad yw'r math yma o gwestiwn yn y llawlyfr, na heb ei glywed yn yr un wers yn y coleg yn Hendon.

'For money. Cash payments upfront only. My clients were very keen on doing this in full view, maximum exposure, and I think we have that. A global audience gripped by the simplest of spectacles. Behold the man who is going to die. I wish I could have been able to use that as a caption but there's a limit even to my gifts. But you have to admit getting an eleven stone policeman onto a gantry above the set for Tchaikovsky's darkest and most personal opera and then to train my remote-controlled crossbow, fully primed with a deadly bolt, not quite with an X marks the spot but something pretty similar. Watch carefully...'

Mae golau coch wedi ei gynhyrchu gan laser yn ymddangos ar dalcen Tom Tom ac mae hyn yn ddigon i siglo'r gynulleidfa ac mae hyd yn oed y maestro yn colli gafael ar y sgôr am hanner eiliad wrth i'r golau bach megis ei drywanu. Oherwydd mae wedi gweld rhywbeth tebyg mewn cyfres ddrama *noir* oeraidd o Sgandinafia, pan mae pobl yn y tywyllwch yn cael eu targedu, a'r unig arwydd ei fod yn eich gwylio ac ar fin eich lladd yw'r smotyn coch, llachar. Fel yr un ar dalcen Tom Tom yr eiliad hon.

'There, that's what we have.'

'Are you waiting to have a bigger audience?'

'Good presumption, DI Freeman. Or may I just call you

DI? Emma, even. No, I don't need that because everyone's sending links, hyperlinks, tweets and retweets so the news is multiplying, intensifying, just as it should be. No, I'm waiting for my own death, my own dying to begin...'

Mae'n aros iddi hi ofyn rhywbeth ond dyw hi ddim yn siŵr beth i'w ddweud.

'Are you ill?'

'Some would say you'd have to be sick to do what I do, killing for cash, but I see it as a trade. I have a skill and people employ me for that skill. But yes, I am. I am ill and the cancer's carved out quite a space for itself. I think the term is "riddled". I am riddled with it. Which makes this a good time to bow out, and do so by taking that useless piece of human vermin, that garbage you call your boyfriend, out there with me. To wherever we go after death, which I think is Nowheresville but we can never be sure. It's too late for me to be searching out a personal God and anyway I am beyond redemption.'

'We are never beyond that. We are bound up in a common humanity.'

'Nice. Preacherly. But utterly ineffective.'

'So why the delay? Why don't you do it now? Right now.'

'Because I need your say. That's what my clients asked for and all this... this complication, is all so that we lead up to this moment, the one where you ask me to kill Thomas Thomas. Simple really. You might have to say please mind, just to make sure. But yes, your wish is my command, as the genie in the lamp once said. I like Aladdin, don't you? Wishes coming true and all that. So my clients, when they hear your words, which I shall broadcast loud and clear to all the continents, will have their wish come true when they hear you give the order. I'd clear my throat if I was you, so that the words come out so very loud and clear.'

Dyma foment waethaf bywyd Freeman, yn waeth hyd yn oed na phan welodd ben ei chyn-ŵr yn hollti fel oren. Allai hi ddim rhoi'r gorchymyn i'w ladd! Byddai'n amhosib iddi fyw gyda'i hun petai'n gwneud hynny. Ond efallai dyna'r ateb...

'Why him? Why not kill me? You can do that if you like. And spare him. He's done nothing to you.'

'He was with you when you impounded my clients' load of drugs. You were there, on TV, standing behind your boss outside the courts as he gloated over your pathetic little triumph. But a triumph is only possible when you're still winning and the game is over.'

Erbyn hyn mae Scanner wedi anfon Uned Tri i'r lleoliad mae'r dyn yn ffonio, gan wybod na fydd modd iddynt dorri i mewn yn hawdd. Ond mae'n rhaid gwneud rhywbeth ac amgylchynu'r lle yw'r peth gorau am y tro.

Mae Freeman yn dal i siarad, yn dal i geisio prynu amser ac, os yn bosib, i chwilio am fan gwan. Mae gan y dyn gancr, siŵr Dduw fod lle hyd yn oed mewn calon galed am dinc o edifeirwch? Ond efallai fod gan y dyn ormod ar ei gydwybod, digon i'w lusgo i lawr drwy fantell y ddaear a llosgi'n braf fel petai wedi cyrraedd uffern y ddaear hon.

'Are you receiving treatment?' gofynna Freeman, gan ddefnyddio ei llais mwyaf tyner, yn sianelu addfwynder nyrs, gan dybio nad yw wedi clywed tynerwch ers amser hir. Efallai nad yw wedi cael triniaeth, dim ond diagnosis. Mae'n ddyn sy'n marw ac yn mynd i farw mewn poen ac unigrwydd. Efallai y gall hi ymdreiddio i mewn i'w ben. Ond bydd yn rhaid iddi feddwl am rywbeth fydd yn newid ei feddwl neu ailystyried, rhywbeth fydd yn achub bywyd Tom Tom, sydd â'i fywyd yn y fantol ac mae pwysau cynyddol un ochr i'r fantol yn ei erbyn. Shit. Shit. Shit. Mae'n rhaid iddi feddwl yn glir, rhaid iddi ganolbwyntio. Mae hi wedi bod yn siarad â'r dyn ers chwe munud ac mae hi bron yn medru clywed poen Tom Tom, ei gyhyrau'n gwichian dan y straen o hongian fel pyped byw.

Ond yna mae'n gweld neges gan y Prif ar ei ffôn sy'n gorchymyn torri i fewn i'r ystafell lle mae Mr Du yn rheoli pethau, gan ddenfyddio bomiau llaw llonyddu, ac yn gofyn iddi sicrhau bod y boi ar y ffôn am dair munud arall. Mae Freeman yn cael braw. Roedd hyn gyfystyr â rhoi ordor i'r unedau ladd Tom Tom oherwydd roedd hi'n sicr fod pob mathau o faglau eraill wedi eu gosod i wneud yn siŵr nad oes neb yn cael ei gymryd e'n fyw. Felly, mae hi'n ynganu'r geiriau mae hi'n meddwl sydd yn mynd i achub bywyd Tom Tom, ffordd i ennill yr amser sydd ei angen ar y sgwod i fynd i mewn: gwneud beth oedd y dyn yn gofyn.

'Please kill him now. Plis lladdwch e, plis lladdwch e nawr,' ond mae'r geiriau'n cyrraedd ffôn sydd wedi cwympo i'r llawr wrth i Uned Tri ruthro drwy'r drws fel corwynt, ac i mewn i stafell sy'n llawn mwg fel *knock out drop*.

Mae gan Mr Du declyn yn ei law ac mae'r pedwar yn gwybod taw hwnnw yw eu targed nid y dyn ei hun, y botwm i ryddhau'r saeth o'r bwa. Mae dau wedi bod yn ymarfer sut i gael ei fysedd bant o'r botwm marwol. Ac mae un o'r plismyn yn torri bysedd y llaw sy'n dal y botwm mewn symudiad baletig.

Mae Freeman wedi ynganu'r geiriau, er mwyn rhoi amser i'w chyfeillion fynd i mewn, ond mae hi'n llythrennol yn brathu ei thafod fel petai wedi yfed asid, gyda delweddau o'i gŵr Terry a'i chariad Tom yn cymysgu yn ei phen. Mae'r dynion sydd wedi dringo i ganol y goleuadau yn ei dynnu'n rhydd ar ôl i fois Uned Dau ddatgysylltu'r bwa rhag ofn ei fod yn saethu drwy ddamwain.

Mae'r delweddau ar y sgriniau i gyd, ar draws y byd: ac ar y sgrin fach yng nghledr llaw Freeman.

Ochneidia Freeman yn ddwfn, gan greu sŵn sy'n codi o grombil ei byw. Cymysgedd o ryddhad a dicter a loes, ac mae'n meddwl am Terry a'i aberth, am Christine sydd wedi llwyddo i dywyllu ei bywyd hi, am y bobl wnaeth Christine eu llofruddio, am Ben sy'n gorwedd yn yr uned gofal dwys, Tomkins a losgwyd yn ulw yn y tân ac am y plisman dewr fu farw wrth geisio gwneud yr un peth â Terry, sef dod â'r dyn drwg allan o gysgod y garreg. Bu bron iddi dorri'n ddarnau, yn enwedig pan welodd emoji o fys bawd gan y Prif, i ddangos bod Tom Tom yn ddiogel.

Rhuthrodd i'w weld ond roedd Tom Tom yn cael ei godi i mewn i ambiwlans ac er y gallai hi fod wedi dangos ei cherdyn warant neu berswadio'r dynion i adael iddi deithio gydag e, doedd ganddi mo'r egni mewn gwirionedd. Roedd siarad â'r asasin am funudau hir wedi teimlo fel canrifoedd ac wedi bod yn straen affwysol arni. Bron iddi anghofio fod ganddi ddyletswyddau eraill. Cerddodd i'r bwth technegol lle roedd Mr Du yn cael ei godi ar stretsiar oedd yn goch gan waed, a phawb yn gwybod bellach fod y dyn yma'n beryglus fel sarff.

'You are Freeman?' mae'n gofyn, a'i lygaid wedi hanner cau oherwydd effaith y nwy a'i afiechyd, yn ogystal â'r clwyf newydd, a'r rhwymiadau lle ddylai ei law fod.

'Yes, I'm Freeman. And when you die there won't be any witnesses to what I said to you. You're an evil man but I forgive you because I have that as a way to salve my conscience. But tell me one thing. Did you cook up this complicated scheme all by yourself? And hard work, as I imagine he was unconscious when he was up there so I guess he'd have been a dead weight. Albanian money? And staging it all so it would have the most wounding effect on me? Well, that was nothing short of brilliant. Except for one thing. I'm tougher than you, more resilient, because you – you miserable dying fucker – only have the strength that other people allow you through their weaknesses. But I'm the sort of steel that is tempered by fire. I'm harder than you and I shall rejoice in hearing that you have shuffled off this mortal coil.'

Gwenodd wrth adrodd y geiriau maleisus oherwydd roedd rhywbeth wedi newid ynddi, yn rhannol efallai oherwydd y gemau roedd Christine wedi'u chwarae ond hefyd oherwydd yr ergydion seicolegol roedd y dyn yma o'i blaen wedi'u hachosi. Nodiodd ar y dyn ambiwlans i'w gario oddi yno, cyn ei bod yn dweud rhywbeth mwy maleisus, er ei bod hi'n anodd credu y gallai hi ddweud pethau gwaeth. Roedd y cyfan wedi ei suro hi, newid ei phersonoliaeth. Efallai mai dyna oedden nhw eisiau, y Maffia Albaniaidd, nid ei lladd. Ac roedden nhw wedi llwyddo mewn ffordd, oherwydd roedd rhywbeth wedi marw y tu mewn iddi, rhyw deimlad oedd wedi cael ei ddisodli gan ysfa i ddial. Teimlai hyn yn gryf wrth sefyll dros y dyn ar y stretsier, yr angen i gloi ei dwylo'n dynn o gwmpas ei lwnc a gwasgu'n galed, gan fwynhau gweld ei wefusau'n newid lliw. Ond roedd hi wedi llwyddo i rwymo'i theimladau gyda rhaff o gydwybod, gan wybod petai hi'n gwneud hyn byddai'r drwg yn y byd wedi ennill y frwydr yn erbyn y da. Eto plannwyd hedyn du y tu fewn iddi, a gallai hwnnw dyfu a brigo a blaguro'n goeden ddrain dieflig.

Deialodd y pencadlys i weld a oedd unrhyw newyddion am gyflwr Tom Tom ond roedd pob llinell yn brysur, fel arfer. Prin bod digon o bobl i ateb y ffôn am yr holl broblemau a'r achosion o dor cyfraith yn y ddinas, heb sôn am ddigon o bobl i ymateb iddynt. Oherwydd bod arian yn brin, roedd troseddau ar i fyny.

Penderfynodd gerdded drwy Tre-biwt i ganol y ddinas gan fynd heibio'r siop gebabs a'r fflat lle cafodd Lynette White ei lladd, er bod hynny ymhell cyn ei hamser hi: eto, roedd yn un o'r hanesion nad oedd wedi adlewyrchu'n dda ar Heddlu De Cymru. Yna cerddodd heibio'r parlwr tylino lle roedd y menywod o Lithwania yn gweithio, a wnaeth sbarduno atgofion o holi drws i ddrws wrth geisio dod o hyd i Poppaline, heb wybod bod Christine wedi ei dewis hi, ei rhwydo hi a'i thostio hi ar sbit fel rhostio mochyn mewn ffair. Roedd hi'n anodd deall y dyfnderoedd duon oedd yn llechwra oddi fewn i bobl, yr ogofâu o ddüwch oedd yn medru teimlo'n ddiwaelod.

Wrth grwydro i fyny Stryd Bute gallai weld y fyddin garpiog o bobl ddigartref yn llusgo'n araf i glwydo yn y Salvation Army, gan wybod bod y niferoedd wedi chwyddo yn ddiweddar. Naw cant, tynnu am fil bob nos. Cofiai sut aeth hi i ymweld â Gardd Heddwch Genedlaethol y tu ôl i'r Deml Heddwch un prynhawn braf yn yr wythnos ar ôl symud i'r pencadlys newydd pan oedd hi'n ceisio dod o hyd i fflat yn y ddinas. Roedd cynifer o fflatiau ar gyfer myfyrwyr ar gael ond prin dim byd ar ei chyfer hi, a'r llefydd oedd ar gael yn rhy ddrud o bell ffordd. Ni allai amgyffred y bobl oedd yn medru fforddio dros fil o bunnoedd y mis am rentu bocs bach yn edrych allan ar ddarn o afon dywyll neu tuag at ffenestri fflatiau eraill. Myfyrwyr o Tsieina, gan amlaf.

Safodd yn edrych ar y cofgolofnau a'r arwyddion yn cofnodi hyn a'r llall yn yr ardd, a gweld bod pedair pabell fechan wedi eu codi ynghanol y gwyrddni rhwng ymyl yr ardd a'r hewl fawr. Aeth i gael gair gyda'r dynion oedd yn byw ynddynt, er bod pob un yn wyliadwrus. Roedd hi'n amlwg ei bod hi'n blisman o'r ffordd roedd hi'n siarad, ond cafodd gynnig paned a chlywed ambell stori. Flwyddyn yn ôl roedd gan y pedwar swydd, cartref a theulu ac wrth i Freeman gerdded drachefn heibio'r lleng o bobl ddigartref meddyliodd eto am y pedwar, a pha mor gyflym aeth pethau o'i le.

Wrth iddi gyrraedd y dre, teimlodd bod ei meddwl yn ddigon clir i wynebu'r her nesaf, sef mynd i weld Tom Tom. Doedd hi ddim yn gwybod allai hi edrych i fyw ei lygaid ond roedd yn rhaid iddi drio'i gorau. Ynganodd hi'r geiriau o orchymyn i'w ladd. Cerddodd tuag at y pencadlys ond yn lle gofyn am un o geir yr heddlu, aeth mewn tacsi gan ei bod hi'n ystyried hyn fel ymweliad preifat. Fyddai Tom Tom ddim yn dychwelyd i'w waith am amser hir, tybiai, ac felly dechreuodd feddwl am gymryd gwyliau hefyd. Gan nad oedd hi wedi cael gwyliau ers iddi ddechrau'r swydd roedd digonedd o ddiwrnodau ar gael iddi.

Teimlodd bod amser wedi rhewi wrth i'r tacsi deithio ar hyd North Road tuag at dagfeydd cylchdro anferth Gabalfa: roedd y ffaith nad oedd y gyrrwr tacsi yn gwrando ar gerddoriaeth yn od, gan fod bron pob gyrrwr arall yn mynegi ei hunaniaeth neu o leiaf ei chwaeth bersonol drwy gerddoriaeth yn y cab.

*

Dyma'r ail waith iddi fod yn yr ysbyty yn ddiweddar. Roedd cyntedd y lle yn orlawn a dim ond un wirfoddolwraig o'r WRVS yn gweithio ar y ddesg gwybodaeth, felly bu'n rhaid i Freeman aros am ddeng munud, yn edrych ar yr holl salwch ymhlith yr ymwelwyr a'r cleifion oedd wedi dod i lawr mewn fflyd o gadeiriau olwyn i smocio y tu allan. Oherwydd y rheolau oedd yn gwahardd i unrhyw un smocio o fewn 25 metr i'r adeilad ei hun, roedd y caethweision i nicotîn yn gorfod aros mewn un haid ger y caban biniau sbwriel. Bob dwy funud byddai ambiwlans arall yn cyrraedd, yr anghenus yn llenwi A and E nes bod rhaid i nifer o'r cleifion aros yn y coridorau, fel oedd yn gorfod digwydd yn aml iawn y dyddiau hyn.

Aeth Freeman i'r pedwerydd llawr, a synnu bod Tom yn gorwedd mewn gwely wedi ei amgylchynu gan flodau a bocsys o siocled a dau gerdyn, ac yntau ond newydd gyrraedd yno bedair awr yn ôl.

Gwenodd Tom Tom o'i gweld, er ei fod yn amlwg mewn poen. Roedd Emma wedi bod yn amau a allai hi ymdopi â'r foment hon. Camodd draw tuag at y gwely ac ar ôl cael cipolwg slei o gwmpas, i wneud yn siŵr nad oedd nyrs gerllaw, cusanodd Tom yn llawn ar ei wefusau, oedd yn ddigon i gael gwared o'r bwganod.

'Am ddiwrnod!'

'Am ffwc o ddiwrnod!' adleisiodd Freeman, gan danlinellu'r blinder yn ei llais. Gallai gwrlo lan ar y gwely gyda Tom a chwympo i gysgu'n syth.

'Shwt wyt ti'n teimlo?'

'O, fel rhywun sydd wedi bod yn hongian o gwmpas yn rhy hir.'

A dechreuodd y ddau rowlio chwerthin. Chwerthin tonnau gwyllt o ryddhad pur.

37

Ble mae Daniels?

Mae Emma a Tom Tom yn trefnu gwyliau, yn gwbl agored i'r syniad o fynd i unrhyw le yn y byd. Maen nhw'n dechrau ffafrio Fietnam ac yn dechrau trafod dyddiadau penodol pan mae'r Prif Gwnstabl yn cerdded i fewn ac mae'r olwg ar ei wyneb yn bell o fod yn hapus. Mae hynny'n syndod braidd o ystyried popeth sydd wedi mynd yn iawn yn ddiweddar – Christine yn mynd i dreulio gweddill ei hoes yn y carchar; un o'r asasins gwaethaf ar wyneb ddaear allan o fusnes am amser hir iawn a'i gyflogwyr yn edrych yn wan; yr Albaniaid wedi eu trechu am yr ail waith mewn llai na dwy flynedd oedd yn meddwl eu bod yn cael eu hystyried fel *elite* ymhlith heddluoedd y byd. Ond dyna oedd y broblem. Dyna'r rheswm am y gwg ar wyneb y Prif.

'Mae'n ddrwg gen i dorri ar draws eich cynllunio, yn enwedig ar ôl i mi bron â'ch gorfodi i drefnu amser i ffwrdd, fel rhyw fath o ddiolch a hefyd i sicrhau bod gan y ddau ohonoch chi ddigon o egni pan fydd angen datrys problem na all neb arall ei datrys.'

'O, syr, peidiwch seboni! Mae hen ddigon o staff da, cydwybodol.'

'Falle wir, ond nid dyna'r rheswm ddes i yma. Dwi wedi cael Carter o MI6 ar y ffôn ac maen nhw'n amau bydd yr Albaniaid am ddial o fewn yr wythnos. Maen nhw wedi rhoi pris enfawr ar eich pennau, felly ry'n ni gyd ar ein gwyliadwraeth. Ac mae e'n pryderu y byddai'r rhain yn dial drwy ymosod ar unrhyw un yn y ffôrs, neu aelodau o'u teuluoedd. Ond yn fwy na dim maen nhw am eich cael chi, gwerth deng miliwn o bunnoedd. Yr un. Sydd yn mynd i siglo'r nyth, on'd yw e? Ac mae e'n deall eich bod chi'n mynd ar eich gwyliau ond dyw e ddim yn credu ei bod hi'n ddiogel i chi wneud hynny heb newid eich henwau a mynd â gwarchodwyr.'

'Gwarchodwyr? Dy'n ni ddim eisiau gwarchodwyr gyda ni ar ein gwyliau cyntaf gyda'n gilydd!'

'Does gen i ddim dewis. Mae'r gorchymyn wedi dod o le uwch na Carter. Gan y Gweinidog Tramor ei hun, sydd wedi bod yn siarad ag Interpol, reit ar draws Ewrop wrth geisio negyddu effeitholrwydd yr Albaniaid, cyn eu bod nhw'n cael amser i drefnu eu hit. Ond mae'n anoddach nawr ein bod ni allan o Ewrop.'

'A newid enwau, syr? Rili?'

'Ry'ch chi'n enwog, a'ch wynebau wedi bod ar bob papur a rhaglen deledu yn y byd, dybiwn i. Yn enwedig chi, Tom Tom. Mae'ch wyneb chi fel un o arlywyddion America wedi ei gerfio ar Mount Rushmore. Felly mae newid enw yn un o'r pethau mae'n rhaid gwneud. Byddai cael *plastic surgery* yn handi hefyd, wrth gwrs.'

Mae'n dweud hyn fel jôc ond nid yw Freeman na Tom Tom yn gwenu. O gwbl.

'A does dim dewis 'da ni?'

'Dim o gwbl, mae arna i ofn. Dwi wedi cael fy nirprwyo i weud wrthoch chi yn y termau mwyaf moel beth sydd ei angen, beth sy'n gorfod digwydd. Mae Carter am ddod draw o Lundain yn y bore i roi *briefing* i chi ar yr hyn mae GCHQ a'r bois *intel* wedi casglu at ei gilydd. Mae'r Albaniaid wedi datgan fod hyn yn ddechrau brwydr newydd, bod rhyfel wedi dechrau rhyngddyn nhw a... wel, chi'ch dau. Ac wrth gwrs byddwn ni'n sefyll gyda chi. Safwn yn y bwlch *and all that*, ond yn y pen draw maen nhw ar eich holau chi, a'r ffordd orau i'w hosgoi yw defnyddio'r wybodaeth sydd ar gael.'

'A beth am Daniels? Y'ch chi'n siŵr nad oes angen i mi weithio ar yr achos? Wedi'r cwbwl, wnes i addo dal y llofrudd...'

'Byddwn ni naill ai'n dal Daniels neu ddim. Dyna beth yw plismona. Ac mae rhaid i blisman da gael gwyliau ambell waith...' Gyda'r foeswers fach gwta honno mae'r Prif yn troi ar ei sawdl ac yn cerdded i ffwrdd. Does dim digon o oriau yn y dydd iddo.

Gyda hynny mae Tom Tom yn derbyn neges destun gan Marty sy'n dweud – yn y cod arbennig mae'r ddau'n ei ddefnyddio – nad oedd yn rhaid iddo wneud job ar y casglwr rhent. Roedd e wedi anghofio'n llwyr am hyn, rhwng popeth arall oedd yn mynd ymlaen, sef gormod o bethau. Mae Tom Tom yn amau fod yr adroddiad ar y pentwr ar ei ddesg am ddamwain car yn Nhrelái yn gysylltiedig â hyn, felly nid yw'n gwybod os dylai longyfarch Marty gydag emoji neu ddau neu aros nes bod y ddau'n cwrdd. I gael y gwirionedd.

Nid yw Tom Tom yn siŵr sut i deimlo ynglŷn â neges destun Marty. Yr hen gwestiwn. Oedd gwneud niwed i rywun er mwyn lleihau'r drwg roedden nhw'n ei wneud i eraill yn beth iawn? Oedd modd cyfiawnhau y fath weithred? Gallai athronyddu a phendroni ond byddai'n well mynd i gwrdd â'i ffrind, ond cyn hynny byddai'n gweld sut cafodd y dyn ei daro i lawr. Gwyddai'r ateb yn ei galon yn barod, ond byddai gweld yr adroddiad swyddogol a'r lluniau clir ar sgrin ei gyfrifiadur yn braenaru'r tir. Byddai gyrru yno yn help i brosesu'r ffaith na fyddai ei wyliau gyda Emma yn digwydd fel gwyliau pawb arall. Dychmygai ryw foi o MI6 yn gorwedd ar y traeth ar dywel cyfagos, neu ddynion mewn cotiau hir yn eu dilyn fan hyn a fan 'co. Efallai dylai ofyn i Marty ddod gyda nhw i'w gwarchod. Dod â'i gariad yn ogystal. Ond dyw e ddim yn credu y byddai Emma a Maxine yn dod mlaen yn rhy dda. Na, nid yw'r syniad yn mynd i weithio.

Job plisman yw gofyn cwestiynau ac mae'r rhai da yn gofyn y cwestiynau gorau a hefyd yn manteisio ar y sefyllfa. Mae Tom Tom yn gwybod hyn yn fwy na neb. Ac mae cael Emma iddo'i hun yn un sefyllfa felly. Oeda. Mae'n edrych ar ei lyfr nodiadau cyn edrych i fyw ei llygaid cyn gofyn,

'Os gawn ni gyfle i fynd bant – i Goa neu'r Maldives neu'r Seychelles neu ta ble ti eisiau mynd – a fydd modd ystyried un peth arbennig i'w wneud tra'n bod ni yno?'

'Pa beth arbennig?'

'A fyddet ti'n ystyried fy mhriodi?'

Mae'r tawelwch yn asio'n dda gyda'r syfrdandod. Prin fod Emma yn medru tynnu anadl heb sôn am ffurfio geiriau. Ond maen nhw'n dod yn y pen draw.

A phan maen nhw'n cyhoeddi'r newyddion am y dyweddïad yn y Squad Room ychydig funudau yn ddiweddarach mae'n bosib clywed y floedd o gymeradwyaeth mor bell i ffwrdd â Khatmandu. Neu hyd yn oed ymhellach.

Hefyd gan yr awdur:

Mae Gower yn ffrwydro ar y sin nofelau trosedd
Cymraeg gyda hanes gwallgof a gwaedlyd
sy'n gafael o'r cychwyn. **ALUN COB**

JON GOWER

Y DÜWCH

£8.99

Rebel Rebel

JON GOWER

'Bûm yn chwerthin, cefais fy synnu, a fy nghyffwrdd.' Catrin Beard

£7.99